LES HOMMES DU DÉSHONNEUR

DU MÊME AUTEUR

MAFIA ET COMPAGNIES
L'éthique mafiosa et l'esprit du capitalisme

P.U.G., 1986

PINO ARLACCHI

LES HOMMES DU DÉSHONNEUR

La stupéfiante confession du repenti Antonino Calderone

Traduit de l'italien
par Françoise Brun

Albin Michel

Édition originale italienne :

GLI UOMINI DEL DISONORE

© 1992 Arnoldo Mondadori Editore S.p.A., Milan

Traduction française :

© Éditions Albin Michel S.A., 1992
22, rue Huyghens, 75014 Paris

ISBN 2-226-06147-9

Avant-propos

Il y a déjà eu, en France, des livres sur la mafia, livres de journalistes, d'historiens ou d'écrivains. Mais nous n'avions encore jamais entendu la voix des mafiosi eux-mêmes : *la mafia racontée de l'intérieur*. La mafia — ou plutôt « Cosa Nostra », puisque c'est là son vrai nom — telle que la voient, la vivent et la ressentent ceux-là mêmes qui en font partie.

Pour la première fois, grâce au sociologue Pino Arlacchi, qui est allé interroger, là où la justice italienne le cache depuis ses révélations, le mafioso « repenti » Antonino Calderone, un homme de Cosa Nostra s'adresse à nous pour témoigner de ce qu'il a vécu.

Sicilien de Catane — cette ville moderne et dynamique qui est un peu le Milan du Mezzogiorno italien —, cet homme qui est, selon les propres mots du juge Falcone, un véritable « enfant de la balle », né dans une famille mafieuse, frère et neveu de mafiosi puissants, a vécu toute l'histoire de la mafia depuis cinquante ans et participé au plus haut niveau à toutes ses activités. Et il parle de tout : sa jeunesse, son adhésion à Cosa Nostra (le récit de la cérémonie d'initiation est un des grands moments de ce livre), les méthodes et les règles de l'organisation, les personnages qui l'ont dirigée ou la dirigent encore, leur férocité, leur violence, leur bêtise parfois. Et aussi la corruption des notables, hommes politiques, grands entrepreneurs ou fonctionnaires de l'État.

Et peu à peu, son récit ouvre des gouffres sous nos pas. A cela d'ailleurs, la personnalité même de Calderone, homme simple et modeste, parlant avec ses mots à lui, tantôt terribles, tantôt drôles et touchants, n'est peut-être pas indifférente.

Cet homme-là aime sa femme, sa famille, ses amis. Mais surtout, il admire passionnément son frère aîné, « Pippo », le grand « boss » de Catane, chef de la commission régionale de Cosa Nostra pour toute la Sicile, et dont l'assassinat par une faction rivale, à la fin des années 70, a marqué pour Antonino Calderone le début de l'écœurement, déterminant son éloignement progressif de ce qu'il appelle le « monde paranoïaque de Cosa Nostra ».

Mais cette rupture, dont Calderone témoigne pour lui-même, a également traversé l'ensemble de la mafia sicilienne et changé, définitivement sans doute, son visage. La mort de « Pippo » Calderone n'était en fait que le prélude de la grande « guerre de mafia » qui, entre 1981 et 1983, allait faire des centaines de morts dans les seuls rangs des « perdants » et bouleverser de fond en comble le paysage de Cosa Nostra, ses règles, ses « valeurs », ses méthodes, pour donner finalement naissance au phénomène des repentis.

C'est d'ailleurs au nom des anciennes valeurs de la « vieille » mafia, bafouées, selon lui, par la « nouvelle », qu'Antonino Calderone se dresse en accusateur. Des valeurs qui nous semblent tenir beaucoup plus du cynisme que de la morale, mais en lesquelles Calderone croyait — et croit encore, semble-t-il, en dépit de tout. Et malgré ce qui parfois pourrait nous le rendre sympathique, nous ne pouvons tout de même pas oublier qu'il est responsable de sept meurtres et qu'il a pris part à l'assassinat de quatre enfants...

L'aspect « humain » de ce témoignage n'est cependant pas le seul intérêt de ce document. En racontant sa vie, Calderone raconte aussi tout un pan de l'histoire politique italienne, vue des coulisses.

On y apprend ainsi — et ce n'est pas le moins surprenant pour un public français — que la répression fasciste avait presque entièrement eu raison de la mafia (en qui Mussolini ne pouvait voir qu'une concurrente) et qu'elle ne dut sa survie qu'à l'arrivée des Alliés. Ce qui fait d'ailleurs dire aujourd'hui à certains Italiens qu'un nouveau Duce aurait du moins l'avantage de débarrasser le pays de la présence de la « Pieuvre »... On y apprend également comment la mafia fut contactée pour appuyer un coup d'État fasciste dans les années 70 (fomenté, on le sait aujourd'hui, par certains services secrets italiens, avec l'aide de leurs collègues américains) ; pourquoi elle préfère la démocratie chrétienne, seul parti, nous dit Calderone, capable d'entretenir le « marasme » dont Cosa Nostra a besoin pour prospérer ; comment elle « protège » les gros entrepreneurs en bâtiment et s'arrange pour leur faire obtenir les marchés publics importants ; quels liens presque « organiques » (de société secrète à société secrète) elle a tissé avec certaines loges maçonniques ; comment elle « aide » des hommes politiques à se faire élire, en échange d'une garantie d'impunité pour ses actions. Toutes ces informations sur les liens entre la mafia et la politique, Calderone a été le premier, et très longtemps le seul de tous les « repentis », à les donner à la justice.

La mafia, qui aime à se présenter, ainsi que Calderone le rappelle, comme l'héritière de la lutte du peuple contre les éternels envahisseurs de la Sicile (cette île mille fois annexée, mille fois pillée, depuis l'époque du préfet Verrès, dénoncé par Cicéron, jusqu'aux Normands et aux Bourbons, où la haine des « sbires », les représentants de l'autorité et de l'État, et cette arme ultime qu'est le silence sont devenus avec les siècles des réflexes identitaires), a toujours été en réalité du côté des puissants.

Née comme une sorte de milice privée des grands propriétaires terriens, elle s'est tout naturellement urbanisée après la réforme agraire des années 50, devenant l'allié objectif des gros entrepreneurs siciliens ; briseuse

9

de grèves, elle n'hésite pas à tuer les syndicalistes. Avec les années du boom économique, elle s'est transformée jusqu'à devenir l'équivalent d'une bourgeoisie — parasitaire, certes, mais aussi dynamique et industrieuse, sachant parfaitement bien gérer à son profit tous les manques de l'État italien. Enfin, au début des années 70, la grande mutation, dont Calderone témoigne : l'arrivée massive de la drogue, à laquelle la vieille mafia refusait de toucher et qui ouvre à la nouvelle des dimensions internationales. Et voilà « Cosa Nostra » (Notre Chose, Notre Affaire) qui, de sicilienne, devient l'Affaire du monde entier.

Sa force a toujours été cependant d'avoir su rester enracinée dans la terre de Sicile, d'avoir su — et Calderone, là encore, le montre bien — recruter les jeunes gens désœuvrés que sa puissance fascine, et détourner à son profit l'argent de l'État ou des instances européennes. Et elle a toujours su établir des pactes de « convivialité » avec les différents cercles du pouvoir, à tous les échelons, afin de préserver ses intérêts.

Comme un capitalisme sans morale, comme un fascisme sans idéologie, elle n'a qu'un but : son profit, et qu'un moyen : la violence. Elle a toujours tué, et continuera de le faire chaque fois qu'elle le jugera nécessaire. Jamais gratuitement, parfois discrètement, souvent férocement, quand il s'agit d'intimider, de lancer un avertissement. Elle est sans états d'âme. Et si elle sert les intérêts du pouvoir, c'est accessoirement aux siens propres, et à la condition que ce pouvoir lui soit utile et respecte les « pactes ». L'ex-maire démocrate-chrétien de la capitale sicilienne, Salvo Lima, devenu ensuite député européen au parlement de Strasbourg, a été tué le 12 mars 1992, en pleine campagne électorale, de deux balles de pistolet dans une rue de Palerme parce que, semble-t-il, il n'avait pas rempli sa mission : intervenir « là-haut », à Rome, pour que les lourdes condamnations infligées aux chefs de Cosa Nostra lors du maxi-procès de 1987 ne soient pas confirmées en appel par la Cour de Cassation. Or, contre toutes les attentes de Cosa Nostra, les sentences, très lourdes, ont été confirmées. C'était en janvier 1992. Deux mois plus tard, Salvo Lima était mort.

A l'heure où l'Italie nous semble plonger — et plonge peut-être — dans le chaos, où toutes les cartes du jeu politique sont en train de se redistribuer et où l'on ignore encore quelle sera la nouvelle donne, le témoignage de Calderone est infiniment précieux pour tous ceux qui veulent tenter de comprendre quelque chose à l'histoire récente de ce pays, plus violente, plus déchirée et peut-être plus proche de nous qu'il n'y paraît...

Quel futur attend l'Italie ? Vers quel autre parti politique la mafia, qui est en train de « lâcher » la démocratie chrétienne, va-t-elle se tourner ? Et ce nouvel élément que sont les protestations populaires, les associations de lutte contre la mafia, surgies en Sicile à la fin des années 80, parviendra-t-il à couper Cosa Nostra de son terreau nourricier, de sa base populaire ? Ou n'est-ce pas trop tard, quand la mafia dégage un chiffre d'affaires annuel estimé par certains à 100 milliards de dollars, plus que le budget de bien des États ?

Françoise Brun

Une partie des informations contenues dans les notes de cet ouvrage proviennent de : M. Padovani, *Les Dernières Années de la mafia*, Gallimard, Folio, 1987 ; M. Padovani et G. Falcone, *Cosa Nostra. Le juge et les « hommes d'honneur »*, Éditions n° 1 / Austral, 1991 ; C. Sterling, *La Pieuvre. La mafia à la conquête du monde (1945-1989)*, R. Laffont, 1990. On lira également avec intérêt : P. Trétiak, *La Vie blindée. Seuls contre la mafia*, Seuil, 1992 (sur le mouvement antimafia) et F. Calvi, *La Vie quotidienne de la mafia de 1950 à nos jours*, Hachette, 1986.

Préface

Ce livre est le résultat d'une série d'entretiens que j'ai eus en mars 1991 avec Antonino Calderone, un des chefs de la mafia à Catane, arrêté en France en 1986, et qui a fourni aux enquêteurs une description longue et détaillée de la composition de la mafia en Sicile ainsi que de son histoire depuis les années soixante jusqu'au début des années quatre-vingt. La déposition de Calderone occupe 867 pages ; la carte de la société criminelle qu'elle dessine ne compte pas moins de deux mille noms, mafiosi ou individus associés à la mafia, regroupés dans une soixantaine de familles.

Conséquence immédiate de la collaboration de Calderone, la police a lancé 160 mandats d'arrêt pour meurtre et association de malfaiteurs et ouvert toute une série d'enquêtes et de vérifications.

Mais par-delà ces effets immédiats — les inculpations, les arrestations et les condamnations qui ont suivi —, les déclarations de Calderone ont quelque chose de particulier qui rend son témoignage unique : son frère Giuseppe, auquel il était très lié, a été le chef de la « commission régionale » de Cosa Nostra de 1975 à 1977, avant Michele Greco et après Gaetano Badalamenti. Cette commission, composée des six représentants provinciaux des familles du crime, était destinée à « gouverner » les affaires civiles et pénales de la mafia, en Sicile et ailleurs.

Le témoignage d'Antonino Calderone est donc le

13

premier tableau complet de la mafia qui nous parvienne des sommets de sa hiérarchie. Il y avait déjà eu, dans les années quatre-vingt, de grands « repentis », comme Tommaso Buscetta, Marino Mannoia et Salvatore Contorno ; mais tous étaient issus de la Cosa Nostra de Palerme. Les frères Calderone, eux, par leur position élevée dans la hiérarchie mafieuse, bien sûr, mais aussi par la situation excentrée de leur fief, Catane, par rapport à la capitale, Palerme, ont eu la possibilité d'entretenir des relations avec un éventail de personnages et de groupes (criminels ou non) beaucoup plus large que celui qui avait été décrit par les premiers grands « repentis ».

A la fin d'une quarantaine d'heures d'entretien, je me suis trouvé devant un matériel très riche, qui complétait et approfondissait les déclarations de Calderone aux magistrats français et italiens, mais leur donnait également un plus grand accent de vérité humaine. Les événements et les faits qu'il m'a racontés, recoupaient en grande partie ceux exposés lors de ses interrogatoires ; mais le cadre général dans lequel ils venaient s'inscrire, qui leur donnait tout leur sens, était tout autre.

L'univers rationnel des règles de Cosa Nostra, tel qu'il se présentait à partir des procès-verbaux, avait disparu. A sa place, surgissait peu à peu un dessin mouvementé, tortueux, bien différent de cette image de stabilité et d'ordre que décrivent les documents judiciaires ou les comptes rendus des journalistes. Cette organisation « unitaire, pyramidale et centralisée », structurée par des règles inflexibles comme un véritable « anti-État » doté de ses propres tribunaux, de ses codes, de ses statuts, devient petit à petit, dans le récit de Calderone, quelque chose de totalement autre : un univers dédoublé, schizophrénique et halluciné, dans lequel tout le monde est à la fois l'ami et l'ennemi de tout le monde. Un univers où chacun professe et affiche la plus extrême loyauté et fidélité, nouant et dénouant pactes et fédérations, alors même qu'il ment, trompe, complote et prépare des embuscades, trahissant ses amis et tuant ceux qu'il aime.

14

Et sur tout cela ne cessent de planer la peur et le danger de la mort violente.

Ce récit d'Antonino Calderone sur son expérience à l'intérieur de Cosa Nostra a été pour moi un moment d'émotion important. Les esquisses de théorie qu'il suscitait continuellement dans mon esprit, les curiosités longtemps réprimées qu'il apaisait peu à peu pour aussitôt les rallumer, la confirmation ou le démenti qu'il apportait aux hypothèses, aux suppositions et aux schémas d'analyse avancés dans mes recherches précédentes, et enfin, cette reconstitution sous un angle totalement différent d'événements familiers au public italien, appartenant à l'histoire ou à la rubrique des faits divers, tout cela a fait de mes rencontres avec Antonino Calderone une sorte de rendez-vous inévitable et quelque peu fatal avec l' « objet » de mon travail de chercheur, cet objet que, jusque-là, je n'avais observé et analysé que de manière indirecte. Cette composante émotionnelle, à la fois pré- et post-scientifique, de mon face-à-face avec Calderone, a eu pour conséquence qu'il m'a été très difficile de prendre suffisamment de distance pour passer au stade d'une généralisation qui m'aurait permis, à partir de l'expérience qui vient de s'achever, d'amorcer des théories nouvelles et plus étayées. Je peux seulement dire pour l'instant que le récit de Calderone me paraît confirmer la plupart de mes recherches sur le phénomène de la mafia, mais qu'il infirme en revanche certaines convictions que j'avais, notamment sur un aspect très important. Il s'agit de l'existence, entre les hommes d'honneur et les familles qui composent la mafia sicilienne, d'une association secrète et codifiée, possédant ses règles et ses rites d'initiation. Le témoignage d'Antonino Calderone nous oblige à constater que la mafia — contrairement à ce que j'ai longtemps soutenu, ainsi d'ailleurs que la quasi-totalité des spécialistes de la question — est sans aucun doute *aussi* une organisation formelle. Et c'est justement dans cette contradiction entre ces deux dimensions, celle de la mafia comme société

15

secrète, et celle de la mafia comme comportement concret et comme pouvoir, que réside aujourd'hui la possibilité d'une lecture nouvelle.

J'ai décidé d'organiser le matériel rassemblé sous la forme d'un récit chronologique : il s'agit là des « travaux et des jours » d'un mafioso, tels qu'ils ont surgi à travers la relation personnelle et directe d'un chercheur en sciences sociales et d'un ex-membre de Cosa Nostra. J'ai également cherché à transmettre au lecteur, à travers la création d'un langage adapté, les émotions et les sensations qu'a suscitées en moi la manière de s'exprimer et de raisonner de mon interlocuteur. Nous sommes donc loin de toute tentative ingénue d'expliquer « ce qu'est vraiment la mafia », même si l'écrivain-chercheur n'a échappé ni à la prétention naturelle d'arriver plus loin que les autres avec ses propres instruments de navigation, ni aux tensions de la société civile et politique, qui imposent que les connaissances acquises sur la mafia servent à mieux la combattre.

A ce sujet, d'ailleurs, il est peut-être utile d'avertir le lecteur qu'il ne trouvera dans ce livre — à commencer par son titre — aucune concession à l'égard de cette mode infâme qui sévit parfois en Italie et aux États-Unis dans les essais et les mémoires concernant la mafia, et qui consiste à en magnifier les comportements, les valeurs et les pouvoirs. Mes conversations avec Antonino Calderone devaient se terminer à cinq heures de l'après-midi, afin de lui permettre de réintégrer la clôture du couvent où il vivait. Pour des raisons de sécurité, c'est vrai. Mais aussi pour répondre à sa demande d'un lieu dans lequel il pourrait confronter sa conscience aux graves péchés dont il l'avait chargée.

Il n'y a pas, dans ce livre, de chefs mafieux qui s'expriment comme des hommes d'État et parlent d'égal à égal avec les représentants du pouvoir officiel, ainsi que le font les personnages quelque peu apologétiques des romans de Sciascia. Il n'y a pas non plus de mafias à la

Santi Romano[1], de ces « systèmes juridico-subversifs » organisés et achevés. Il n'y a que des tentatives grossières de faire émerger un ordre et une sécurité de la violence fondatrice et du chaos originel : nous sommes beaucoup plus dans le domaine de l'anthropologie judiciaire et du droit primitif que dans le champ des analyses chères à Weber et à Kelsen.

Mon espoir est d'être parvenu à composer une œuvre « ouverte », aux valeurs narratives parce qu'écrite à la première personne et qui puisse être source de réflexion scientifique, puisque rigoureusement conforme à la vérité d'un document judiciaire et susceptible d'être authentifiée par la confrontation avec les actes de la procédure pénale. Cela vaut également pour les personnes et les événements cités. Les faits et les personnages mis en cause dans ce livre sont également nommés dans les réponses d'Antonino Calderone aux interrogatoires des magistrats français et italiens, et ont été soumis à vérification[2].

L'auteur de ces lignes a obtenu l'un des plus grands privilèges qui puissent être accordés à un chercheur travaillant sur le crime organisé : la possibilité de rencontrer un haut responsable de la mafia disposé à « parler », à discuter avec lui longuement et très librement de toutes sortes de questions, et d'enregistrer ces entretiens. Cela, grâce à une autorisation spéciale de l'actuel chef de la police italienne, le préfet Vincenzo Parisi. Ma reconnaissance envers lui n'a d'égale que mon estime pour ce haut dirigeant de l'État dont l'extrême compétence est une garantie de sécurité pour la démocratie, dans un des moments les plus difficiles de l'histoire de la République italienne.

Je ressens également le besoin de remercier celui qui a eu l'idée de ces rencontres avec Calderone, le commis-

1. Historien de la mafia. (N.d.T.)
2. Les comportements des magistrats, des fonctionnaires de la police et des officiers des carabiniers décrits par A. Calderone dans ses dépositions (dont une partie a été fidèlement rapportée dans nos conversations et dans le texte du présent livre) n'ont pas été considérés comme illégitimes et n'ont donc pas donné lieu à l'ouverture de procédures pénales. (N.d.A.)

saire Gianni De Gennaro, aujourd'hui directeur par intérim de la Direzione Investigativa Antimafia (DIA)[1]. Il a pensé en effet qu'un contact direct entre un « repenti » et une personne étrangère au monde judiciaire et policier pouvait se révéler utile à l'analyse du phénomène mafieux et à la lutte contre celui-ci. Sa collaboration, et celle des fonctionnaires de son équipe, guidée par Antonio Manganelli et Alessandro Pansa, auxquels j'adresse mes remerciements sincères et chaleureux, a été décisive pour l'accomplissement de ce travail.

Irene Benassi et Antonella Ruggieri, étudiantes de mon cours de sociologie appliquée à la Faculté des sciences politiques de l'université de Florence, ont employé tout leur talent de chercheurs en sciences sociales à cette tâche non négligeable de déchiffrer et retranscrire les conversations qui ont donné naissance à ce livre. Lequel n'aurait jamais vu le jour sans la patience bienveillante de ma femme, Enza Trobia, à qui je dédie ce travail.

Rome, 27 mars 1992   *Pino Arlacchi*

1. Direction des Recherches Antimafia : organisme de création récente, regroupant des enquêteurs venus de différentes branches de la police italienne. *(N.d.T.)*

Dans ces conditions, aucune industrie n'est pos-
sible, parce que son fruit est incertain, et par
conséquent il n'y a pas d'agriculture, ni de
navigation... ni calcul de la surface terrestre, ni
calcul du temps, ni arts, ni littérature, ni société ;
et ce qui est pire, règnent en maître la peur
continuelle et le danger d'une mort violente, et
la vie de l'homme est courte, solitaire, pauvre,
sordide et bestiale...

Thomas HOBBES, *Le Léviathan*

ITALIE

Autoroute

Route nationale

0   50   100 km

Grosseto
Orvieto
Terni
Rieti
Gr. Sasso 2914
ABRUZZES
Pescara
MER
ADRIATIQUE
Civitavecchia
ROME
Ostie
LATIUM
Cassino
Isernia
MOLISE
Campobasso
Vallelunga
Foggia
Benevento
BARI
Giugliano in Campania
Marano
VÉSUVE 1267
Ischia
NAPLES
Éboli
Salerne
Potenza
Capri
CAMPANIE
BASILICATE
TARENTE
Golf
de
MER
TYRRHÉNIENNE
Cosenza
CALABRE
ILES—LIPARI
Catanzaro
Sinopoli
Marina di Gioiosa
Messine
Reggio de Calabre
Dét. de Messine
SICILE

Trapani
ILES
ÉGADES
Marsala

POU

Tibre
Volturno
Bradano

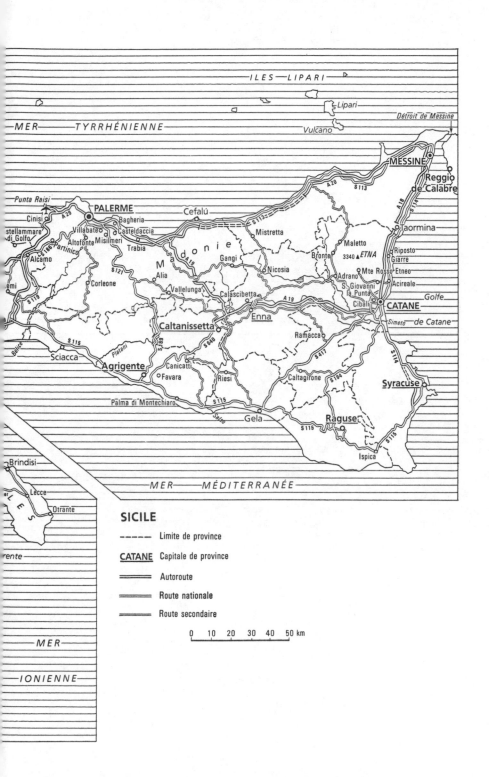

ILES—LIPARI

MER—TYRRHÉNIENNE

Lipari

Détroit de Messine

Vulcano

MESSINE

Reggio
de Calabre

Punta Raisi

PALERME

Cefalú

Cinisi

stellammare
di Golfo

Bagheria

Castellammare
di Golfo

Castelaccia

Villabate

Misilmeri

Altofonte

Partinico

Trabia

M
a
d
o
n
i
e

Mistretta

Taormina

Maletto

Riposto
Giarre

Bronte

3340 ▲ ETNA

Alcamo

emi

Corleone

Alia

Gangi

Nicosia

Mte Rosso Etneo

Adrano

Acireale

S. Giovanni
la Punta

Vallelunga

Caláscibetta

Cibali

CATANE

Golfe

Enna

Simeto

de Catane

Caltanissetta

Ramacca

Sciacca

Platani

Agrigente

Canicatti

Favara

Riesi

Caltagirone

Syracuse

Palma di Montechiaro

Gela

Raguse

Ispica

Brindisi

MER—MÉDITERRANÉE

Lecce

Otrante

rente

SICILE

- - - - - Limite de province

CATANE Capitale de province

===== Autoroute

===== Route nationale

===== Route secondaire

0   10   20   30   40   50 km

MER

IONIENNE

1.

J e m'appelle Antonino Calderone, j'ai cinquante-six ans
et j'ai beaucoup de choses à dire sur la mafia, parce
que j'en ai fait partie. J'ai décidé de m'en remettre à la
justice et de parler, dans l'espoir qu'on tiendra compte de
tout ce que je dis. Il faut qu'on en tienne compte, parce
que ma famille court un très grand risque à cause de mes
déclarations. Et moi aussi, je suis en danger, parce que je
dis la vérité et que je ne parle pas par ouï-dire.

Jusqu'à ce que je m'enfuie de Sicile, j'ai été un des chefs
de la « famille » de Catane, avec mon frère Giuseppe,
« Pippo ». Mon frère a été tué en septembre 1978 et tout
s'est cassé la figure. En fait, tout se cassait déjà la figure
avant. Mais il faut raconter les choses dans l'ordre, et je
vais commencer par l'histoire de la mafia dans notre ville.

Tout d'abord, ce n'est pas vrai que la mafia n'existe
qu'à Palerme, à Trapani ou dans ces coins-là de la Sicile[1].
La mafia existe dans la province de Catane depuis 1925.
Au début, à Catane, il n'y avait qu'une seule famille. Plus
tard, vers 1950-1955, un groupe de mafiosi de Palma di
Montechiaro est allé s'installer à Ramacca, une petite ville
de la province, pour des raisons de travail. Il a demandé
l'autorisation à la famille de Catane de former une

---

1. La partie occidentale de la Sicile, réputée seule mafieuse, tandis qu'on a
longtemps cru (jusqu'au début des années quatre-vingt) que l'Est ne l'était
pas. *(N.d.T.)*

nouvelle famille. C'est pour ça que depuis ce moment-là il y a deux familles mafieuses à Catane.

Disons tout de suite que la mafia, le mot « mafia » n'existe pas, en tout cas pas entre nous. La mafia s'appelle en réalité « Cosa Nostra[1] ». D'ailleurs, nous, on ne dit jamais le mot « mafia ». Cosa Nostra est une chose secrète, et c'est l'association des hommes d'honneur. Comme un membre de Cosa Nostra ne doit révéler à personne qu'il en fait partie, il peut arriver que deux individus se soupçonnent l'un l'autre d'être des hommes d'honneur sans avoir la possibilité de se le dire.

Pour savoir alors s'ils font partie de Cosa Nostra, il faut qu'un troisième homme d'honneur, qui les connaît tous les deux, les présente l'un à l'autre. Dans ce cas, le troisième dit · « *Questo è la stessa cosa* » [Lui, c'est la même chose], ou bien : « *Questo è cosa nostra* » [Lui, c'est notre chose], ou encore : « *Questo è come te e come me* » [Lui, il est comme toi et comme moi]. Il faut ajouter que les Corléonais[2] ne présentent jamais leurs « soldats », sauf à quelques intimes.

Des tas de gens parlent de la « mafia » sans savoir de quoi ils parlent. Et il y en a plein aussi qu'on appelle « mafiosi », mais qui ne font pas partie de Cosa Nostra et qui ne savent même pas qu'elle existe. Et puis il y a les délinquants ordinaires, qui sont très nombreux ; ils sont même devenus légion ces dernières années. Sans parler des paumés, des petits criminels, qui se baladent ici et là sans même savoir ce qu'ils font...

L'important, c'est de distinguer les vrais mafiosi, ceux

1. Littéralement : « Notre Chose », « Notre Affaire ». *(N.d.T.)*
2. Du nom de Corleone, bourg de 12 000 habitants au sud de Palerme. Les « Corléonais » représentent ce qu'on a appelé la « nouvelle mafia », qui a triomphé par le sang de la mafia dite « traditionnelle » (les « Palermitains » Stefano Bontade, Gaetano Badalamenti et Salvatore Inzerillo, le Catanais Giuseppe Calderone, et d'autres). Depuis la grande « guerre de mafia » de 1981-1983, qui fit un millier de morts et autant de « disparus », ils détiennent le pouvoir absolu. Leur premier chef a été — et demeure peut-être encore, malgré son emprisonnement — Luciano Liggio (ou Leggio), condamné à perpétuité en 1974, auquel ont succédé ses lieutenants Salvatore (Totò, ou Totuccio) Riina et Bernardo (Bino) Provenzano, clandestins depuis plus d'une vingtaine d'années. *(N.d.T.)*

24

de Cosa Nostra, des autres. Prenons mon cas. J'ai été arrêté le 9 mai 1986, sur la base de deux mandats lancés contre moi. L'un, du parquet de Turin, remontant à 1984, était un mandat d'arrêt pour mafia, c'est-à-dire pour association de malfaiteurs. Quelques « repentis » disaient qu'ils savaient que j'appartenais à ce qu'ils appelaient la « mafia ». D'après eux, j'en faisais partie. Mais ils disaient ça par ouï-dire, parce que ce n'étaient pas des hommes d'honneur. Ils ne pouvaient pas faire partie de la mafia, c'étaient juste des types de Catane qui travaillaient sur Turin. Ils croyaient savoir qu'il y avait une organisation qui... mais ils ne savaient rien de concret. Bref, c'étaient des Catanais émigrés à Turin, des délinquants ordinaires, pas des mafiosi.

Vous m'excuserez pour cette différence que je fais entre la mafia et les délinquants ordinaires, mais j'y tiens. Tous les mafiosi y tiennent. C'est important : nous, on est des mafiosi ; les autres, c'est le tout-venant. On est des hommes d'honneur. Et pas seulement parce qu'on a prêté serment, mais parce qu'on est l'élite du crime. On est très supérieurs aux délinquants ordinaires. On est les pires de tous !

Tout homme d'honneur le ressent comme ça. Il le sait et il se le répète sans cesse, et il se sent supérieur à tous les autres malfaiteurs. Quand il voit des types de la criminalité ordinaire, il les observe bien, il les cultive, pour voir s'il pourrait en faire entrer un dans l'organisation, mais il les regarde toujours avec un certain détachement parce que ce sont des éléments mal dégrossis, pas mûrs, qui peuvent un jour se mettre à faire des choses qu'un homme d'honneur ne devrait pas faire. Exploiter la prostitution, par exemple, chose qui n'est pas admise dans la mafia.

La mafia n'organise pas la prostitution, parce que c'est une chose sale. Vous vous imaginez un homme d'honneur qui serait un maquereau, un exploiteur de femmes ? En Amérique, peut-être, c'est quelque chose que les mafiosi ont fait, là-bas..., mais la mafia, en Sicile, elle ne fait pas ça, un point c'est tout. Francesco Rinella, frère de deux hommes d'honneur et fils et petit-fils d'hommes d'honneur, n'a jamais été admis à Cosa Nostra parce que le bruit courait que c'était un « maquereau ».

Les enlèvements, c'est autre chose. Il n'y a jamais eu de règlement intérieur les interdisant. En lui-même, l'homme d'honneur accepte l'idée d'enlever des gens. Ça ne lui paraît pas quelque chose de sale comme la prostitution. D'ailleurs, si on remonte un peu en arrière dans le temps, la mafia en a fait, des enlèvements, et comment !

Ces dernières années, à ce qu'on dit, la mafia n'organise plus de rapts en Sicile, mais à l'extérieur, à Turin ou Milan, comme a fait Luciano Liggio. C'est justement pour se laisser le champ libre en Sicile, pour ne pas être trop embêtée. Tout ça est vrai. Mais il y a des exceptions, comme toujours. Totò Riina [1], par exemple.

Totò Riina a fait l'enlèvement Cassina. Oui, c'est lui ; et il l'a fait pour le fric. Toutes les rumeurs, toutes les hypothèses qu'on a entendues à l'époque à propos de l'enlèvement Cassina, c'est des histoires. C'était pour le fric, pas comme l'enlèvement Corleo, qui n'a rien à voir [2].

Riina a fait aussi deux autres enlèvements avant Cassina. C'étaient des entrepreneurs de Palerme ; il y en a un des deux qu'ils ont même tué. Et pas seulement ça, Totò Riina m'a dit qu'il avait discuté personnellement de la rançon au téléphone avec le vieux Cassina, pendant qu'il avait le fils sous ses pieds. Il n'avait pas du tout peur de parler sans déguiser sa voix. Même, comme le bruit courait alors dans la mafia que les billets des rançons étaient imprégnés d'une substance chimique qui provoquait une maladie dès que les auteurs de l'enlèvement les touchaient et qu'ainsi on pouvait les repérer, Riina a dit à

1. Considéré actuellement comme le n° 1 de la mafia. En fuite depuis vingt-cinq ans. (N.d.T.)
2. L'enlèvement, en 1975, de Luigi Corleo, beau-père d'un des cousins Salvo, richissimes hommes d'honneur alliés des « Palermitains », a été un coup de force des « Corléonais » (cf. chap. 13, pp. 155-156). (N.d.T.)

Cassina : « Fais gaffe à pas faire d'entourloupes avec les billets ! »

Mais revenons à cette histoire des hommes d'honneur. On devient homme d'honneur en grande partie par héritage familial, mais pas comme dans l'aristocratie, où le père laisse le sceptre du commandement et le titre de marquis ou de prince à son fils. Non, dans la mafia, c'est plus compliqué. Ça ne se fait pas par nomination. Ça se fait par l'observation, l'examen, de la part des plus vieux, des meilleurs parmi les jeunes. Les mafiosi les plus anciens, amis du père, parents de la mère, suivent les petits, et quelques-uns ressortent du lot. Ce sont les nouveaux chefs, les nouveaux hommes d'honneur.

Prenons un exemple : Palerme, où il y a des dizaines et des dizaines de familles mafieuses. Il y en a plus de cinquante, au moins une par quartier, à la différence des autres villes, où il n'y a pas la même densité. Chaque famille a un « représentant », un chef, et au moins trente ou quarante hommes d'honneur. Chacun d'eux est marié, il a des fils, des frères et des parents. Bon, on a donc un homme d'honneur avec trois fils, trois beaux gars. Ces fils sont suivis par tout le groupe, et quand l'un d'eux se distingue parce qu'il est éveillé, décidé, autoritaire, il est aussitôt cultivé, encouragé par les hommes d'honneur adultes, qui font son éducation, qui le dirigent, qui l'emmènent avec eux, qui commencent à lui faire faire deux ou trois petites choses...

Alors le garçon comprend — justement parce qu'il est éveillé —, il comprend tout de suite que son père appartient à la mafia, que les amis et les frères de son père sont eux aussi de la mafia, qu'ils font partie d'un cercle restreint. Pour le petit, la mafia devient tout. Dans ces milieux-là, il n'y a pas beaucoup d'influences extérieures qui pénètrent, on ne lit pas beaucoup de journaux ni de livres, et même encore aujourd'hui, on ne va pas beaucoup à l'école et très peu à l'église.

Il y a comme une envie de se reconnaître dans l'autre, de l'imiter. Chaque garçon essaie de copier son frère aîné, son père, son oncle. Il veut être leur reflet, et à un moment donné, il commence à sentir et à voir comme eux. Quand quelqu'un vit et grandit dans une famille, une parenté, un quartier mafieux, il le comprend, il le devine, même s'il ne le sait pas.

De mon temps, par exemple, on ne savait pas ce que c'était que cette mafia dont tout le monde parle aujourd'hui. À Catane, on racontait même des histoires sur la « Mano Nera » (la Main Noire). On s'imprégnait de la mentalité mafieuse sans le savoir. L'imagination d'un gamin s'enflamme pour certaines choses : un type arrive, et il embrasse ton père, un autre type encore arrive, et lui aussi, il embrasse ton père.

Aujourd'hui, c'est tout à fait normal que deux hommes qui se connaissent, qui sont intimes, en certaines occasions, s'embrassent. Par exemple, quand ils se rencontrent, deux hommes aujourd'hui peuvent très bien se faire la bise, s'ils sont très amis ou s'ils sont parents. Mais de mon temps, à la fin des années cinquante, en Sicile, à Catane, à Palerme et dans toutes les autres villes, ça n'arrivait jamais. Autrefois, les types se saluaient, se serraient la main, s'inclinaient, se souriaient pour s'exprimer leur sympathie. Mais ils ne s'embrassaient pas, du moins pas dans ma ville. Ces « embrassades », ça n'était pas une chose normale... Quand deux hommes s'embrassaient, ça avait quelque chose d'équivoque, personne ne pensait que c'était vraiment... normal !

Moi, j'ai commencé à connaître, à comprendre la mafia, le jour où j'ai vu Pippo, mon frère aîné — qui était un homme d'honneur — embrasser d'autres hommes d'honneur. Les hommes d'honneur s'embrassaient quand ils se rencontraient !

C'étaient les seuls qui faisaient ça. Pippo avait d'autres amis, des jeunes comme lui, qui se connaissaient et se fréquentaient depuis une éternité. Ils avaient grandi ensemble, joué ensemble, travaillé ensemble. Pourtant, quand ils se rencontraient, ils ne s'embrassaient pas. Ils se saluaient : « Ciao, ciao ! Comment ça va ? » Et ensuite ils plaisantaient, ils se charriaient, mais ils ne s'embrassaient pas.

Alors moi, quand je voyais les hommes d'honneur qui s'embrassaient — mais je ne savais pas encore que c'était des hommes d'honneur, je l'ai su après — je restais là bouche bée, et je me posais des questions, je me creusais la cervelle[1].

Je suis né à Catane. Dans le quartier le pire, au milieu des gens les pires. Même pas dans le quartier de San Cristoforo. Pire encore. Je suis né tout au fin fond de la banlieue, dans les dernières maisons de Catane. Ça n'a même pas de nom, c'est un coin qui ne ressemble à rien, où les constructions s'arrêtent et où commence la route de Syracuse, entre la grève et l'autoroute pour Palerme. Juste après, il y a un ravin. Ou plutôt une grande carrière de blocs de lave qu'on a fini d'exploiter, et il y a aussi plein de tuileries tout autour.

C'est dans ce grand trou-là qu'on jouait au ballon quand on était mômes. Quelquefois, des gamins plus grands arrivaient, ils avaient trouvé ici ou là des armes abandonnées par les soldats. C'était immédiatement après la guerre. Ces gamins s'asseyaient au bord de la carrière et ils y jetaient les grenades, les mitraillettes, les cartouches qu'ils avaient trouvées. Ensuite, ils essayaient de les faire exploser en lançant des pierres dessus, ou des cartons enflammés.

Dans mon quartier, il y avait une bande de types en cavale qui s'était formée après le passage des Américains. Ils se promenaient armés et ils faisaient peur. Mais si tu creusais un peu, c'était des pas-grand-chose. Ils avaient peut-être commis quelques meurtres, ils étaient peut-être

1. Début octobre 1992, un reportage sur la mafia à Palerme était diffusé dans l'émission « Ex-Libris ». Dans le champ de la caméra, qui filme, de nuit, l'animation d'une rue du centre ville, deux jeunes gens, vus de dos. Soudain, ils se retournent vers l'objectif et, *ostensiblement,* se font la bise. Puis, comme pour vérifier s'ils ont bien été filmés, ils se retournent à nouveau et lancent à l'opérateur un sourire ironique. Hasard ? Ou bien plutôt provocation délibérée, menace à peine voilée au journaliste ? *(N.d.T.)*

recherchés par la justice, mais ça n'était pas des hommes d'honneur. C'étaient des types quelconques, quoi.

Je me souviens que le chef de cette bande est passé un jour devant chez nous. Il s'appelait Orazio Fuselli ; il est mort plus tard en prison, où il avait écopé de la perpétuité. Un chien s'est précipité en aboyant et en voulant le mordre. Fuselli a sorti son pistolet, c'était une arme allemande très puissante, et il lui a tiré dessus à plusieurs reprises. Mais il n'est même pas arrivé à le tuer. Ah, c'était vraiment un grand brigand ! Il ne savait même pas tirer.

Tout ça pour dire que les saloperies de cette guerre, je les ai touchées du doigt. Et en même temps, j'ai vu la misère. Chez nous, on n'a jamais manqué de pain, parce que mon père arrivait toujours à se débrouiller. Il travaillait sans jamais s'arrêter. Mais à côté de chez nous, il y avait des gens qui crevaient de faim. Un des souvenirs les plus vifs que j'ai, c'est celui d'une famille avec plein d'enfants tout petits qui n'avaient rien à manger. Ils mangeaient quand ma mère leur donnait un peu de nourriture.

Une autre femme, près de chez nous, voilà ce qu'elle faisait le dimanche : comme c'était jour de fête et que toutes les familles faisaient cuire la sauce tomate à la viande, le *ragù*, pour la *pasta*, cette femme, elle mettait sa marmite sur le fourneau à charbon et elle y plongeait un petit morceau de gras. Juste pour faire sentir l'odeur de la viande aux voisins. Ceux de la cour. Mais de la viande, il n'y en avait pas.

Mon père était un paysan pauvre qui travaillait à la journée et qui cultivait en métayage un tout petit lopin de terre au bord de la mer, presque sur le sable. Il n'y avait que deux mille pieds de vigne, de la piquette, juste de quoi faire le vin pour la maison. Quand il ne travaillait pas pour les autres, il s'en allait bêcher sa vigne, où il avait planté aussi quelques légumes entre les rangs. Mon père était Catanais. Mon grand-père était de la province de Messine et lui aussi il était cultivateur, mais plus aisé, c'était un fermier qui avait plein de fils qui travaillaient pour lui. Mon grand-père, le travail, il n'a jamais beaucoup aimé ça.

Même si les fermiers étaient des personnages plutôt « respectés » par les gens, mon grand-père n'était pas mafioso, et toute la famille de mon père ne comprenait rien à toutes ces choses-là. Mon père non plus n'était pas un mafieux. C'était seulement un gros travailleur. Il n'avait pas non plus d'antécédents judiciaires, excepté un port d'armes sans permis, le pauvre homme. Le jour, il bêchait et il travaillait, et la nuit il montait la garde dans les plantations d'agrumes pour le compte des autres. C'est pour ça qu'il avait un fusil, mais il ne s'en est jamais servi, même pas pour aller à la chasse.

La famille de ma mère, c'est une autre histoire. La première famille mafieuse de Catane a été constituée, comme je l'ai dit, en 1925. Le fondateur, c'était justement un de mes oncles, un des frères de ma mère, qui a disparu ensuite. Voilà comment il a disparu. Mon oncle Nino avait été en cavale pendant plusieurs années. Il était accusé de meurtre. Je crois que ce meurtre était lié à un vol de bétail, mais je ne sais pas exactement. Bref, il était accusé de meurtre et il s'est enfui. Pendant cette période, il avait rencontré plein de mafiosi des provinces de Palerme et de Caltanissetta qui se cachaient comme lui.

La clandestinité, en ce temps-là, ça se faisait pendant une grande partie de l'année dans les Madonìe[1], où vous trouviez des mafieux et des brigands à n'en plus finir et où il était très difficile d'être découvert. Les Madonìe, c'était très loin. C'étaient des montagnes très hautes. Il n'y avait guère de routes, et pas beaucoup de gens qui savaient se repérer dans les sentiers et les pistes. Et ceux qui savaient n'allaient évidemment pas le raconter aux « sbires », comme on appelait alors tous les gens de l'État, la Police, les Carabiniers et tous les autres. C'était la mafia qui « contrôlait le territoire », comme on dit aujourd'hui.

1. Massif de montagnes près de Palerme. *(N.d.T.)*

Maintenant encore, ce contrôle, c'est quelque chose de fondamental, et pour les mêmes raisons qu'à cette époque-là. L'importance, dans la Cosa Nostra actuelle, du féroce Peppino Farinella, ce chef de la famille de San Mauro Castelverde — un village des Madonìe qui se trouve à plus de mille mètres d'altitude — est fondée sur sa capacité à fournir aux fugitifs tout un réseau de cachettes sûres situées dans les zones les plus inaccessibles. Chacune d'elles est placée sous la juridiction d'un homme d'honneur qui vit dans le hameau en dessous et ces hommes sont coordonnés par Farinella lui-même.

Les sentiers et les pistes des Madonìe existent depuis les temps les plus reculés, parce qu'ils servaient pour les troupeaux qui se déplaçaient de la montagne à la plaine en fonction des saisons. Quand l'hiver arrivait, les grands clandestins descendaient eux aussi dans la plaine et dans les collines, du côté de Caltanissetta, de Catane ou d'ailleurs. Ils y passaient la mauvaise saison ; ils voyageaient la nuit, à cheval, au milieu des forêts et des précipices, et ensuite par les sentiers dans la campagne. Durant un de ces déplacements, le cheval de mon oncle est tombé dans un ravin et l'a entraîné avec lui. Mon oncle s'est cassé la jambe et il a été arrêté. Au procès, il n'a pas été condamné pour meurtre mais pour association de malfaiteurs.

Entre-temps, mon oncle avait été fait homme d'honneur par ces hommes d'honneur en cavale comme lui. Comme à cette époque-là, à Catane, il n'y avait pas encore de « famille », comme il n'y avait pas d'autres hommes d'honneur, qu'il n'y avait pas encore la mafia, il a été fait homme d'honneur d'une famille de Gangi, ou peut-être de Palerme.

Mon oncle a été arrêté et il a fait je ne sais combien d'années de prison. Ensuite il est sorti, mais il n'a pas eu de chance. Le préfet Mori[1] était arrivé en Sicile, si bien

1. Cesare Mori, nommé préfet de Police en Sicile en 1924 par Mussolini en personne (que la concurrence de la mafia irritait), sera révoqué en 1929 par le même Mussolini, après avoir laissé à la mafia le souvenir d'une cuisante humiliation. *(N.d.T.)*

que mon oncle a été envoyé dans l'Ile [l'île de Pantelleria ou de Lampedusa, probablement *(N.d.A.)*]. Mussolini envoyait dans l'Ile tous les gens de son espèce. Mais avant d'y aller, mon oncle a eu le temps de faire une chose très importante.

Pendant qu'il était en prison, des mafiosi de Palerme étaient arrivés à Catane. Ils s'appelaient Tagliavia. Rien à voir avec les riches Tagliavia de Palerme. Ceux-là avaient introduit à Catane les jeux de hasard, les tripots clandestins. Pour tenir ces tripots, ils avaient besoin de gens du coin. Eux, ils avaient eu l'initiative et ils savaient comment organiser la chose, mais les jeux de hasard ne peuvent pas marcher sans la collaboration de quelqu'un qui connaît bien le contexte, qui trouve les clients et garde à distance les voyous qui tournent toujours autour des tripots. Les Tagliavia avaient approché deux ou trois éléments de Catane, un certain Giuseppe Indelicato, un certain Tino Florio... Ils les avaient faits hommes d'honneur, et puis d'autres avaient été approchés, et ainsi de suite.

Quand mon oncle est sorti de prison, vers la fin des années vingt, il a donc trouvé un petit groupe déjà formé d'hommes d'honneur catanais. Il s'agissait en tout d'une dizaine ou une quinzaine d'éléments « éduqués » par les Palermitains. Sur le plan formel, mon oncle appartenait à une famille de Palerme, mais il était catanais, il avait été le premier homme d'honneur de la ville et il avait une excellente réputation parce que tout le monde connaissait ses qualités de mafieux. On a donc décidé de l'intégrer à la famille de Catane et de le nommer « représentant », c'est-à-dire chef, de cette même famille.

Mon oncle s'est consacré aussitôt à sa charge. Il a augmenté le nombre des hommes d'honneur et il a été très efficace. Il a laissé une marque que personne n'a oubliée. Lui, dans un premier temps, il avait été agriculteur, et ensuite il s'était occupé de contrebande entre Malte et la Sicile. Il importait du café avec des bateaux de pêche de Malte, où le café n'était pas cher, en Sicile, où il coûtait cher. Plusieurs hommes d'honneur collaboraient à cette activité, et la famille a connu une forte croissance, y compris sur le plan des affaires.

Voilà comment il faisait. Il demandait à un homme de la « famille » : « Toi, qu'est-ce que tu sais faire comme travail ?... Bon. Alors je vais te faire faire ça, et puis ça... »

Il y avait un homme d'honneur qui travaillait comme ouvrier dans un magasin d'oranges ? Mon oncle trouvait le moyen de lui faire ouvrir un petit magasin à son compte. Il y en avait un autre qui travaillait comme ouvrier, mettons encore, dans une fabrique de glace (il y avait beaucoup de fabriques de glace à l'époque parce que les réfrigérateurs n'existaient pas, et il y avait pas mal de demande) ? Bon. Et mon oncle ouvrait une petite fabrique et il la lui confiait, et il y faisait entrer d'autres hommes d'honneur. Ensuite, il allait dans les bars de Catane et il « suggérait » aux propriétaires d'acheter la glace à cette fabrique-là et pas aux autres.

C'était un sacré exploit. Les choses qu'on organise maintenant, mon oncle les avait déjà toutes organisées dans les années vingt. Il protégeait le marché, il encourageait les affaires des hommes de la famille. Et en même temps, il entraînait tout le monde dans la contrebande de café, qui était en ce temps-là quelque chose d'essentiel. Comme peut l'être aujourd'hui la contrebande de drogue. Ils amenaient le café et la saccharine de Malte et ils les revendaient aux bars et aux buvettes, qui étaient très nombreuses à l'époque. Dans les années vingt et trente, ça fleurissait partout. Pas comme aujourd'hui, où il n'en reste que deux ou trois de bien. Dans ces années-là, les buvettes faisaient des boissons populaires très goûteuses, pétillantes, à base d'extraits d'agrumes, et on employait de la saccharine à la place du sucre, qui revenait bien plus cher.

Le commerce de la saccharine, étant donné la demande, représentait la grande contrebande de l'époque ; mon oncle l'organisait entièrement. Les affaires marchaient bien, la famille était florissante et les gens avaient un grand respect pour ses hommes d'honneur, qui commençaient à être connus de toute la population. Ils les appelaient ceux de la « Mano Nera[1] » et non pas « mafiosi ».

Mais voilà que Mori a pris ses fonctions, comme je vous l'ai dit, et les ennuis ont commencé. A vrai dire, ces ennuis ne sont pas arrivés à cause de ce qui se passait à Catane. Mori pensait que Catane n'était pas une ville mafieuse et les premiers temps, il ne s'en est pas beaucoup occupé. Et puis quelques hommes d'honneur américains originaires de Sicile ont commencé à venir à Catane. Ils fuyaient l'Amérique où sévissait une guerre dans la mafia de là-bas. Mais il y avait un homme d'honneur catanais qui avait vécu en Amérique et qui était en contact avec les familles siciliennes aux États-Unis — les familles en guerre. Et ces familles lui disaient : « Dès qu'Untel arrive, tu le fais disparaître. » Ou bien : « Untel, qui vient d'arriver, ôte-le de la circulation. »

Si bien que beaucoup d'Américains qui débarquaient à Catane disparaissaient. Ils étaient tués. Et puis des Catanais se sont mis aussi à disparaître. En un clin d'œil, des gens s'évanouissaient. C'est la fameuse « lupara bianca[2] ». A un moment, jusqu'à neuf personnes disparaissaient en une semaine. Du jamais vu. Une nouvelle qui a fait du bruit. Et c'est comme ça que tous les hommes d'honneur de la famille de mon oncle ont été arrêtés. Mais ils n'ont été condamnés que pour association de malfaiteurs et pas pour d'autres délits.

Je vous l'ai déjà dit, ça n'était plus la même chanson, et les mafiosi avaient la vie dure. Beaucoup étaient envoyés dans l'Ile du jour au lendemain. Là, ils étaient mis dans une espèce de grande caserne, un dépôt, où ils cou-

---

1. Au départ, une société d'assistance mutuelle fondée aux États-Unis vers la fin du XIXe siècle par des immigrants italiens (napolitains, calabrais et siciliens) ; elle s'est transformée rapidement en organisation de type mafieux dominée par les Siciliens. C'est elle qui, dans les années 30, aurait donné naissance à la Cosa Nostra américaine. (N.d.T.)
2. La *lupara*, fusil à double canon scié servant à l'origine à la chasse au loup, a été longtemps l'arme favorite de la mafia ; la *lupara* « blanche » ou « mort blanche » est une disparition, un meurtre sans cadavre ni traces de sang. (N.d.T.)

chaient. Tous les matins, on ouvrait la caserne et ils allaient travailler. Chacun faisait un travail. La plupart allaient dans les champs et le soir, on les bouclait à nouveau tous là-dedans. De toute façon, c'était difficile de s'échapper de l'Ile, perdue au milieu de la mer, au milieu du Canal, où il y a toujours du vent ; l'hiver, il ne fait pas froid mais la mer est presque toujours agitée.

Un jour, il y a eu une espèce de mutinerie. Les relégués s'étaient révoltés et refusaient de rentrer dans la caserne. Mussolini a envoyé alors un navire qui a mouillé dans la rade et on les a menacés par haut-parleur de bombarder l'Ile s'ils n'obéissaient pas aux ordres. Je raconte cet épisode à partir de ce que les anciens m'ont dit, parce que cet oncle-là, je ne l'ai pas connu.

Toujours est-il que mon oncle avait des ennuis. Mussolini, Mori, ceux qui étaient à la Justice, voilà comment ils faisaient à cette époque-là : ils donnaient cinq ans de relégation dans l'Ile, le maximum. Quand ces cinq ans étaient terminés — mieux, avant même qu'ils soient terminés —, ils pondaient un décret et ils leur donnaient encore cinq ans.

Comme ça : un décret ! et cinq ans de plus.

Tout ça était déjà arrivé aux types que mon oncle a rencontrés dès qu'il a mis le pied dans l'Ile. Peu de temps après, les cinq années supplémentaires lui arrivent à lui aussi. « Ah non, alors, ça devient une histoire sans fin ! » se dit mon oncle.

Bon, je ne sais pas comment ça s'est fait, toujours est-il qu'un sous-marin est arrivé jusqu'à l'Ile, il a pris mon oncle et tout s'est terminé comme ça. Lui s'est retrouvé à Tunis mais avant d'y aller, il est venu à Catane, clandestinement, en 1935, l'année où je suis né, et il y est resté quelques jours. Puis il est reparti et il n'est plus jamais revenu. Sa place dans la contrebande du café a été prise par un autre de mes oncles, nommé Luigi Saitta.

Ma grand-mère était certaine que mon oncle était mort ; peu à peu, tous nos parents aussi s'en sont convaincus. Parce qu'il faut savoir qu'à Tunis, il existait une famille de mafiosi qui s'était formée dans les années trente. Une famille de la mafia, sûr et certain. Pas la peine de vous étonner, personne n'est au courant de ça, s'il n'est pas un homme d'honneur. Moi-même, je ne l'ai su que quand je suis devenu homme d'honneur, quand mon frère a commencé à me raconter petit à petit tout ce que je devais savoir sur l'histoire de la mafia, sur les personnes qui en font partie, sur les meurtres et sur ceux qui les avaient commis.

Mon oncle Nino est arrivé à Tunis et il s'est organisé, il a arrangé ses affaires, en se disant qu'il n'allait pas revenir tout de suite. Il a acheté une grosse propriété dans les environs mais il n'est pas entré dans la famille mafieuse de Tunis, parce qu'il n'a pas été accepté, ou parce qu'il n'a pas voulu en faire partie pour une raison personnelle quelconque. A Tunis, dans ces années-là, il y avait beaucoup de mafieux qui avaient fui le fascisme. Ils venaient de Caltanissetta, de Palerme et d'ailleurs. Ils avaient constitué une famille régulière avec un représentant.

Quelques hommes de la mafia de Tunis et d'autres mafiosi en cavale qui se trouvaient là sont devenus les amis intimes de mon oncle. Parmi les fugitifs, il y avait Antonino Sorci, un homme d'honneur important de Palerme — il sera tué ensuite en 1983 en même temps que son fils. Les membres de la famille se sont plaints à mon oncle : leur représentant faisait exécuter un tas de meurtres, mais il n'était pas à la hauteur. Même les types en cavale, qui ne faisaient pas partie de la famille, s'en plaignaient. Sorci lui-même n'avait pas confiance dans le chef de la famille, mais il était obligé, pour survivre, d'accomplir les meurtres et les autres choses qu'on lui ordonnait. Personne ne savait où Sorci dormait le soir parce qu'il avait peur que le représentant — après s'être servi de lui comme tueur — le tue à son tour. Ça n'était pas une situation facile mais il fallait bien que Sorci s'y adapte : de toute façon, il n'avait pas d'autre endroit où aller. Quelquefois, pour qu'on ne sache pas où il passait la nuit, il allait coucher dans le cimetière.

Cette affaire des fugitifs, il faut un peu l'expliquer.

C'était très commode de leur faire exécuter les meurtres. Personne ne savait qu'ils étaient là. Ils étaient en dehors de leur territoire et sans protection de la part de leur famille. Ils se trouvaient entre les mains d'autres gens. Des gens de la mafia, c'est vrai. Mais il y a partout des gens malhonnêtes, pas corrects. Comme ce représentant de Tunis, par exemple, qui se servait des types en fuite pour les assassinats, les blessures et les coups dangereux. Jusque-là, ça va encore ; sauf qu'après, il les tuait. Il profitait d'eux et justifiait ensuite leur disparition avec tout un baratin qu'il envoyait dire — et encore, pas toujours — aux familles des morts.

Ces mafiosi de Tunis se sont donc plaints à mon oncle de ce représentant. Et mon oncle leur a répondu : « Pourquoi vous n'arrêtez pas de vous plaindre ? Amenez-donc cet homme ici, dans ma propriété, en trouvant un prétexte. On organise un grand repas, comme pour prendre un peu de bon temps tous ensemble, et on le tue. » Ils se sont tous déclarés favorables, enthousiasmés par son idée. Le soir fixé, les invités sont arrivés mais — est-ce qu'ils ont eu peur, est-ce qu'ils y avaient repensé, on n'en sait rien —, ils avaient tout raconté au représentant. Si bien qu'au lieu de le tuer lui, ils ont tué mon oncle et ils l'ont fait disparaître. Et on n'en a plus jamais entendu parler. On n'a jamais pu savoir quoi que ce soit de sûr. Beaucoup de rumeurs, des indices, mais des éléments concrets, on n'en a jamais eu aucun.

Figurez-vous que bien des années plus tard, après la guerre, un type de la province de Caltanissetta est devenu représentant de cette famille de Tunis. Quand le gouvernement tunisien a chassé tous ces gens-là, ce représentant — il s'appelait Calogero Giambarresi — est rentré chez lui. Mais sa ville d'origine, c'était quoi ? C'était Riesi. La ville de Giuseppe Di Cristina, le fameux Di Cristina, qui était le représentant de Riesi et témoin au mariage de mon frère Pippo : ils étaient très proches.

Quand il a appris le retour de ce Giambarresi, mon frère a dit à son ami : « Vous devez demander à

Giambarresi qui a tué mon oncle. » Pippo était déjà un nom en Sicile, et il voulait la vengeance.

Giambarresi n'avait pas le choix. Il devait dire la vérité, parce que Di Cristina était son représentant et qu'une des règles principales de Cosa Nostra, c'est l'obligation de dire la vérité à l'intérieur de l'organisation, et à plus forte raison à ses propres supérieurs.

Et Giambarresi a répondu : « Je ne peux pas vous dire qui a tué votre oncle. Si vous voulez, je vais à Tunis et je récupère pour vous les ossements de votre oncle, parce que je sais où il est enterré. Mais je ne peux pas vous dire qui l'a tué. » Et en effet, il ne pouvait pas le dire. Il le savait mais il ne pouvait pas le dire, parce que Pippo avait de mauvaises intentions. Il se serait vengé de la pire des manières. Et Giambarresi aurait payé pour avoir parlé.

Giambarresi a compris que mon frère lui en voulait sérieusement et il a préféré quitter la famille de Riesi. Il est passé dans celle de Caltanissetta pour être plus loin de Pippo et aussi de Di Cristina. Moi-même, je l'ai rencontré un jour à Caltanissetta, ce Giambarresi ; il avait une sacrée trouille. Il ne savait pas quoi faire. Il ne savait pas s'il devait m'offrir un café ou se sauver à toutes jambes. Il avait peur que je le fasse monter en voiture et que je l'oblige à me raconter ce qu'il savait.

On voulait savoir. Mais la seule chose qu'on soit arrivés à comprendre, c'est que pas mal d'années auparavant quelqu'un avait déjà dit à mon autre oncle, Luigi, que deux frères de Trapani, qui s'appelaient Di Stefano, avaient été impliqués dans l'assassinat. L'un des deux avait trahi mon oncle, en informant le représentant du plan prévu pour le tuer. Mais moi, cet oncle-là, je ne l'ai pas connu.

Revenons à l'histoire de la mafia à Catane, c'est-à-dire en fait à l'histoire de la famille de ma mère. A mon oncle Antonino avait succédé, comme je l'ai dit, mon oncle Luigi Saitta, un homme très en vue au sein de Cosa Nostra. Pippo avait énormément de considération pour lui. Il l'a toujours défendu contre les critiques. Il s'est battu comme un lion pour le défendre. Certains hommes d'honneur ne voulaient pas de lui. Ils ne l'appréciaient pas, à cause de sa situation familiale qui était mauvaise : sa femme lui avait fait porter les cornes, elle l'avait quitté pour un autre dont elle avait même eu des enfants.

Mon oncle aurait dû la tuer mais il ne l'a pas fait. Il ne s'est pas senti de la supprimer. Mais les reproches de ces hommes d'honneur n'étaient pas crédibles. C'était un prétexte, parce que mon oncle avait été fait homme d'honneur à un moment où cette situation familiale avec sa femme existait déjà, et tout le monde était au courant. C'était quelque chose d'accepté depuis longtemps.

La raison de ce mécontentement, elle était ailleurs. La famille de Catane — on était dans les années cinquante, vers la fin des années cinquante — avait prospéré. Le représentant, à cette époque-là, était un vieux mafioso, Vincenzo Palermo. Vieux, vraiment vieux, et avec un seul bras. On lui avait tiré dessus et ça lui avait arraché le bras. Palermo était un homme dur, de la vieille école, qui avait passé une éternité en cavale, et qui s'était habitué à tirer et à tuer sans en faire toute une histoire. Mon oncle Luigi aussi était de cette école-là.

Mais quand il s'est agi de nommer mon oncle vice-représentant, un groupe d'hommes d'honneur de la famille de Catane a commencé à soulever des objections. C'étaient des faibles, qui ne faisaient que des conneries ; en réalité, ils avaient peur de mon oncle. Ils n'en voulaient pas comme chef, parce qu'il tirait très bien et qu'il était donc tout à fait capable de tuer personnellement tous ceux qui auraient commis de grosses erreurs.

Ces gens-là sont donc allés chercher le prétexte de sa situation familiale et ils se sont opposés à lui. Mon frère a pris alors la défense de mon oncle : « Mon oncle est déjà dans la famille. D'après vous, il est digne d'en faire partie. Est-ce que ce n'est pas vous qui l'avez fait homme d'honneur ? Quelqu'un qui est admis dans la famille peut occuper n'importe quelle charge. Vous ne pouvez pas venir dire aujourd'hui qu'il ne peut pas être élu vice-représentant. Ou alors, il ne fallait pas le faire homme d'honneur. »

L'affaire est devenue de plus en plus sérieuse ; à partir de cette controverse, une guerre a éclaté à l'intérieur de la famille de Catane. D'un côté, il y avait un groupe qui était avec mon oncle, et de l'autre, il y avait ceux qui soutenaient qu'il ne pouvait pas devenir vice-représentant. Malheureusement, ceux qui étaient avec mon oncle n'étaient pas nombreux. Il s'est produit une scission, et les autres ont formé une famille de leur côté.

Avec mon oncle, devenu vice-représentant, sont restés un certain Agatino Florio, un des premiers hommes d'honneur de Catane, qui est devenu représentant, et puis mon cousin, et Pippo et quelques autres encore. Ceux qui étaient partis étaient très nombreux et ils ont nommé comme représentant ce Vincenzo Palermo qui était un ami intime de mon oncle.

2.

La nomination d'un chef de famille se fait par des
élections. Des élections régulières, entre égaux, avec
le droit de vote pour tout le monde. S'il y a, par exemple,
trente ou quarante hommes d'honneur appartenant à une
même famille, tout est très simple. J'ai participé aux
élections, chez nous, dans ma famille, qui n'a jamais
dépassé quarante personnes. Pour élire le chef, on
organise une réunion et on nomme tout de suite le
secrétaire de séance, qui commence à proposer un nom.
Le secrétaire dit : « Moi, comme représentant, je voix X.
Qui est d'accord ? » Et alors chacun se prononce, en
public et en levant la main dans le cas où il est d'accord.

Tout ça, aussi longtemps qu'il s'agit d'une petite
famille. Dans les grandes familles — celles qui sont
composées de cent cinquante, deux cents hommes — on
procède autrement. Chaque « chef de dizaine » [*capode-
cina (N.d.T.)*] réunit son groupe et demande son avis à
chacun de ses hommes. Ensuite, il transmet leur opinion...

On ne peut pas réunir une famille de deux cents
personnes. Il n'y a pas d'endroit pour ça, et puis ça serait
trop dangereux : tout le monde ensemble dans un même
lieu, ça fait une cible trop facile pour la police et pour les
ennemis.

La hiérarchie d'une famille commence par les simples
hommes d'honneur, les « soldats » [*soldati (N.d.T.)*]. On
les appelle comme ça, les soldats ; et à Palerme, les

picciotti [les « petits » *(N.d.T.)*]. Nous, on les appelle les soldats depuis longtemps, bien avant le film *Le Parrain*. Ensuite, il y a les « chefs de dizaine », qui sont donc les chefs d'un groupe de cinq, dix, vingt, quelquefois même trente hommes. Il n'y a pas de nombre fixe. Ça dépend de la taille de la famille. Ensuite, on a le « vice-représentant », puis le « représentant ».

Le vice-représentant, chez nous, dans ma famille, il n'a même pas le droit de voter. Si le représentant n'est pas là, c'est lui qui décide, mais si le représentant est là, alors le vice-représentant compte pour rien ou presque. Les membres du conseil peuvent même ne pas le prévenir quand ils se réunissent. Le « conseil » est formé du représentant et des « conseillers ». S'il n'y a qu'un seul chef de dizaine, ou deux au maximum, ils sont convoqués eux aussi aux réunions du conseil. Quand les chefs de dizaine sont très nombreux, quatre, cinq ou même dix, alors on ne les convoque pas.

Si on doit discuter d'un problème qui concerne plus particulièrement une « dizaine », souvent on convoque le chef de ce groupe-là et on lui demande officiellement des explications, des éclaircissements. Autrement, c'est le conseil qui décide.

Les conseillers n'ont rien à voir avec les chefs de dizaine. Ce sont des personnages en eux-mêmes. Le « conseiller » est un homme d'honneur comme les autres, mais qui est choisi à un moment donné comme conseiller. C'est un personnage vraiment important. Quelquefois il est aussi important que le représentant lui-même, parce qu'il est très proche de lui, il l'influence, il l'informe, il lui présente les choses d'une certaine manière.

Le chef de dizaine, c'est autre chose. Il a un rôle précis, spécifique. Il commande à des hommes et il exécute des ordres. Il doit « prendre soin » de sa dizaine. Et il est l'intermédiaire entre le représentant et les hommes d'honneur. Le représentant, par exemple, peut dire à un chef de dizaine : « Dis à ta dizaine, ou à quelqu'un de ta dizaine, que dans votre quartier il faut procéder de telle manière. Il faut faire telle ou telle opération (un meurtre, une extorsion, un chantage, etc.). Choisis un de tes hommes et dis-lui de le faire. Si tu as besoin d'un autre homme, demandes-en un à telle autre dizaine. » Et c'est tout. En tout cas, c'était tout jusqu'à il y a quelque temps.

Personne ne passait par-dessus la tête de ses supérieurs. Si un homme d'honneur devait demander une autorisation au chef de la famille, il s'adressait à son chef de dizaine, lequel transmettait la requête au représentant, qui approuvait ou refusait.

Autrefois, la hiérarchie à l'intérieur de la famille était plus formellement établie. Le représentant ne donnait pas d'ordres directs, il ne parlait même pas avec les simples hommes d'honneur. Les ordres passaient toujours par le chef de dizaine. Aujourd'hui, les situations sont souvent différentes. Il y a des représentants qui ont des contacts directs avec certains hommes d'honneur, parce qu'ils sont plus intimes, ou parce qu'ils se sentent plus en confiance.

Mais revenons au conseiller. Le conseiller, comme je l'ai dit, n'a rien à voir avec le chef de dizaine, ni avec le vice-représentant, qui est nommé par le représentant sitôt après son élection et qui est celui en qui le chef a le plus confiance, prêt à le remplacer en cas d'arrestation, d'empêchement ou d'absence. Dans le passé, malgré tout, il y a eu beaucoup de cas où le vice-représentant était lui aussi élu, et il jouait un rôle important dans toutes les affaires de la famille.

Le conseiller est toujours élu par les hommes d'honneur de la famille ; il a pour fonction d'accompagner mais aussi de contrôler le représentant. Oui, de contrôler. Si jamais le représentant se monte la tête, devient tyrannique, ou s'il se met à donner des ordres absurdes, ou qu'il se trompe dans les décisions qui concernent la famille, le rôle du conseiller, c'est précisément de le freiner, de lui faire entendre raison.

Le conseiller doit dire la vérité, il doit exposer les choses telles qu'elles sont au représentant. Ce roman, ce film qui a été fait — *Le Parrain* —, c'est quelque chose de bien étudié. J'ai lu le livre et j'ai vu le film aussi (comme tous ceux de ma famille, d'ailleurs). Bien sûr, comme toutes les choses qui sont romancées, ça dépasse un peu la réalité. Mais par certains aspects c'est un film plausible. Le conseiller est vraiment un conseiller, un type qui expose ses vraies idées au chef, et le chef est présenté comme quelqu'un qui a besoin d'entendre les idées d'un autre.

La famille, sur son territoire, est autonome. Le pouvoir du conseiller et du représentant est, lui aussi, autonome. Mais pas dans tous les cas. Prenons celui, par exemple, de la décision d'un meurtre.

Si on doit tuer un homme sur le territoire d'une famille pour punir une erreur normale, d'administration courante, comme un mouchardage aux « sbires », à la police, le représentant prend la décision, le chef de dizaine la fait exécuter, et le type disparaît. La seule obligation du représentant, c'est d'en référer au « chef de canton » [*capomandamento (N.d.T.)*], le chef d'un territoire qui comprend trois familles. Le représentant vient lui dire : « Écoute, voilà ce que j'ai fait... ça s'est passé hier (ou avant-hier, ou la semaine dernière, etc.)... Celui qui a fait ça, c'est moi. » Le chef de canton, à son tour, rapporte ce qu'il a appris au représentant de la province, et tout s'arrête là.

L'important, c'est l'information précise. Dans la mafia, ne doivent circuler que des informations sérieuses, exactes. Sinon on n'y comprend plus rien, et ça entraîne un grand désordre. Mon frère a failli être tué, vers 1975, par un groupe de Catanais qui s'étaient réfugiés à Milan après un affrontement avec la bande des Pillera parce que le chef de ces Catanais était persuadé, à tort, que Pippo était devenu le chef des Pillera [1]. Ils sont partis de Milan à trois exprès pour le tuer, et s'il n'y avait pas eu Gerlando Alberti — qui a fait semblant de s'associer au projet et qui a fait disparaître deux des tueurs pendant un arrêt à Naples — je ne sais pas comment ça aurait fini. Une information erronée pouvait coûter la vie.

Si on ne sait pas qui a tué quelqu'un, ou si on croit le

1. Cf. chap. 19. *(N.d.T.)*

savoir mais qu'on se trompe, alors plus personne ne peut être sûr de rien, pas même de sa vie. Et ça, c'est le jeu qu'ont joué ces malhonnêtes, ces diaboliques de Corléonais ! Ils ont menti à propos des meurtres qu'ils faisaient ! Et ils ont trompé tout le monde ! Mais laissons les Corléonais pour le moment, et continuons.

Si, par contre, on doit frapper un homme important, un homme politique, ou un homme de la police, ou un juge, la décision doit venir d'en haut, du plus haut niveau, c'est-à-dire de la « commission régionale », dont on reparlera tout à l'heure. Il y a une raison logique à ça. Un meurtre comme celui-là peut causer du tort à tout le monde. Le meurtre est toujours commis, c'est vrai, sur un territoire donné. Mais ses conséquences, tout le monde les paie.

Il y a aussi des fois où la commission, ou encore le représentant provincial, peuvent décider, y compris pour les meurtres normaux, qu'il vaut mieux se tenir tranquille. Parce qu'il y a un jugement en attente, ou parce qu'il y a des mesures préventives dans l'air, ou parce que c'est un moment où le gouvernement fait les gros yeux (après, ça passe... il suffit d'attendre un peu). Dans ces cas-là, même si quelqu'un dénonce une faute commise par quelqu'un d'autre — Untel a fait telle chose, Untel a fait telle autre ! il faut absolument intervenir ! — la réponse des instances supérieures est : « D'accord. Tant pis. Ça n'est pas le moment d'agir. Attendons encore un peu. »

Il n'y a qu'un seul cas dans lequel ces limites-là ne tiennent plus. C'est le cas où quelqu'un, un homme de la mafia, s'arrange tout à coup pour être introuvable et qu'il disparaît, dans le but d'entrer en contact avec les carabiniers pour leur dénoncer un événement grave, pour collaborer avec eux. Dans ces circonstances-là, l'urgence est aussitôt décrétée. L'ordre, ou plutôt l'obligation, pour chaque homme d'honneur, c'est de chercher cet individu et de le tuer séance tenante, où qu'il se trouve et à n'importe quel moment. Tout homme d'honneur peut et doit le tuer, quelle que soit la situation, sans attendre l'autorisation de qui que ce soit. Même s'il y a des policiers dans le coin ou des procès sur le point de se terminer.

Mais s'il s'agit d'autres problèmes ou de décisions qui peuvent être renvoyées à plus tard, on essaie toujours de prendre son temps, pour ne pas faire parler les journaux, pour ne pas faire de tapage devant l'opinion publique. De toute façon, on a toujours le temps. Il n'y a pas de danger que les choses se perdent en route, avec les jours et les mois qui passent. La mafia ne laisse jamais les choses inachevées, faites à moitié. La mafia, c'est quelque chose de sérieux. Pas la peine de se faire d'illusions : si elle a pris une décision, elle ira jusqu'au bout. Excepté les cas où les hommes ont changé et quand il s'agit d'une affaire limitée, qui ne brise pas toutes les règles de l'association.

Je m'explique. Il ne faut pas oublier que la mafia, eh oui, c'est la « Mafia », l'organisation de tous ceux qui ont prêté serment, et qu'elle a des règles précises. Mais elle reste faite par des hommes. Et les hommes ont leurs préférences, leurs inimitiés, leurs antipathies. Même quand ils ont de hautes charges. Si Michele Greco [1] fait approuver par la commission une décision qui doit être exécutée un, deux ou trois mois plus tard et qu'il n'est plus le chef de la commission quand arrive le moment de la mettre en application, alors il est possible qu'on n'en fasse rien. Aux yeux des membres de la mafia, ça peut apparaître comme une décision personnelle, qu'on peut exécuter sans en être très convaincu, mais qu'on peut aussi laisser tomber si entre-temps Greco n'a plus la position qu'il avait avant.

Mais s'il s'agit d'une décision prise par tous et qui concerne tout le monde, qui touche les intérêts de tout le monde, alors il n'y a pas d'échappatoire. C'est sans appel. Si on décide qu'il faut tuer tous les repentis, du premier jusqu'au dernier, on ne revient pas en arrière. Même si les hommes changent, même s'il se passe beaucoup de temps

1. Allié des Corléonais, longtemps secrétaire de la commission régionale de la mafia (ou « Coupole »), il est en prison depuis 1986. *(N.d.T.)*

et que ceux qui arrivent dans la commission ne nous connaissent pas, ni moi ni les autres repentis, pas la peine de se faire d'illusions. Ils n'oublieront pas. La mafia n'oublie pas.

Même les mafiosi pris un par un, les hommes de la mafia, n'oublient pas. Ils se vengent toujours. Pensez à mon frère : dans les années soixante, ça faisait trente-cinq ou quarante ans que mon oncle était mort, et il était encore là qui cherchait à savoir comment il avait été assassiné et il était prêt à tuer tous les responsables qui auraient été encore en vie ! La vieille mafia était faite comme ça. Et la « nouvelle mafia », comme les journaux l'appellent, elle est pareille que la vieille pour ces choses-là.

Un mafioso comme Gaetano Badalamenti (ça n'a aucun sens de dire « vieux » ou « nouveau » pour quelqu'un comme lui), juste après avoir été nommé représentant provincial de Palerme, en 1969, a donné l'ordre à Salvatore Zaza, un Napolitain de la Camorra affilié à Cosa Nostra, de tuer un homme. Et vous savez pourquoi ? Plusieurs années avant, vers la fin des années cinquante, cet homme, à l'hippodrome d'Agnano, avait giflé Lucky Luciano qui venait juste de rentrer d'Amérique. Le meurtre a été exécuté et Badalamenti a été fier de faire savoir aux USA que l'offense avait été lavée dans le sang, même si c'était avec des années de retard.

L'astuce de Cosa Nostra, ç'a toujours été, bien sûr, d'être l'association des hommes d'honneur, une chose secrète et réservée à un petit nombre, mais de rester en même temps dans la vie normale, avec des professions, des métiers. Dans la mafia, il y a de tout. A part les juges et les policiers, il y a des gens de toutes sortes, infiltrés dans tous les recoins de la société. Le mafioso, c'est comme une araignée. Il tisse ses toiles d'amitiés, de connaissances, d'obligations. Aujourd'hui, le fric a pris le dessus et tout a dégénéré ; on ne perd plus le temps qu'on perdait autrefois à cultiver les amitiés ; mais il n'y a pas si

48

longtemps, des gens comme Pippo, mon frère, vivaient encore complètement la vie du mafioso.

Et une foule de petits entrepreneurs fait partie aussi de Cosa Nostra. La majorité est même constituée d'hommes d'affaires, des gens qui ont des magasins, des entreprises, des activités économiques. Des gens qui trafiquent, qui inventent, qui bougent du matin au soir. Des hommes qui ne tiennent pas en place, qui aiment la vie active, qui aiment les choses nouvelles et qui connaissent une infinité de personnes dans tous les milieux. Des entrepreneurs qui sont sur la brèche vingt-quatre heures sur vingt-quatre. Le jour, ils gèrent leur affaire, comme les autres, et ils travaillent toujours beaucoup. Mais la nuit, au lieu d'aller dormir, ils sont capables d'aller voler, comme ce représentant de la famille de Catane qui avait une entreprise de transport bien lancée, avec plein de clients, qui exécutait des travaux pour les petites industries de la ville. Une personne estimée et connue. Mais la nuit, il faisait des cambriolages avec l'oncle de Nitto Santapaola.

Liggio était métayer, et il s'y connaissait en agriculture, comme tous les Corléonais et les Greco. Les Bontade faisaient du commerce d'agrumes. Il y a toujours eu beaucoup de commerçants et d'exportateurs d'agrumes à Cosa Nostra, et il y a aujourd'hui une quantité infinie d'adjudicataires et d'entrepreneurs dans l'immobilier. Cavataio était un petit entrepreneur en bâtiment. Rosario Spatola, lui, était un gros constructeur immobilier, un des plus gros de Palerme. Un des Vernengo possédait une fabrique de glace. Badalamenti avait des vaches et il vendait des fromages. Et plein d'autres étaient transporteurs routiers, revendeurs de pièces détachées, bouchers, marchands de bestiaux, de poissons, de fruits et légumes. Nitto Santapaola[1] avait démarré comme vendeur ambulant de chaussures pour finir par avoir la concession Renault à Catane, inaugurée en présence du préfet et des

---

1. Aujourd'hui allié des Corléonais et « boss » incontesté de Catane ; en fuite depuis sept ans ; accusé d'avoir participé à l'assassinat du général Della Chiesa en 1982, il est considéré comme le n° 2 de la mafia. (N.d.T.)

plus hautes autorités, tandis que son frère Salvatore avait une rôtisserie. Les Ferrera vendaient de l'eau minérale et ils tenaient les salles de jeu. Avec l'argent de la contrebande et de la drogue, ensuite, beaucoup ont acheté des hôtels, des exploitations agricoles, et plein d'appartements. Les Santapaola se sont acheté tout un morceau du quartier autour de la via Vincenzo Giuffrida [dans le centre de Catane *(N.d.T.)*].

Il y a eu aussi des prêtres — comme le père Agostino Coppola qui a célébré le mariage de Totò Riina et de la Bagarella alors que Riina était en cavale — et plein de médecins et d'avocats. La profession d'avocat, c'est le faible des chefs de la mafia. S'ils envoient leurs fils à l'université, vous pouvez être sûr que c'est pour faire des études de droit. Giovanni Bontade était avoué et on l'appelait « l'avocat ». L'avocat Chiaracane était un homme d'honneur de la famille de Misilmeri, et fils et petit-fils de chefs mafieux.

Mais la considération dont un mafioso jouit à l'intérieur de Cosa Nostra n'est pas liée à sa profession ou à son niveau d'études. Un grand homme d'honneur, un vrai leader capable de commander et de tenir en main une famille, sûr de lui, élégant, comme Stefano Bontade[1], avait un niveau d'instruction très modeste. Tout le contraire de son frère Giovanni, qui avait sa licence mais qui était plus effacé, indécis, bien moins considéré que lui dans sa famille et à l'extérieur. Il faut dire aussi que quand Stefano ou quelqu'un d'autre le rudoyait, il s'en allait pleurer auprès de Michele Greco.

Les chefs corléonais, eux, étaient de fieffés ignorants. Mais ils étaient rusés, diaboliques. Astucieux et féroces, une combinaison rare à Cosa Nostra. Totò Riina[2] était d'une ignorance crasse mais il avait de l'intuition, était intelligent, et très difficile à cerner et à coincer. En même temps il avait quelque chose d'animal. Sa philosophie,

1. Stefano Bontade (ou Bontate), leader des « Palermitains », assassiné en 1981 par les Corléonais. Très aimé, il était devenu « chef de dizaine » à vingt ans. *(N.d.T.)*
2. Cf. chap. 1, note 2, p. 24.

c'était que si quelqu'un a mal à un doigt, il vaut mieux qu'il se coupe le bras, par mesure de sécurité. Bino Provenzano[1] était surnommé « u viddanu » [le « péquenot » *(N.d.T.)*], à cause de ses manières raffinées. Mon frère l'appelait « u tratturi » [le « tracteur » *(N.d.T.)*], vu ses capacités à tuer et les conséquences de son passage sur les problèmes ou sur les gens.

Un des meilleurs hommes d'honneur que j'aie connus a été sans aucun doute Salvatore Greco, « Cicchiteddu[2] ». C'était un meneur d'hommes, il avait un réel charisme. Rien à voir avec son faux-jeton de cousin Michele, qui n'était rien. Il était resté dans la naphtaline jusqu'en 1975, quand son autre cousin, Totò Greco, « l'ingénieur », l'a fait devenir représentant provincial et chef de canton.

Quant à la réputation et à la notoriété à l'extérieur de Cosa Nostra, il n'est pas dit non plus qu'elles correspondent à la position réelle de l'homme d'honneur à l'intérieur de l'association. Tout le monde connaît Calogero Vizzini, « Don Calò », et tout le monde a entendu parler de Genco Russo[3]. Ils ont été célèbres, les journaux n'arrêtaient pas de parler d'eux. Pourtant, Vizzini n'a jamais été représentant de la Sicile tout entière. Le chef de la commission régionale, à l'époque, dans les années cinquante, c'était Andrea Fazio, un mafioso de Trapani que personne ne connaissait. Et Genco Russo n'était que le représentant de la province de Caltanissetta. La notoriété de Russo et de Vizzini était mal vue à Cosa Nostra. Ils se mettaient trop en vedette, ils donnaient des interviews, ils se faisaient même photographier. Ils étaient devenus des têtes d'affiche, comme les chanteurs et les danseuses. On était assez ironiques à leur sujet, en ce temps-là, à Cosa Nostra. A propos de Genco Russo,

1. Ex-« lieutenant » de Luciano Liggio, en fuite depuis une vingtaine d'années, il est considéré aujourd'hui comme le n° 3 de la mafia. *(N.d.T.)*
2. *Cicchiteddu* : « petit oiseau » ; allusion à sa taille. *(N.d.T.)*
3. « Don Calò », qui passait pour le « chef de tous les chefs » après la Seconde Guerre mondiale, est mort dans son lit en 1954, entouré de l'estime et de la considération générales, après avoir désigné lui-même officiellement son successeur, son « lieutenant » Genco Russo (arrêté en 1964). *(N.d.T.)*

Totò Minore avait l'habitude de dire : « Vous l'avez vu aujourd'hui, sur le journal, la Gina Lollobrigida ? »

Les grands hommes d'honneur étaient peu connus. C'étaient des gens qui fuyaient la publicité, comme le vieux Giovannino Mongiovino. Mon frère lui avait offert la charge de représentant régional parce que son autorité était telle qu'elle garantissait le respect de toutes les familles ; il a refusé, il n'avait pas envie de représenter des gens qui ne méritaient pas d'être à Cosa Nostra.

Je suis allé à l'école jusqu'à la première année du secondaire. J'étais encore à l'école primaire au début de la guerre, ensuite j'ai arrêté, et j'ai repris après l'arrivée des Américains. A partir de 1946, à Catane, il y a eu la période de l'*intrallazzo*, la fameuse contrebande de l'après-guerre. Quand je me suis inscrit de nouveau à l'école, j'avais douze ans et je ne savais toujours pas lire ni écrire.

Mon frère m'a envoyé alors suivre des cours chez une institutrice, qui appartenait à une riche famille du quartier. Je suis resté dans cette école privée pendant un an ou deux, je ne me souviens pas, et ensuite je me suis présenté en candidat libre aux examens de fin d'études primaires. Le père de mon institutrice avait été le parrain de Pippo — parrain de confirmation, rien à voir avec la mafia. Ça n'était pas un homme d'honneur. C'était une personne normale. Il était commerçant, il avait de grands entrepôts à blé. Quand j'étais môme, je les regardais souvent, ces entrepôts : ils me paraissaient vraiment énormes, avec un haut mur d'enceinte et une immense cour intérieure, entourée de plein de silos en ciment remplis de blé à ras bord.

Deux de mes oncles maternels, Vincenzo et Luigi Saitta, étaient dans une mauvaise passe. Ils étaient obligés de se débrouiller tant bien que mal pour arriver à joindre les deux bouts. Luigi, comme vous le savez, était un mafioso important. Vincenzo n'était pas mafioso, mais il n'était pas en reste par rapport à Luigi, question « brigandage ». Si deux personnages comme ceux-là avaient des problèmes pour joindre les deux bouts, c'est parce que les mafiosi étaient sortis appauvris du fascisme. Après la guerre, il n'y avait quasiment plus de mafia. Les familles siciliennes avaient été dispersées par le préfet Mori. La mafia était une plante qui ne se cultivait plus. Mon oncle Luigi, un chef, une autorité, en était réduit à faire le voleur pour gagner son pain, pour survivre.

Ensuite la réorganisation a commencé. On s'est mis à parler de tabac. Mon oncle Vincenzo, en particulier, un homme intelligent et plein de capacités qui avait tout un réseau d'amis, connaissait des gens dans les Pouilles, du côté de Lecce, qui avaient des bons du gouvernement pour acheter des sacs de poussière de tabac utilisée comme engrais. Ces sacs produits par des manufactures d'État étaient vendus aux agriculteurs pour un prix dérisoire. Mon oncle se procurait ces bons et il se présentait devant les entrepôts avec un semi-remorque pour charger l'engrais. Le directeur de l'usine — contre un pot-de-vin — au lieu de lui donner de la poussière de tabac, faisait charger le semi-remorque avec du tabac long, du bon, celui qui servait pour les cigarettes.

Le semi-remorque repartait pour Catane et traversait le détroit de Messine sans problème. En ce temps-là, le trafic des bacs entre l'Italie et la Sicile était sévèrement contrôlé par les Douanes parce que le sel coûtait bien moins cher en Sicile que sur le continent, et il y avait une contrebande florissante. Mais mon oncle connaissait un fonctionnaire des chemins de fer qui était en mesure de lui éviter les inspections. Que ce soient les camions de mon oncle, ou les wagons de chemin de fer qu'il utilisait quelquefois à la place des camions, tout ça traversait le détroit en toute tranquillité.

Il n'y avait pas besoin d'avoir de gros capitaux. L'engrais, ça ne coûtait pas cher, et les pots-de-vin se traitaient entre amis, entre gens qui se respectaient. On les payait après la vente des chargements. Il n'y avait pas beaucoup de sous à avancer. L'amitié remplaçait l'argent et les banques.

Les stocks de tabac étaient déchargés près de chez

nous, dans les entrepôts à blé qui avaient été vidés exprès. Des montagnes et des montagnes de sacs de tabac, et nous, les gosses, qui jouions dessus ! Les sacs avaient tous la même dimension ; à l'origine, ils contenaient des amandes. Un quintal d'amandes chacun. A la fin de chaque journée de travail, mes oncles remplissaient un sac avec les sous qu'ils avaient encaissés et ils commençaient à les compter. Mais c'étaient des sous de l'époque, les « am-lires » de l'occupation américaine, qui ne valaient pas grand-chose. La société était constituée de mes oncles et d'une autre personne qui, en réalité, dirigeait tout. Pippo collaborait en tant qu'homme de confiance mais il n'était pas associé et il était payé comme un employé.

Le spectacle le plus fascinant pour nous, les mômes, c'était celui de la cour du dépôt de blé (ou plutôt de tabac) après l'arrivée d'un gros chargement. Dans ces occasions-là, une foule colorée se rassemblait sur l'esplanade. Deux cents, trois cents personnes de toutes sortes. Des gens naïfs et des gens malhonnêtes, arrivés des quartiers de Catane, des villages de la province, et même de coins plus éloignés. Moi, je savourais la scène du haut de la fenêtre de mon institutrice, parce que la vue donnait sur la cour. Je demandais la permission d'aller boire et je me mêlais à toute cette foule. Les gens étaient joyeux, ils plaisantaient avec moi. Ils étaient contents parce qu'il y avait quelque chose à gagner. Chacun achetait un sac ou deux de tabac. Ils rentraient chez eux et ils le revendaient en cartons d'un kilo ou deux aux vendeurs au détail qui, à leur tour, l'offraient en petits lots de trente, cinquante grammes aux fumeurs. A l'époque, personne n'achetait de cigarettes toutes faites. On allait chez le marchand de tabac, et on achetait le tabac et le papier pour les rouler. Mais c'était plus intéressant de se fournir auprès des particuliers. Naturellement, ceux qui achetaient les sacs se faisaient plus d'argent que les détaillants ; ils avaient aussi un meilleur réseau d'amitiés, puisqu'ils savaient où trouver le tabac, et où le trouver sans danger.

Il ne faut pas oublier que dans toute cette affaire, il n'y avait rien de légal, même si les Douanes étaient parfaitement au courant. D'ailleurs, l'associé secret de mes oncles, celui qui avait tout organisé, celui qui avait présenté mon oncle Vincenzo à la manufacture de tabac et au fonctionnaire des chemins de fer, c'était justement un commandant des Douanes, un parrain de mon oncle qui a été ensuite promu colonel et qui est mort, le pauvre, d'un infarctus, ici, à Catane, alors qu'il était au volant de sa voiture.

C'était une activité rentable, qui était en train de permettre à mes oncles de se renflouer après la mauvaise période du préfet Mori et de la guerre. Et puis, comme dans tout, à un moment, le diable a montré le bout de sa queue. Mais avant d'expliquer comment, il faut que je vous raconte un autre épisode.

Un des acheteurs en gros, un certain Natale Di Raimondo, qui venait se fournir au dépôt de mes oncles, avait déclaré quelque temps auparavant que les Douanes lui avaient confisqué deux sacs. Mais ça n'était pas vrai. Mon oncle avait vérifié — il ne manquait pas de moyens pour le faire, puisque, comme je vous l'ai dit, l'associé le plus important dans l'entreprise, était justement le chef des Douanes à Catane — et ça n'était pas vrai. Il était donc évident que Di Raimondo mentait pour ne pas avoir à payer. Di Raimondo était de ceux qui ne payaient pas tout de suite mais une fois la vente faite, sur parole, comme ça se pratique entre gens comme il faut. Tout le monde payait, tôt ou tard. On avait confiance. Mais il y avait aussi la peur des conséquences d'un affront éventuel à mon oncle Luigi, qui était un mafioso très connu. L'oncle, avec patience et gentillesse, lui avait dit : « Natale, n'insiste pas. Figure-toi que je sais très bien que les Douanes n'ont rien à voir là-dedans. Si tu n'as pas l'argent pour payer ce que tu dois, c'est pas un problème. Mais arrête avec cette histoire des Douanes, parce que c'est pas vrai. — Moi, je paie pas, parce que les deux sacs, c'est les Douanes qui me les ont pris », avait répliqué Di Raimondo.

Quelque temps après cette discussion, la foule habituelle était réunie dans la cour du dépôt pour attendre l'arrivée d'un chargement. Les gens étaient nombreux ; il s'était écoulé plusieurs semaines depuis l'expédition précédente et les clients étaient nerveux : ils avaient besoin de fumer. Les prix avaient monté et il y avait une très forte attente. C'était un après-midi d'été. Mon oncle Vincenzo était sur l'esplanade, les mains dans les poches, et il discutait avec les acheteurs en expliquant qu'il y aurait du retard, qu'ils allaient devoir patienter.

Arrive alors ce Di Raimondo, qui demande : « Mais y en a même pas pour moi, du tabac ? — Du tabac, tu le vois bien, y en a pour personne. On l'attend d'un moment à l'autre. Dès que le tabac sera là, y en aura pour tout le monde », répond mon oncle. Mais Di Raimondo en déduit qu'il se trouvait devant une mise en scène organisée — imaginez un peu ! — carrément contre lui, dans le but de ne pas lui vendre de tabac parce qu'il n'avait pas payé ! Figurez-vous si mes oncles allaient bloquer la vente d'une grande quantité de marchandise à deux cents personnes uniquement parce que lui, il n'avait pas payé !

Avec les ignorants, hélas, il n'y a pas grand-chose à faire. Di Raimondo donne une gifle à mon oncle, qui était là les mains dans les poches. Mon oncle tombe, se cogne la tête, et il reste évanoui. Mon autre oncle, Luigi, le mafioso, n'était pas là. Il était chez lui, pas loin de là, et il dormait. Pippo, par contre, était dans la cour, et il était en train de discuter avec d'autres quand il a entendu des cris, il a vu mon oncle par terre et Di Raimondo qui sortait un couteau pour le frapper. Ce Di Raimondo n'était pas un mafieux. C'était juste une petite canaille de Catane. Peut-être que c'était aussi un mouchard de la police. Pippo sort alors son pistolet et tire sur Di Raimondo, qui tente de se défendre en sortant de sa poche une chose enveloppée. C'était un mouchoir dans lequel il y avait quelque chose d'emballé. Tout le monde pense que c'est une grenade, parce que Di Raimondo avait un frère qui avait été partisan dans l'Italie du nord (c'était une famille un peu curieuse), et les gens se sauvent.

Mon frère continue à tirer mais malheureusement, son

pistolet automatique s'enraye presque tout de suite. Obligé de prendre la fuite, il se cache derrière des tonneaux qui se trouvaient dans la cour. Di Raimondo avait en fait un pistolet, avec lequel il commence à tirer sur Pippo. Entre-temps, Pippo réajuste le sien et touche Di Raimondo, qui tombe par terre. Tout le monde crie : « Il l'a tué ! Il l'a tué ! »

J'étais à l'école, à ce moment-là, c'est-à-dire chez mon institutrice qui habitait au premier étage, au-dessus des entrepôts. J'ai entendu les coups de feu et les cris des gens, et j'ai pensé tout de suite à Pippo. J'ai couru à la maison, et je l'ai vu qui se lavait et qui s'enfuyait pour se cacher.

Di Raimondo n'était pas mort. Un homme d'honneur qui avait assisté à la scène, un certain Ferrera, surnommé « Cavadduzzu » [« petit cheval » *(N.d.T)*], le père des célèbres Ferrera, lui a porté secours et l'a emmené chez un docteur. Il l'a fait soigner et après deux ou trois jours pendant lesquels il a été en danger de mort, Di Raimondo s'est rétabli.

L'affaire a été arrangée ensuite par ma famille. On est allés à la police parler au commissaire principal et tout s'est arrêté là. L'incident a été clos. A la police, ils savaient tout. Sur les trois cents personnes présentes dans la cour, la moitié étaient des petits contrebandiers qui, un jour sur deux, allaient trouver les douaniers pour leur déballer tout ce qu'ils savaient (et quelquefois aussi ce qu'ils ne savaient pas, parce qu'ils inventaient des choses pour faire bien et se sentir importants). Quoi qu'il en soit, les choses ont été arrangées en ces termes : Di Raimondo déclarerait qu'il avait sorti un petit couteau, mais sans intentions agressives, et mon frère déclarerait qu'il avait mal compris son geste et qu'il avait réagi en tirant, en légitime défense. Je crois qu'on n'est même pas allés jusqu'au procès.

Mais il a fallu arrêter la contrebande. On a dû attendre que le bruit causé par l'incident s'apaise, et Pippo a continué encore un peu à se cacher. Pendant ce temps-là, la demande de tabac de contrebande avait constamment diminué parce que les usines avaient recommencé à travailler et qu'il n'y avait plus de pénurie chez les marchands de tabac.

Une fois que ce travail du tabac a été terminé, Pippo et mon oncle Vincenzo ont ouvert un magasin de tissus. Mon frère avait l'expérience du commerce des étoffes parce qu'il avait travaillé pendant dix ans comme commis dans un entrepôt de vente en gros de tissus, sur la piazza Bicocca, à côté de l'Université, dans le centre de Catane. Le nouveau magasin s'est ouvert en 1948, et c'est à ce moment-là que mon frère a été fait homme d'honneur.

Je vous ai déjà parlé de la scission qui s'était produite dans la famille de Catane dans les années cinquante, à la suite de l'opposition à la nomination de mon oncle Luigi comme vice-représentant. Les membres de la famille qui s'était constituée après la scission se réunissaient dans un autre quartier, à San Cristoforo, le quartier des Santapaola, tandis que mon oncle, Pippo et les autres qui étaient restés dans la vieille famille se rencontraient près du corso Italia. On n'est pas allés jusqu'à une répartition des territoires. A Catane, il n'y a jamais eu de véritable division par quartiers parce que la tradition d'une seule et unique famille a imposé le territoire unique.

Les familles palermitaines avaient des contacts aussi bien avec mon oncle et ses amis qu'avec leurs adversaires. Ils ont cherché alors à réconcilier cette famille brisée, mais ils n'y sont pas arrivés parce que ni mon oncle Luigi ni Pippo ne voulaient entendre parler de reconstituer la famille d'avant, avec les mêmes hommes. Si bien que la fracture a duré encore de longues années.

Ç'a été des années tristes pour moi. Je m'étais beaucoup attaché à mon oncle Luigi, qui avait attrapé une vilaine tumeur sur le nez. Il s'était fait opérer à Milan, mais l'opération s'était mal passée. J'ai même perdu un emploi à la Coopérative agricole pour rester près de lui, pour pouvoir le soigner.

C'est à cette époque-là que Pippo s'est fiancé. Il voit une jeune fille, elle lui plaît, et il la suit pour savoir où elle habite : en ce temps-là, c'est comme ça qu'on faisait. La jeune fille vit dans un immeuble où habite un homme d'honneur que Pippo connaît bien. Il s'agit, pas moins, du neveu de Giuseppe Indelicato, le représentant de la famille adverse. Mon frère avait rencontré cet homme d'honneur plusieurs fois, parce que c'était un des plus souples parmi les adversaires, quelqu'un à qui on pouvait parler, avec qui on pouvait discuter.

Petit à petit, Pippo s'aperçoit que cette fille lui plaît pour de bon et il mûrit la décision de se fiancer avec elle, de se marier. Alors il commence par le dire justement à ce neveu d'Indelicato, qui n'est autre que le frère de la fille. Il l'arrête dans la rue et il l'informe de ses intentions concernant sa sœur. L'homme d'honneur est heureux de la nouvelle, parce qu'il a une grande estime pour Pippo, malgré les frictions entre les deux familles. Ce qui ouvre la voie à la diplomatie, à la pacification générale. Ce mariage atténue les conflits, les gens reviennent, la famille de Catane se réunifie. Des gens étaient venus de toute la Sicile pour réparer la fracture, et ils n'avaient abouti à rien. Et voilà qu'un mariage remet tout en place.

On en arrive au point qu'une commission va chez mon oncle Luigi et lui propose officiellement de devenir représentant provincial. Plus que vice-représentant d'une simple famille — comme avant la scission. Une charge bien plus élevée. Mais mon oncle n'accepte pas : « Je suis en train de mourir, je ne peux plus rien faire. Gardez-moi si vous voulez comme soldat. » Et il suggère de nommer Giuseppe Indelicato, le nouvel oncle de Pippo, représentant provincial. Parce qu'il a été capable d'unir une famille dans la discorde, en se mettant au-dessus des petites querelles et des vengeances.

En y repensant, cette fracture à l'intérieur de la famille n'avait jamais été totale, irrévocable. Même si les gens étaient devenus ennemis pour des raisons de clan, de pouvoir, tous les ponts n'avaient pas été rompus. Il y avait encore des principes qui survivaient aux désaccords. Prenons l'amitié, le respect entre deux hommes forts, comme mon oncle Luigi et Vincenzo Palermo. Elle n'a jamais cessé, même quand ils se sont retrouvés sur deux fronts opposés.

La preuve en est cet épisode, qui s'est passé juste après la scission. Vincenzo Palermo protégeait certains propriétaires terriens de Catane. L'un d'eux a commencé à subir des vexations : des vols, des incendies dans ses domaines, sans compter des lettres anonymes. Il s'est adressé à Palermo ; celui-ci s'est rendu sur place et a retrouvé l'auteur de tous ces « dérangements », un certain Catarinella, un type en cavale qui se donnait des grands airs.

Palermo l'a un peu bousculé, pour lui remettre les idées en place. Mais Catarinella a pris un fusil et lui a tiré dessus. Le pauvre Palermo était sans arme, et en plus, il lui manquait un bras. Mais c'était un vieux loup de la mafia et quand il a vu le fusil pointé sur lui, il s'est tourné de côté, pour offrir une cible plus étroite et protéger sa poitrine. Mais, ce faisant, il a été touché à l'autre bras et il est tombé par terre. Le chauffeur de Palermo était Salvatore Santapaola, le frère de Nitto. Palermo a été relevé et emmené dans une clinique.

Quand mon oncle a appris l'affaire, il est allé aussitôt trouver son vieil ami, même s'ils ne se saluaient plus depuis la scission de la famille. En l'embrassant, il lui a dit : « Qui t'a fait ça ? — Catarinella », a répondu Palermo. Cinq ou six jours plus tard, dans la campagne où Catarinella faisait la loi, on a trouvé trois morts. Tous des types en cavale, des membres de sa bande. Catarinella a compris. Il s'est précipité à la police et a demandé à être arrêté comme auteur de l'agression de Vincenzo Palermo.

Il y a eu un procès et ils ont été confrontés tous les deux. Catarinella a répété qu'il était coupable mais Palermo a répliqué : « Écoute. Tu peux dire toutes les folies qui te passent par la tête, mais moi, je ne te connais pas. Je ne t'ai jamais vu. C'était pas toi. » Et Catarinella a été remis en liberté.

Quand Palermo a été rétabli, il est allé voir mon oncle et il lui a dit : « Luigi, je serai toujours avec toi jusqu'à la mort. Si un jour tu te rendais compte que je t'ai déçu, ou trahi, tire-moi dessus, parce que ça voudra dire que je suis devenu fou. »

Voilà. C'était ça, l'amitié d'autrefois. Mon oncle les avait tués de sa main, ces types-là. Malgré la brouille. Parce qu'il avait du respect et de l'admiration pour Vincenzo Palermo.

3.

La famille était remise à neuf. Et comme il arrive souvent, après avoir résolu les difficultés internes, on a commencé à penser aux problèmes extérieurs. C'était le bon moment pour agrandir la famille. Il y avait plusieurs jeunes aux talents prometteurs à « faire », à intégrer dans la congrégation des hommes d'honneur.

Parmi eux, certains allaient devenir importants, se faire connaître dans les années à venir. Il y avait le fils de Salvatore Ferrera, le neveu de « Cavadduzzu », qui a mon âge : Franco Ferrera. Il y avait deux autres neveux de « Cavadduzzu » : Nitto Santapaola[1] et son frère Natale. Le frère aîné de Nitto, Salvatore, était déjà homme d'honneur. Nous étions donc quatre jeunes, dans les vingt-deux, vingt-cinq ans. A part nous, il y avait quelques garçons éveillés, à intégrer au plus vite : Natale Ercolano, lui aussi neveu de Ferrera, et d'autres encore. En tout, nous étions huit.

Mais nous, les jeunes, on nous laissait dans l'ignorance de tous ces projets ; en tout cas, moi, je n'en savais rien. Pendant que j'étais à Milan où j'avais suivi mon oncle qui venait juste d'être opéré, mon frère est arrivé et il m'a demandé de sortir de la chambre parce qu'il avait à parler seul à seul avec mon oncle. J'ai eu l'impression qu'ils parlaient de moi mais ils ne m'ont rien dit et Pippo est reparti à Catane.

1. Cf. chap. 2, note 1, p. 49.

J'étais curieux de savoir de quoi il s'agissait mais je ne voyais pas comment faire. Mon oncle Luigi et moi, on ne se parlait pas beaucoup. C'était un homme à l'ancienne, qui impressionnait, et qui gardait ses distances avec tout le monde. Je lui disais « vous » (comme d'ailleurs à tous mes autres oncles). Je n'osais même pas lui dire que je n'avais pas d'argent, ou qu'il fallait que je mange, ou que j'avais besoin de cigarettes.

D'ailleurs, en ce qui concerne les sous, ça n'était pas la peine de se fatiguer. Mon oncle, les sous, il ne les sortait pas. C'était un radin terrible, il ne vous offrait même pas une cigarette. Il ne demandait rien et il ne donnait rien. Il était tout d'une pièce. Un jour, il m'a dit : « Écoute, nous deux, maintenant, il faut qu'on descende à Catane. Là-bas, quelqu'un va venir te voir, il va te dire des choses, te faire des propositions. N'accepte pas. Les choses qu'on va te dire, j'y suis déjà passé. Et j'ai perdu un frère. Regarde à quoi je suis réduit. Je suis sans un sou et je suis en train de crever. »

Il avait du mal à parler, en plus. Il avait été amputé du nez. Il était à moitié défiguré. Vraiment mal en point. « Dis-leur non. Sais-tu combien c'est beau, le soir, de rentrer chez soi, ou bien d'aller au cinéma ? Tranquille. Sans personne qui vient te chercher. Après, tu peux t'en aller au lit, et tu es sûr que personne ne va venir frapper à ta porte pendant la nuit, ni les carabiniers ni personne d'autre.

« Et même si tu n'as pas d'argent pour t'amuser, ou même pour fumer, ça ne fait rien. Tu peux te promener tranquille sur le corso et regarder les gens et penser à la vie, comme elle est drôle et comme elle est bizarre. Dis-leur non. Rappelle-toi que la chose dont ils vont te parler à notre retour, c'est comme une rose : à la regarder, elle est belle, mais si tu la touches, elle te pique. »

Voilà ce que m'a dit mon oncle en 1962, juste avant que j'entre à Cosa Nostra. Quelquefois je repense à ses paroles. A dire vrai, maintenant, trente ans après, je ne sais plus si les remarques qu'il m'a faites étaient sereines, désintéressées, ou si elles n'avaient pas un autre but. Mais ce sont des appréciations très personnelles, très intimes, et je ne veux pas en parler.

L'argent de la contrebande avait été mal investi. Le magasin que mon oncle Vincenzo avait ouvert avec mon frère ne marchait pas et ils ont dû le fermer. Ils en ont ouvert un autre, avec d'autres associés. Un grand magasin de chaussures, de tissus et autres articles, où j'ai travaillé moi aussi. Mais au bout d'un an et demi, cette affaire a capoté elle aussi et on s'est retrouvés, Pippo et moi, sans travail. Dans la misère, obligés de vivre avec ce que mon père réussissait à ramener à la maison.

On était très pauvres. Mon père travaillait comme magasinier, mais il ne gagnait pas grand-chose. Je ne peux pas oublier ça. Un jour, pendant qu'on était à table, je me suis retrouvé profondément ému parce que je me suis rendu compte tout à coup à quel point on était mal, à quel point les choses allaient mal. Vraiment mal. Pippo a été remué de me voir pleurer. J'avais juste quinze ou seize ans.

Quelques jours plus tard, Pippo est allé trouver un type très riche, un Palermitain qui avait des entrepôts où on stockait les olives et où on faisait aussi des anchois en saumure, des olives salées, des artichauts à l'huile et d'autres choses encore. « Écoutez, il faut que vous donniez du travail à mon frère ! On a besoin qu'il travaille ! » il lui a dit.

Et c'est comme ça que j'ai été engagé. J'étais à la porte de l'entrepôt, je pointais les ouvriers, qui étaient assez nombreux. Il y avait cent à cent cinquante femmes qui venaient de tout Catane.

De 1952 à 1957, jusqu'au moment où je suis parti faire mon service militaire, j'ai travaillé là. Il faut préciser que Pippo, en ce temps-là, était déjà un homme d'honneur connu, et que ce riche Palermitain était arrivé à Catane avec une recommandation de la mafia. La demande de mon frère était vraiment une très petite chose, parce que ce monsieur était très fortuné ; jusque-là, aucun de nous ne lui avait jamais rien demandé.

A l'époque, la mafia n'avait pas d'argent. Nous autres, à la mafia, nous étions tous dans des situations financières très mauvaises. Malgré ça, il ne nous venait même pas à l'idée d'organiser du racket en série. Le seul, dont je me souvienne — fin des années cinquante, début des années soixante — c'était contre les Rendo, qui étaient déjà à l'époque la plus grosse entreprise de Catane. C'était pour rendre service à l'entreprise Costanzo. Une bombe a été placée dans la gouttière des bureaux de l'entreprise Rendo, et après, il y a eu le coup de téléphone habituel pour demander de l'argent. Mais c'étaient des petites choses. On n'allait pas chez les commerçants pour demander le *pizzo* [1]. Faire des extorsions, on n'y songeait même pas. On n'avait pas cette mentalité.

Durant les années cinquante et une grande partie des années soixante, on a mené une vie misérable. On montait des petits commerces, on faisait des petits trafics. On volait un peu, on achetait et on revendait de la marchandise volée. On voyait les choses en petit. On n'osait pas tellement défier la loi.

On allait chez un propriétaire terrien et on lui disait d'employer telle personne et de lui donner un salaire fixe. Ce qu'on appelait une « gardiennerie ». Ça n'était pas de l'extorsion, puisque les propriétés, ensuite, étaient bel et bien gardées. Le duc de Castelbianco, par exemple, un homme très riche, payait le vice-réprésentant de la famille de Catane, un certain Salvatore Torrisi. Torrisi recevait un salaire, et sur les terres du duc il n'arrivait rien. Si le duc avait besoin de Torrisi, il lui téléphonait. Il lui demandait de l'accompagner sur ses terres, pour le protéger d'un enlèvement éventuel (il y en avait de temps en temps en Sicile, dans les années cinquante). Et c'était tout.

Bien sûr, quelquefois Torrisi allait chez le duc et lui disait : « Vous savez, Monsieur le duc, sur vos terres j'ai

---

1. Sorte d' « impôt » forcé prélevé par la mafia chez les commerçants, les industriels ou les professions libérales, en échange de sa « protection » contre la petite délinquance. (*N.d.T.*)

Untel qui se cache. Voyez si vous pouvez lui donner quelque chose. » Et le duc s'en occupait. C'était la vieille mafia agricole, qui vivait en marge de la loi, mais qui faisait plus de bien que de mal. Et qui se contentait de peu. Il lui suffisait d'être auprès du duc de Castelbianco, en échange d'un salaire de misère !

C'étaient des traditions de la mafia agricole, et on ne pensait pas qu'elles pouvaient être appliquées en ville, aux magasins et aux entreprises. Ça n'était même pas une question de peur de la police. Certains disent que la police en ce temps-là était meilleure, mieux organisée, mieux informée, capable de faire des arrestations. Mais ça n'a rien à voir. Mis à part le fait que la police a toujours été en retard d'un train par rapport à la pègre, la vérité, c'est que nous, on ne pensait même pas à faire des extorsions sur les magasins, à pressurer les petites boutiques pour leur arracher mille lires.

Ça n'était pas notre manière de raisonner. Si vraiment on avait à y penser, à faire des extorsions, alors on pensait aux grands propriétaires, aux riches, pas aux petits. Mais comme les grands propriétaires n'étaient pas nombreux (il n'y avait pas encore d'industriels, il n'y avait même pas de gros commerçants, parce que l'économie était essentiellement agricole), et en plus ils étaient tous protégés, on ne pouvait pas s'en approcher. Ça n'était pas un bon système.

4.

J'ai travaillé dans cet entrepôt d'anchois et d'olives en saumure jusqu'en 1957. Je suis parti au service le 2 juillet de cette année-là Je suis allé à Avellino, puis du côté d'Eboli, où j'ai suivi une instruction pour conduire les chars. J'ai continué mon service militaire à Civitavecchia et en 1958 je suis revenu à Catane.

Là, je me suis un peu organisé. Avec un garçon qui avait une boutique d'orfèvrerie, j'ai appris l'étamage des miroirs. Mais c'était un métier qui ne permettait pas de gagner suffisamment et je l'ai quitté pour entrer à la Coopérative agricole. Mon oncle connaissait le directeur.

A la Coopérative agricole, j'ai fait la connaissance de ma femme. Elle travaillait là. Ensuite, mon oncle est tombé malade et j'ai quitté ma place pour le soigner, comme je vous l'ai dit. Je me suis mis alors à travailler avec Pippo, qui avait monté une petite entreprise de bâtiment, en association avec mon oncle. On était en 1960, et mon frère connaissait plusieurs personnes à Palerme, à la Région, qui confiaient un grand nombre de travaux d'intérêt public à des entreprises privées. Nous avons obtenu trois commandes dans la province de Messine et nous y sommes restés presque un an à travailler, Pippo et moi, avec nos ouvriers.

Ces travaux une fois terminés, l'entreprise a commencé à vaciller, à cause aussi de la maladie de mon oncle, qui a cédé sa part à Pippo. La boîte n'était pas loin de faire faillite, quand Pippo a eu la chance de contacter, lui et

Concetto Gallo, les hommes politiques qu'il fallait. J'oubliais de dire que déjà du temps de mon oncle, un des associés de l'entreprise était Concetto Gallo. C'était l'un des chefs du mouvement séparatiste sicilien, député à l'Assemblée nationale, lui aussi un homme d'honneur de la famille de Catane. Il a même eu la fonction de conseiller, mais ensuite il a été jeté dehors. Avec Gallo, mon frère est à la fin parvenu à avoir des marchés pour presque trois milliards de lires ! Presque trois milliards, en 1962 ! Imaginez que l'essence, à l'époque, coûtait quatre-vingt-douze lires le litre, contre mille cinq cents aujourd'hui. Leur entreprise, Sidexport, a construit, dans différentes villes italiennes, plusieurs motels en important des éléments préfabriqués du Tyrol.

L'année suivante, il y a eu une autre bonne nouveauté. Avec le beau-frère de Pippo, nous avions fondé une société pour le commerce des combustibles. On achetait du charbon et des produits pétroliers, qu'on revendait ensuite pour le chauffage collectif des immeubles ainsi qu'aux particuliers ou aux petites entreprises, etc. Le beau-frère de Pippo s'y connaissait en charbon et moi je connaissais les combustibles parce que j'avais travaillé au service des produits pétroliers à la Coopérative agricole. On avait même loué un grand entrepôt, mais par la suite, on n'a plus été d'accord, le beau-frère de Pippo et nous.

Entre-temps, j'avais fait la connaissance de Graziano Verzotto, secrétaire de la Démocratie chrétienne en Sicile. Un homme puissant. Ami très proche, bras droit d'Enrico Mattei, le directeur de l'ENI [1]. C'est mon frère, surtout, qui le connaissait bien, Verzotto, très bien. Ils

---

1. *Ente Nazionale Idrocarburi* (Office national des hydrocarbures) ; Enrico Mattei le dirigea jusqu'en octobre 1962, date à laquelle il mourut au-dessus de Pavie dans un accident d'avion dont la cause n'a pas été élucidée. On a parlé à l'époque d'un attentat organisé par... la mafia, pour son propre compte ou pour celui d'un service secret, américain ou français ; l'avion avait décollé de Palerme, dont l'aéroport était notoirement contrôlé par la mafia. Quelques années plus tard, un journaliste qui enquêtait à Palerme sur la mort de Mattei, « disparaissait » définitivement. Francesco Rosi a tiré un film de cet épisode obscur de l'histoire italienne (*L'Affaire Mattei*, avec Gian Maria Volonte), qui reprend la thèse de l'attentat. (*N.d.T.*)

étaient amis intimes, et Giuseppe Di Cristina aussi était ami intime avec lui.

Un jour, Pippo a demandé à Verzotto s'il ne pouvait pas me faire donner par l'Agip[1] une station-service, puisque je m'y connaissais en carburants. Verzotto a répondu qu'il y avait justement une occasion. Sur une place, dans la banlieue de Catane, dans une zone qui est devenue centrale maintenant, il y avait des réservoirs de l'Agip qui étaient vides et qui n'avaient pas été enterrés parce que la municipalité refusait l'autorisation.

« Pour l'autorisation, aucun problème, a dit Pippo. Je vous la fais avoir tout de suite auprès de la municipalité. » Pippo connaissait Nino Succi, l'adjoint au maire, assesseur aux travaux publics. Ce n'était pas un mafieux mais c'était un ami très intime de mon frère. Il était de Catane, où il avait des hôtels. A présent, il est mort.

« Si on vous la donne, cette autorisation, la station-service sera pour vous », a promis Verzotto. Et il a dit à Pippo d'en parler avec le concessionnaire Agip de Catane, un certain Vanzetti, qui a confirmé l'accord de Verzotto mais qui s'est dit convaincu que nous n'obtiendrions pas l'autorisation. C'était une place importante, qui devait être entièrement transformée en jardin public.

Pippo est allé voir son ami Succi et il a dû insister un peu parce que Succi était réticent. A la fin, l'adjoint au maire lui a dit : « Écoute, Pippo, moi, l'autorisation, je te la donne mais tu peux être certain que l'Agip ne te donnera pas la station-service. »

Quand on en est arrivés au moment décisif, les gens de l'Agip m'ont fait appeler et ils m'ont dit : « Essayez de comprendre, monsieur Calderone. Il y a un pauvre malheureux, le Dottore Noci, qui attend cette concession depuis très longtemps. Il faut que vous renonciez. Mais nous nous engageons à vous donner une très grande

---

1. Agip : *Azienda Generale Italiana Petroli* (Régie générale des pétroles italiens) ; elle regroupe le réseau de la distribution de l'essence nationalisé sous l'impulsion de Mattei après la guerre. *(N.d.T.)*

station-service dans la banlieue de Catane, qui vous amènera beaucoup d'affaires. »

C'était vrai. La station-service était sur la route qui mène à l'aéroport de Catane. Elle était superbe. J'avais déjà fait toutes les démarches. Les registres pour les inspecteurs des finances étaient prêts ainsi que la publicité. On allait ouvrir d'un moment à l'autre, quand, une nuit, le directeur régional de l'Agip est arrivé chez moi.

« Voilà, monsieur Calderone, il faut que vous me rendiez tous les papiers. Je regrette, mais vous n'êtes plus le gérant de la station-service. Le directeur doit la donner à un de ses amis. D'ailleurs, il doit lui en donner cinq, de distributeurs d'essence. »

Qu'est-ce qu'il s'était passé ? Il s'était passé que Mattei était mort dans cet accident d'avion, et qu'à l'Agip, ils avaient fait le ménage : tous les hommes de Mattei étaient renvoyés. Comme ça, vlan ! et à Rome, ils avaient envoyé un autre directeur qui avait un ami à Catane à qui il devait donner tous les nouveaux distributeurs qui s'ouvraient dans la zone. Cinq, justement.

J'avais fait tous les papiers. J'avais trouvé les autorisations. Je n'attendais plus que la livraison. J'étais prêt. J'avais même un casier judiciaire vierge.

« Pas question que je renonce à cette station-service.

— Écoutez, moi, ils me licencient, a répondu le fonctionnaire, qui s'appelait Tagliaferri.

— Mais qu'est-ce que vous voulez que ça me fasse ? Ça fait deux ans que j'attends ma station-service. Je l'ai bien méritée. Et j'ai une lettre de vous, de l'Agip, signée justement par vous, qui me l'accorde. Et vous venez ici pour me raconter qu'ils vous licencient !

— Écoutez, vous savez ce qu'ils vont faire ? Pour ne pas vous donner la station-service à vous, ils vont me licencier, comme ça ils pourront dire que la lettre de nomination n'est plus valable.

— Et qu'est-ce que j'en ai à faire ? Quand vous l'avez écrite, vous étiez directeur régional. »

Quoi qu'il en soit, l'Agip a continué à insister. Ils m'ont appelé pour essayer de me convaincre. Ils voulaient à tout prix que je leur rende cette lettre mais il n'y avait absolument rien à faire. Je n'avais aucune intention d'accepter une injustice pareille.

Notre avocat, en ce temps-là, était le député Laterza, le fasciste, celui du Movimento Sociale. Pippo le connaissait bien parce qu'il lui avait versé de l'argent, en échange de quelques travaux, quelques commandes publiques pour son entreprise. « Il faut leur demander cent millions de dommages et intérêts », a lancé mon frère à l'avocat. Cent millions ! En 1963 ! Laterza voulait même faire une interpellation à la Chambre.

L'affaire a commencé à prendre de l'ampleur. A la fin, le directeur de l'Agip m'a envoyé un télégramme pour me convoquer d'urgence. Attention ! Pas le directeur régional, qui entre-temps avait été viré de Sicile. Je parle du directeur général de l'Agip pour toute l'Italie, celui qui siège dans le gratte-ciel de l'Exposition universelle. A Rome. Bartolotta, il s'appelait

Pippo et moi, on y est allés tout de suite. On est arrivés à l'Exposition universelle, au gratte-ciel en face du petit lac, et on est montés au quatorzième étage. A peine est-on entrés que le directeur nous dit : « Mais c'est que vous êtes de sacrés personnages, vous ! De sacrées têtes de bois ! » Et il appuie sur un bouton. Aussitôt, un grand type entre, avec une belle silhouette haute et distinguée.

« Vous voyez, Messieurs, lui, c'est Solaro del Borgo (je ne suis pas sûr du nom. C'était un nom long comme lui). Il est Turinois. Il est faux et courtois. Vous vous rappelez quand Garibaldi a débarqué par chez vous ? Garibaldi était devant et il avait un fusil à chargement par le canon. Derrière lui, venaient ces Turinois, qui avaient les bons fusils. Si Garibaldi s'était trompé, ces types-là l'auraient tué ! C'est ça, les Turinois[1]. » Et il est parti d'un grand éclat de rire.

1. Bartolotta cherche ici à établir une connivence avec les deux Siciliens sur le dos des Piémontais, considérés comme les envahisseurs par excellence de la Sicile, depuis la naissance de l'unité italienne grâce, notamment, à Cavour, Premier ministre du royaume de Piémont-Sardaigne, dans les années 1852-1861. (N.d.T.)

Puis il est redevenu sérieux et il m'a dit : « Rendez-moi cette lettre. Celle de la nomination pour le poste de distribution d'essence. Faites retirer aussi cette dénonciation du député Laterza. Et moi, je vous donnerai au moins trois distributeurs. Je vous en donne ma parole. » Et il a ajouté : « Est-ce que vous me croyez ? »

C'était le directeur général. Et il m'avait convoqué, moi, Antonino Calderone, à Rome. J'ai répondu :

« Dottore, je vous crois.

— Pour commencer, je vous en donne un tout de suite, un qui appartenait à quelqu'un qui a fait faillite. Et ensuite je vous donnerai les autres. Rentrez tranquille à Catane, monsieur Calderone, parce que j'ai bien vu que vous... »

Le directeur avait bien fait ses calculs. Il s'était rendu compte que l'histoire avait pris de l'ampleur. Il avait peur du scandale et des conséquences légales. Et puis, il avait bien vu que Pippo et moi, avec la station-service, on savait y faire, qu'on y tenait, et qu'on serait capables de bien la gérer. Peut-être qu'il ne savait pas qu'on était mafieux. Ou peut-être même que ça lui était égal.

La première station-service, je l'ai eue tout de suite. Elle était petite et elle se trouvait via 6 Aprile. Au bout de deux ans environ, j'en ai eu une autre, à Giarre. Une station-service énorme. Avec trois lavages. Mais elle était bien mal en point parce que les petits mafieux de Giarre n'arrêtaient pas de faire des pressions sur le gérant. Le gérant travaillait à perte. Il avait dû vendre un jardin, une propriété cultivée en agrumes, pour faire face aux dettes. Ça n'était pas pour le rançonner. Les petits mafiosi du coin ne voulaient pas de lui, ils voulaient qu'il s'en aille pour que l'Agip confie la station-service à un autre, à un des leurs.

Comment ils faisaient ? Ils s'installaient à quatre ou cinq dans le bar de la station, près de la porte, à faire les fiers-à-bras ; du coup, aucun client n'osait entrer dans le bar. Ou bien trois ou quatre se mettaient en file devant les pompes et ils demandaient chacun cent lires d'essence avec le contrôle complet de l'huile, des pneus, de l'eau et de tout le reste. Trois quarts d'heure chacun. C'est comme ça que presque tous les clients de la station-service avaient disparu. Personne ne voulait plus y aller. Ils l'ont complètement coulé, ce gérant.

Les dirigeants de l'Agip de Catane m'ont fait venir : « Il y a ce poste à essence, là. Vous le voulez ?

— Bien sûr que je le veux.

— Mais il y a cinq millions de dettes à payer.

— Hein ? Je ne les paie pas.

— Si. Vous les payez. Voilà ce qu'on va faire : nous, on vous donne une lettre spéciale, une sorte d'autorisation qui dit qu'à chaque fourniture, à chaque vente, vous vous libérez d'une partie de la dette. »

Et on a fait comme ça. Je me suis débarrassé de la dette sans m'en apercevoir et la station-service marchait à pleins tubes. Les mafiosi du coin, ça n'était pas un problème. Je les connaissais très bien. C'était une petite bande. Pas des hommes d'honneur. Ils étaient juste un peu camorristes[1]. Du genre de ceux qu'il y a dans la province de Messine.

Avec eux, j'ai été courtois, clair. J'étais allé les trouver — comme on fait entre gens qui se respectent — pour leur annoncer que j'avais pris la gérance de la station-service et ils m'avaient répondu que ça leur faisait plaisir, qu'ils étaient à ma disposition, et que si jamais j'avais besoin de quelque chose... Leur chef était un certain Leone ; il possédait des dizaines de semi-remorques. C'était lui qui était devenu, dans les derniers temps, le vrai patron de la station-service. Avec moi, ça n'a plus été le cas. On a résolu le problème en discutant normalement et on a conclu que lui serait un client et moi le gérant.

Ils ne se sont jamais montrés, les mafiosi de Giarre. Ou alors, quand ils venaient prendre de l'essence, ils payaient comme tout le monde et ils étaient même déférents avec moi. Enfin, si, il y avait ceux qui avaient pris l'habitude de fréquenter le bar. Mais ceux-là, je leur ai dit : « Les

1. Liés à la Camorra, équivalent napolitain de la mafia mais que celle-ci regarde de haut. (N.d.T.)

gars, tirez-vous de là. Si vous voulez venir me rendre visite, vous pouvez venir. Mais vous vous mettez dans ce petit coin, là, et vous n'en bougez pas. »

Ils savaient qu'ils ne pouvaient pas aller contre nous. Plus tard — c'est la vie — l'un d'eux a d'ailleurs été tué. Mais, outre qu'il valait mieux pour eux qu'ils ne viennent pas nous bousculer, il faut tenir compte aussi du fait qu'on était amis. En tant qu'amis, ils devaient se mettre à notre disposition. La mafia n'avait rien à voir là-dedans.

Et puis en 70 je me suis marié. En 1971, ils ont arrêté Pippo. A ce moment-là, j'avais un secteur d'activités très vaste. J'avais les stations-service. Je faisais aussi la vente en gros de carburants et de lubrifiants. Après l'arrestation de mon frère, j'ai dû abandonner quelques-uns de ces boulots parce que j'étais souvent à Palerme pour voir les avocats et d'autres choses. La station-service la plus grande, je l'ai laissée en gérance à un cousin à moi, Marchese[1], lui aussi homme d'honneur. Et puis il a vu plus grand. Il s'est mis à faire de la contrebande et il n'a plus travaillé.

Mais il est temps de parler d'un des événements les plus importants de ma vie. La cérémonie par laquelle je suis entré officiellement à Cosa Nostra.

1. Salvatore Marchese, considéré aujourd'hui comme un des principaux responsables de Cosa Nostra. Il a été arrêté en septembre 1992. (N.d.T.)

5.

Revenons un instant à mon oncle Luigi Saitta, le mafioso. On se fréquentait beaucoup, lui et moi, y compris après notre retour de Milan. Il m'emmenait au cinéma, me parlait de sa vie, me mettait en garde contre l'hostilité de certaines personnes et la fausseté des comportements. Il me recommandait de réfléchir toujours un peu avant d'agir. Je me sentais flatté de son attention. J'étais un gamin et j'étais ému de la confiance que m'accordait un homme comme lui, un homme renfermé, à l'ancienne.

Un jour, l'oncle me dit : « Tu sais, Nino, un de ces soirs, on ira faire un bon gueuleton. » J'avais compris de quoi il s'agissait mais ça me faisait plaisir de jouer le jeu. Et je me disais aussi qu'avant de me « faire », ils allaient me mettre à l'épreuve : « Ils vont m'étudier encore un peu. Ils me demanderont de faire pour eux quelque chose de difficile, et après, ils me feront homme d'honneur. » En réalité, ils m'avaient déjà examiné : ils m'avaient fait conduire une voiture qui appartenait à un radiologue, ami de mon oncle, qui était victime d'une tentative d'extorsion. Ma présence au volant de cette voiture devait signifier que le médecin était sous la protection de ma famille.

Je savais que d'habitude on faisait faire des choses beaucoup plus « lourdes » aux candidats de Cosa Nostra — des attentats, des agressions. Pour tester leurs qualités

75

d'hommes d'action. Et pour les compromettre, de façon à ce qu'ils ne puissent pas revenir en arrière.

Mais moi, ils m'ont demandé seulement de faire ce que je vous ai dit. Peut-être parce que j'appartenais par le sang à une famille dont la tradition mafieuse était établie. Je ne sais pas comment j'aurais réagi s'ils m'avaient demandé de tuer quelqu'un. Je me serais probablement défilé. Comme j'ai essayé de le faire tout le temps que je suis resté à Cosa Nostra, même quand j'ai été vice-représentant.

Ça a toujours été ça, mon point faible. Ou mon point fort. Tout dépend de quel côté on se place. Nitto Santapaola m'a accusé plusieurs fois — dans les années qui ont suivi, quand je comptais beaucoup au sein de la famille — de n'avoir jamais participé à une action à main armée.

Il avait raison, la brute. En effet, j'essayais toujours d'y échapper, quand il s'agissait de tuer quelqu'un. J'inventais des excuses, ou bien m'arrangeais pour être introuvable quand il fallait opérer d'une certaine manière. En 1976, en 1977 et en 1978, je me suis éclipsé de Catane parce que je prévoyais des affrontements à l'arme à feu. Je me suis réfugié avec ma famille à Palerme, à Naples et à Gioiosa Marina. La famille de Pippo est venue quelquefois avec nous. Mais ne perdons pas le fil, et revenons à ce printemps de 1962.

Un soir, ils m'ont emmené dans un petit village sur les pentes de l'Etna. Dans la voiture, il y avait Pippo, un autre de mes oncles et l'oncle par alliance de Pippo, Peppino Indelicato. On s'est arrêtés dans la cour d'une petite maison de campagne. Le propriétaire était un membre de la famille, évidemment. Il s'appelait Santo et il était marbrier.

A l'intérieur, je suis tombé sur des tas de gens que j'avais déjà vus dans la vie normale, mais des gens qui faisaient d'autres métiers. Pour certains, je le savais déjà. Je pensais bien, par exemple, que le représentant de la famille, Orazio Nicotra, était un homme d'honneur. Mais pour beaucoup d'autres, je ne m'en doutais absolument pas. Alors que d'autres encore, dont j'étais sûr qu'ils appartenaient à une « congrégation », n'étaient pas là. Le cousin du Dr Navarra [1], de Corleone, par exemple, qui s'était planqué pendant si longtemps à Catane parce que Luciano Liggio le recherchait pour le tuer. Et que mon oncle avait caché. Eh bien, j'étais certain que c'était un homme d'honneur. Alors qu'un homme très tranquille, comme un certain Caradonna, un transporteur routier dont j'aurais pu imaginer tout sauf qu'il était un homme d'honneur, en était un.

Et il y avait nous, les jeunes. Huit en tout, parmi lesquels Nitto et Natale Santapaola, Francesco Ferrera dit « Cavadduzzu », Giuseppe Ferlito, l'oncle d'Alfio, tué par la suite à Palerme, et quelques autres. Nous nous regardions, certains d'entre nous se saluaient d'un signe de tête, nous étions tous très excités. Au moment où tout le monde se déplaçait pour passer dans une pièce plus grande, j'ai regardé Pippo.

Il était très contrarié. Il était en train de parler avec animation avec quelques anciens. J'ai su ensuite que Pippo avait fait opposition. Il voulait envoyer promener toute la cérémonie parce qu'il fallait initier une personne de plus que ce qui avait été décidé. Quelqu'un qu'il n'aimait pas, qui n'aurait pas dû être là. Ils avaient discuté pendant des mois, sélectionnant ceux qui convenaient le mieux, écartant ceux qui étaient moins sûrs. Ils avaient étudié aussi les détails de cette journée, ils avaient pris une décision contraignante pour tout le monde, et voilà que maintenant il en arrivait un qui n'avait rien à voir. Au lieu de sept, nous étions huit.

La personne en plus, c'était Natale Ercolano. Un garçon qui s'est révélé ensuite être le meilleur de nous tous. Mon frère et mon oncle ne faisaient pas seulement opposition parce que Ercolano n'était pas prévu et qu'il s'était retrouvé là à cause d'un accord passé en secret. Ils ne voulaient pas de lui, surtout parce que c'était un

1. Ce médecin était le chef de la mafia à Corleone. Voir plus loin, chap. 9, note 3, p. 120.

« Cavadduzzu ». Sur huit garçons à initier, quatre étaient des « Cavadduzzu », c'est-à-dire des Ferrera : les deux frères Santapaola (fils d'une sœur du chef des Ferrera, Salvatore), Franco Ferrera et Natale Ercolano.

Ils étaient tous étroitement apparentés, les « Cavadduzzu ». Un vrai clan. C'était dangereux dans une famille comme la nôtre. Mon oncle et mon frère voyaient loin. Ils se disaient :

« Ces " Cavadduzzu " sont en train d'intégrer d'un seul coup quatre de leurs hommes dans la famille. Des jeunes, des garçons éveillés et décidés, comme Nitto Santapaola. Ils sont une menace pour l'avenir, parce qu'ils finiront par dicter leur loi. Le reste de la famille, nous, on sera écrasés. »

Pippo a déclaré aux anciens qui étaient présents que ce soir-là rien ne se ferait, parce que les règles n'avaient pas été respectées. Alors tous les plus vieux se sont retirés dans une autre pièce et ils sont restés longtemps à discuter. Nous, les jeunes, on était désorientés. On ne savait pas ce qui se passait et on n'avait aucune idée de ce qu'il fallait faire. A un moment, l'oncle Peppino Indelicato est sorti, c'était lui le représentant provincial, et il nous a ordonné :

« Vous, les gars, mettez-vous là », en nous désignant un côté du salon. Puis il a commencé :

« Chers jeunes gens, savez-vous pourquoi nous sommes ici ce soir ? » Quelqu'un a répondu oui, qu'il était au courant, qu'il se doutait. D'autres n'ont rien dit.

« Nous sommes ici parce que ce soir nous avons un beau cadeau à vous faire. Ce soir, nous allons vous faire devenir... Vous connaissez la mafia ? Vous en avez entendu parler, vous avez une idée de ce que c'est, cette mafia dont tout le monde parle ?

— Oui, oui, bien sûr, ont dit certains.

— Bien, alors ce soir... » Le représentant s'est arrêté. Il allait trop vite. « Mais attention, la vraie mafia, ce n'est pas cette mafia dont les autres parlent. C'est Cosa Nostra. Elle s'appelle Cosa Nostra ! »

Il a dit ça en élevant la voix, comme une annonce

officielle. On aurait dit qu'il se débarrassait d'un poids. Je suis resté ébahi. C'était la première fois que j'entendais ce nom-là. En fait, je l'avais déjà entendu avant, du temps de Valachi, le repenti américain. Je l'avais lu dans le journal mais j'avais pensé que « Cosa Nostra », c'était la mafia américaine. « La nôtre, je m'étais dit, elle s'appelle mafia. »

Mais le représentant continuait à répéter, en martelant les mots, pour bien nous les graver dans la cervelle :

« C'est Cosa Nostra. Co-sa-Nos-tra ! Vous avez compris ? C'est Cosa Nostra, pas mafia. Mafia, c'est le nom que lui donnent les flics et les journaux.

« Maintenant, je vais vous dire comment Cosa Nostra est née. Elle est née à l'époque des Vêpres Siciliennes. Quand les gens se sont révoltés. Et c'est là que sont nés aussi les Beati Paoli. Les hommes d'honneur se réclament des Beati Paoli. Tout est parti des événements qui se sont produits à Palerme[1]. »

Moi, je connaissais déjà tout ça. Mais les autres, à mon avis, ils ne savaient rien de ces choses-là. Ils n'avaient absolument aucune idée de ce qu'étaient ces Beati Paoli. C'est pas pour me donner des airs, mais ces livres-là, moi, je les avais lus. Et aussi les livres sur « Coriolan de la Forêt », « Talvan le Bâtard » et d'autres histoires comme ça. J'étais renseigné.

Le représentant a continué encore un peu en expliquant la signification de ces histoires. Puis il a dit :

« Maintenant, il y a les règles. Première chose : quand un homme d'honneur est en fuite, où qu'il se trouve, il doit se souvenir que tout homme d'honneur a le devoir de lui donner asile, et de le loger chez lui s'il le faut. Mais gare à celui qui pose les yeux sur la fille ou la femme d'un

---

1. « Vêpres Siciliennes » : nom donné aux émeutes qui éclatèrent en mars 1282 à Palerme et durant lesquelles les Français de Sicile furent massacrés ; Verdi en a fait un opéra (1855). Les *Beati Paoli* seraient une société secrète datant du XIIe siècle, destinée à lutter contre le pouvoir des nobles. Un roman de Luigi Natoli, paru en feuilleton en 1909 dans *Il Giornale della Sicilia* (trad. fr., *Histoire des Beati Paoli*, 3 vol., Ed. A. M. Métailié, Paris, 1990-1991), a immortalisé quelques-uns de ses héros légendaires, comme Coriolan de la Forêt ou Talvan le Bâtard. *(N.d.T.)*

autre. S'il fait ça, c'est un homme mort. Dès l'instant où on apprend qu'un homme d'honneur a embêté la femme d'un autre, cet homme doit mourir.

« Deuxièmement. Quoi qu'il se passe, on ne doit jamais aller trouver les " sbires ", on ne doit jamais dénoncer. Celui qui le fait doit être tué.

« Troisièmement. Il est interdit de voler. »

A ce moment-là, Natale Ercolano, le candidat des Ferrera dont mon frère ne voulait pas, s'est levé et a crié : « Stop ! Arrêtez tout ! Ça ne me va pas ! Je ne suis pas d'accord ! »

Ercolano était voleur. C'est tout ce qu'il faisait, voler. Sinon, le pauvre, comment il s'en serait sorti ? Et presque tous les jeunes aspirants hommes d'honneur présents dans cette pièce volaient. J'étais peut-être le seul qui n'avait pas d'expérience dans ce domaine-là. Il y a eu un moment de perplexité générale.

L'oncle Peppino Indelicato, le représentant, a souri, amusé. « Assieds-toi ! Reste tranquille, je t'expliquerai de quelle manière il ne faut pas voler », a-t-il dit à Ercolano, qui est tout de même resté préoccupé jusqu'à la fin de la cérémonie.

L'oncle Peppino a poursuivi en expliquant les autres commandements. Il ne fallait pas exploiter la prostitution. Il fallait éviter les conflits avec les autres hommes d'honneur, garder le silence sur Cosa Nostra avec les étrangers, se comporter de façon sérieuse sans ostentation ni fanfaronnades, et aussi, comme je vous l'ai déjà dit, éviter formellement de se présenter de soi-même à d'autres hommes d'honneur.

Que de belles paroles ! Que de beaux principes ! Combien de fois j'ai pu constater, dans les années qui ont suivi, le manque de respect pour ces règles : le double jeu, la trahison, les meurtres commis en exploitant justement la confiance de ceux qui croyaient à ces règles. Jusqu'au moment où il m'a bien fallu en conclure que la Cosa Nostra réelle est bien différente de celle qui m'a été présentée le jour de la cérémonie.

Mais ce soir-là, tout me paraissait beau, tout sortait de

l'ordinaire. J'entrais dans un monde nouveau, rempli de gens exceptionnels, prêts à risquer leur vie pour aider leurs camarades, capables de venger les torts causés, puissants au-delà de tout ce qu'on pouvait imaginer.

Après avoir expliqué les règles, le représentant a fait une pause puis a déclaré : « Maintenant vous savez de quoi il s'agit. Alors, vous voulez en être, ou pas, de cette Cosa Nostra ? Si vous ne voulez pas en être, il est encore temps. Vous pouvez vous en aller, même si vous savez qui nous sommes. Il ne vous arrivera rien. Si vous décidez d'y entrer, il y a une chose que vous devez bien garder présente à l'esprit : on entre par le sang à Cosa Nostra, et on en sort par le sang ! On ne peut pas en sortir, on ne démissionne pas de Cosa Nostra. Vous le verrez vous-mêmes, dans pas longtemps, comme on y entre par le sang. Et si vous en sortez, vous en sortez par le sang parce qu'on vous tue. Vous ne pouvez pas en partir, vous ne pouvez pas trahir Cosa Nostra, parce qu'elle est au-dessus de tout. Elle vient avant votre père et avant votre mère, avant votre femme et avant vos enfants. »

Le discours du représentant a continué encore long-temps. Pippo et d'autres anciens sont intervenus aussi pour préciser certaines choses, donner des exemples, éclaircir certains problèmes.

C'était une cérémonie bien faite, complète, à l'ancienne. Dans les années qui ont suivi, il y en a eu d'autres, et nous avons « fait » beaucoup d'autres hommes d'honneur. Moi-même, en tant que vice-représentant de la famille, j'ai organisé beaucoup d'initiations. Pourtant, je n'arrive pas à me souvenir d'une cérémonie aussi minu-tieuse, aussi spéciale que celle-là. Ou peut-être que je l'ai ressentie de cette manière-là parce que j'étais un gamin, pas encore très dégourdi. Mais les autres jeunes aussi étaient comme moi, en ce temps-là. On était tous plus naïfs. Et on n'avait encore jamais tiré ni tué. Aucun de nous, sur les huit de ce soir-là, n'avait jamais tué. En ce temps-là, on ne tirait pas facilement. Même Nitto Santa-paola n'avait encore jamais tué. Son premier meurtre, il l'a fait l'année d'après, en 1963, et on ne le lui a même pas attribué. Ils ont inculpé Franco Ferrera, qui a été défendu par l'avocat Leone, Giovanni Leone, le futur président de la République.

Les gamins qui ont été « faits » les années suivantes étaient tous des jeunes qui tiraient, qui avaient déjà tiré et qui savaient déjà tout sur Cosa Nostra. Plus besoin de grandes explications. La cérémonie ne les impressionnait plus.

L'oncle Peppino a continué : « Maintenant, que chacun de vous choisisse un parrain. » D'habitude, le parrain que le nouveau choisit, c'est la personne qui l'a suivi, qui l'a « préparé » en vue de son entrée à Cosa Nostra. C'est un homme d'honneur qui a pris la responsabilité de présenter le candidat à la famille. Dans mon cas, c'était l'oncle Peppino lui-même qui m'avait « amené » et c'est donc lui que j'ai choisi comme parrain.

A ce moment-là, l'oncle Peppino a pris une aiguille, une grande aiguille, et il m'a demandé :

« Avec quelle main tu tires ?

— Avec celle-là. »

Alors il m'a piqué à un doigt et il a fait couler un peu de sang sur une image religieuse. Je l'ai regardée. C'était la Madone de l'Annonciation, la sainte patronne de Cosa Nostra, dont la fête tombe le 25 mars.

L'oncle Peppino a craqué une allumette et il a approché la flamme de l'image en me demandant de la prendre et de la tenir jusqu'à ce qu'elle soit entièrement brûlée. J'ai refermé mes deux mains en creux autour de l'image — j'étais vraiment ému, je transpirais — et je l'ai regardée se transformer en cendres. Pendant ce temps-là, l'oncle Peppino m'a demandé de répéter après lui le serment. Selon la formule, si un affilié trahit les commandements de Cosa Nostra, il doit brûler comme l'image de l'Annonciation.

Après le serment, tous ceux qui étaient là se sont approchés pour m'embrasser. J'étais devenu homme d'honneur. Le représentant a continué en répétant le rite avec chacun des autres. Avant de clore la cérémonie, il s'est adressé à tous les nouveaux de Cosa Nostra pour leur décrire la hiérarchie de la famille de Catane, la situation dans la province et celle de Cosa Nostra dans toute la Sicile. Il a particulièrement insisté sur la fonction du chef de dizaine — le supérieur direct de chacun de nous, les jeunes.

Dans les années qui ont suivi, j'ai participé, je l'ai dit, à de nombreuses cérémonies. Et j'ai pu remarquer que certains rites changeaient en fonction des usages locaux. Dans certaines familles, par exemple, pour piquer le doigt du candidat, on utilisait une épine d'oranger. Dans la famille de Riesi, on se servait d'une longue aiguille d'or exclusivement réservée à ça.

En cas de nécessité, les affiliations devenaient plus rapides. Il suffisait de la présence d'au moins trois hommes d'honneur, même s'ils appartenaient à des familles différentes, voire à des familles de provinces différentes. Prenons l'affiliation d'Antonino Madonia, appartenant à la famille de Resuttana, qui s'est déroulée à l'intérieur de la prison de l'Ucciardone[1]. Ou bien celle de Nello Pernice, dont j'ai été l'un des auteurs.

Le parrain de Pernice était Luciano Liggio, de la famille de Corleone. A part moi, il y avait Francesco Madonia, de la famille de Vallelunga. Nous étions donc trois hommes d'honneur appartenant à des familles de provinces différentes.

Le cas de Nello Pernice est un peu compliqué, mais il permet de montrer les règles d'appartenance. Pernice devait faire partie de la famille de Vallelunga et être confié à Liggio pour être son homme de confiance à Milan. Liggio avait un besoin urgent de l'envoyer à Milan et il fallait faire vite, y compris pour éviter d'éventuelles contestations de la part de la famille de Catane.

Il aurait peut-être été plus correct, en effet, que

1. La grande prison de Palerme, où ont longtemps été incarcérés tous les mafiosi, que l'État cherche aujourd'hui (du moins pour les plus dangereux) à répartir sur tout le territoire italien. (N.d.T.)

l'affiliation se fasse auprès de cette dernière, puisque Pernice, originaire d'une ex-colonie italienne en Afrique, résidait depuis longtemps à Catane.

Mais cette fois-là (une des très rares), Liggio s'est bien comporté. Il a averti aussi bien le représentant d'alors, Orazio Nicotra, que mon frère, qui était représentant provincial et détenu dans l'attente du procès des « cent quatorze [1] ».

La cérémonie était terminée, mais il restait une question en suspens. Natale Ercolano, le voleur, avait soulevé un problème qui, en réalité, concernait tout le monde. L'oncle Peppino s'est approché de lui et lui a dit à haute voix, pour que tout le monde entende :

« Natale, comprends-moi bien. Ça ne veut pas dire que tu ne peux jamais voler. Bien sûr, c'est mieux si tu ne voles pas, parce que c'est une règle de Cosa Nostra. Mais les règles, il faut savoir les comprendre. En somme, il faut bien que tu vives, et si tu dois voler pour vivre, alors tu peux le faire. Moi, en tant que représentant provincial, je ne peux pas te nourrir, je ne peux pas te donner un salaire qui te ferait vivre correctement et t'éviterait d'aller voler. Je n'ai pas l'argent et puis ça ne se passe pas comme ça. La famille ne fonctionne pas de cette manière-là. Donc, tu peux voler. Mais fais attention à qui tu voles. Tu dois toujours savoir qui tu t'apprêtes à voler. Un homme d'honneur, tu ne peux pas le voler, ni lui ni les gens de sa famille. Tous les autres, oui. »

Tout était clair à présent. On pouvait passer aux réjouissances. On a débouché je ne sais combien de bouteilles de mousseux. Et je ne sais pas combien de poulets grillés on a mangés. Les choses avaient été faites en grand. Je n'oublierai jamais cette soirée.

---

1. Ce procès, qui se déroulera en 1967-1968 dans la ville calabraise de Catanzaro (la Sicile ayant été jugée peu sûre) sera le premier grand procès intenté à la mafia par la République italienne et où les véritables chefs se retrouveront enfin au banc des accusés. Mais sur cent quatorze mafiosi inculpés, le jury, sans doute terrorisé, en acquittera... cent ! *(N.d.T.)*

Il ne s'était pas écoulé deux semaines depuis mon entrée à Cosa Nostra que les prétentions ont commencé. J'attendais qu'on m'accorde la concession pour le poste à essence de l'Agip quand le chef de dizaine m'a envoyé chercher :

« Écoute, j'ai appris que tu allais bientôt avoir cette station-service. Tu as l'intention de gérer ça tout seul ? Ça ne serait pas bien que tu prennes un associé ? »

J'ai répondu sèchement :

« Je ne suis pas tout seul. J'ai Pippo comme associé. Je n'ai besoin d'aucun associé », puis je suis allé voir Pippo et je lui ai demandé :

« Dis donc, je n'ai peut-être pas très bien compris. Mais entrer à Cosa Nostra, est-ce que ça signifie partager ce qu'on a avec les autres ? Mais qu'est-ce que c'est que ça ? C'est le communisme ou quoi ? »

Et il m'a répondu que les affaires licites étaient une chose entièrement personnelle, libre. La famille ne pouvait pas se mêler de ces questions-là. La propriété privée était reconnue, et chacun était libre de faire ce qu'il voulait. Mais dans les affaires illicites, c'était différent : il fallait avant tout informer ses supérieurs, et demander la permission, du moins pour certaines choses. Il était interdit d'avoir une activité illicite complètement en cachette.

6.

Jusqu'à la fin des années soixante, ma vie dans la mafia a été, somme toute, normale. Parce que la mafia elle-même était normale, et parce que je vivais à Catane, dans une famille qui n'atteignait pas quarante personnes. Une dimension artisanale, comparée aux familles de Palerme. Il y avait bien eu la « guerre de mafia », entre 1962 et 1964, à Palerme, mais ce qui en arrivait chez nous c'étaient les reflets, les récits, les mafiosi en cavale. Tout ça nous paraissait éloigné. Notre activité consistait à demander des faveurs, à faire de la contrebande, à revendre de la marchandise volée. On ne visait pas la richesse. On ne pensait pas aux gros coups.

Jusqu'en 1962, on a habité, Pippo et moi, chez nos parents. Après les fiançailles de mon frère, on a déménagé. On est allés vivre dans un autre logement, très pauvre lui aussi, un misérable deux-pièces, dans la partie sud de San Cristoforo. Le sud du quartier San Cristoforo à Catane ! Rien qu'à y penser : la Sicile, Catane, c'est le sud de l'Italie, et nous, on habitait dans le sud du quartier le plus pauvre de Catane.

Mais on n'y est restés que quelques mois. Après avoir obtenu ces adjudications de la Région, Pippo est devenu entrepreneur en bâtiment et on est allés habiter une très grande maison dans le centre de Catane. La première grande maison que j'aie eue ; j'avais même une pièce pour moi tout seul.

Un jour, plein de gens ont débarqué. Pippo me les a

présentés : Totò Greco, dit « Cicchiteddu », Antonio Salomone, Ninì Geraci de Partinico, Gianni La Licata, qui a été tué ensuite par Pippo Calò, et d'autres. Ils étaient sept ou huit hommes d'honneur. Tous en cavale.

Ils ont installé des matelas par terre dans les combles où ils pouvaient loger tous sans problème — c'est dire comme elle était grande, cette maison ! De temps en temps, j'entrais dans la pièce et je leur apportais du café. Au bout de quelques jours, est arrivé le représentant de Catane et ils se sont mis à discuter avec animation. Longtemps. Pour l'occasion, et pour un jour seulement, Gerlando Alberti, qui résidait à Milan, était venu lui aussi.

Je mourais de curiosité. Pippo m'a finalement expliqué pourquoi ces personnes se trouvaient chez nous et il m'a révélé le sujet de la réunion. Gerlando Alberti était venu parce que quelqu'un l'avait averti qu'Angelo La Barbera devait arriver de Milan à Catane, en avion, et descendre à l'hôtel Central Corona, via Etnea, le meilleur de la ville à l'époque. Et là, il fallait le tuer.

Angelo La Barbera commandait avec son frère la famille de Palerme-Centre et il était en guerre avec les Greco de Ciaculli et toute la Cosa Nostra de Palerme. Il y avait eu une série d'attentats et de meurtres contre des responsables mafieux importants ; deux ou trois « Giulietta [1] » bourrées de T.N.T. avaient explosé, dont celle qui avait provoqué le massacre de Ciaculli, en juin 1963 [2].

La mafia — comme la police — pensait que les auteurs de ce carnage et de tout le reste étaient les frères La Barbera, et tout le monde les recherchait.

Mais avant d'expliquer pourquoi ces chefs mafieux qui croyaient tout savoir n'étaient en fait que des imbéciles qui se faisaient rouler par un type à peine plus malin

1. Modèle d'Alfa Romeo alors très courant en Italie. *(N.d.T.)*
2. Véritable choc pour l'opinion italienne, cet attentat, qui visait les Greco, a causé dans ce quartier de Palerme la mort de sept carabiniers, et entraîné la création d'une commission parlementaire sur le « phénomène mafia ». *(N.d.T.)*

qu'eux, laissez-moi vous raconter l'épisode d'Angelo Bruno.

En 1962, j'ai fait la connaissance d'Angelo Bruno, le représentant de la famille de Philadelphie. La première personne importante que j'aie connue après avoir été fait homme d'honneur. C'était un homme calme, posé. Vraiment quelqu'un : il séjournait à l'Excelsior et c'était un type qui commandait en Amérique. Nous, l'Amérique, on l'a toujours vue comme un colosse. Aussi bien pour la mafia que pour le fric ou le reste.

En Amérique, durant ces années-là, il y avait sept familles qui commandaient : cinq à New York, une dans le New Jersey et une à Philadelphie. Il y avait sept représentants et Bruno était l'un d'eux. Un des plus gros. Pippo me disait qu'il faisait partie du grand jury, la commission des sept qui dirigeait toute l'Amérique.

Le vice-représentant de Philadelphie s'appelait Testa. Bruno s'était informé de la situation de Cosa Nostra dans la petite ville du père de Testa, Calatabiano, qui se trouve à la limite entre la province de Catane et celle de Messine. Il m'a demandé de vérifier s'il y avait une famille à Calatabiano. Mais il n'y avait rien, à cette époque, à Calatabiano. Aujourd'hui, ils se trucident que c'en est une merveille.

Angelo Bruno était originaire de Vallelunga, dans la province de Caltanissetta. Il était arrivé en Amérique à l'âge de dix-huit mois et il ne s'appelait pas Bruno mais Andaloro. Par la suite, il a changé de nom.

Il était venu en Sicile parce qu'il voulait retrouver ses origines et connaître sa famille, visiter la ville où il était né. Il avait soixante-cinq ans, plus ou moins, et parlait le sicilien. Sa femme, non. Elle n'était pas sicilienne mais italienne. Ou plutôt, italo-américaine. Il nous a été présenté par le représentant de Vallelunga, à l'époque un certain Calogero Sinagra, un cousin de Bruno, lequel était particulièrement content d'être venu en Italie, en Sicile, et d'avoir trouvé dans sa ville natale un de ses cousins, représentant comme lui.

A la fin de la visite, Angelo Bruno a dit à Sinagra : « Il

faut que tu viennes avec moi. J'ai vraiment envie de t'avoir avec moi en Amérique pendant quelque temps. »

Et il l'a emmené. Il lui a tout payé. Il l'a gardé avec lui pendant quatre ou cinq mois et lui a fait visiter l'Amérique en long et en large en lui payant les meilleurs hôtels. Ça l'a rendu dingue. Calogero Sinagra n'était pas riche. C'était juste un marchand de bestiaux dans un bourg de cinq mille habitants perdu au milieu de la Sicile. Ignorant, qui plus est. Analphabète. Sa vie, c'étaient les étables, les foires et les charrettes (et les règles de Cosa Nostra, naturellement). Ce qu'il a vu dans l'Amérique des années soixante, ce monde si grand, ces choses si nouvelles, ces choses du futur, ça l'a vraiment rendu dingue.

Angelo Bruno voulait profiter de son voyage en Sicile pour acheter un casino en Italie. Pour le jeu, il était fort, c'était un expert. Quand il était simple homme d'honneur — il nous l'a raconté —, il avait acheté un casino à Cuba, avec plusieurs associés. Il nous a raconté ça parce qu'avant de venir à Catane, il avait fait le tour de tous les casinos italiens. Et il était resté déconcerté parce qu'il avait vu.

« Ce sont des tripots, pas des casinos. Notre casino à Cuba était complètement différent. C'était quelque chose qui avait de la classe. Si on savait qu'un joueur préférait tel poisson et qu'on n'en trouvait pas sur place, un avion venait exprès pour apporter ce poisson-là au type en question. Dans les casinos italiens, ils vous font même payer l'entrée. Nous, là-bas... Ils aimaient une certaine marque de whisky ? Ils aimaient telle ou telle chose ?... Tiens, la voilà. Au restaurant, par exemple. Comment ça, un joueur veut payer ? Ah non, au restaurant, il n'a pas à payer, le joueur ! Il ne paie pas, un point c'est tout ! Tout ce qu'ils voulaient, on le leur donnait. »

Angelo Bruno avait été à Cuba avant Castro, du temps de Batista. Fidel Castro commençait à peine à lever la tête et les hommes de Batista l'ont envoyé chercher, lui, Angelo Bruno, et ils lui ont demandé s'il était capable de tuer Castro.

« En ce temps-là, tuer Castro, disait Bruno, c'était la

chose la plus simple du monde. C'était très facile. » Il en a parlé à son chef de dizaine, mais ce n'était qu'un gros ignorant qui ne voyait pas plus loin que le bout de son nez. Il ne voyait que Cosa Nostra. Pour les histoires de la famille, c'était un renard mais il ne comprenait rien aux affaires, au vaste monde autour. Il ne les voyait même pas, ces choses-là.

« Je ne pouvais pas parler directement au représentant parce que j'étais un soldat et que je devais obligatoirement passer par le chef de dizaine. Alors je lui ai dit : " Écoute, il y a Batista qui veut qu'on tue Fidel Castro. Tu t'imagines ce qui peut se passer, si on lui fait une faveur comme celle-là, à Batista ? On sera les patrons ici. On pourra se faire un jardin — une grande propriété, un palais — avec le fric qu'on gagnera. — Nous, on ne fait pas ce genre de choses. On ne fait pas de politique, nous autres. On ne se mêle pas de ces histoires-là ", il a répondu, l'imbécile.

« C'étaient les années cinquante, Fidel Castro était encore tout petit. Et maintenant, Cuba, c'est lui qui se l'est prise. En entier ! Et on ne peut même pas s'en approcher ! » s'exclamait Angelo Bruno, et ça le rendait encore amer. « Le problème, c'est les gens qui ne comprennent rien. Ici, c'est la même chose, avec ces casinos où les imbéciles qui les gèrent te font payer pour entrer. » Et après s'être bien convaincu que le système ici était vraiment différent, il est resté encore un peu, puis il est reparti en Amérique.

Il est revenu plus tard. Et pendant qu'il se trouvait avec sa femme et un parent à lui, un cousin, à la gare de Catane pour aller dans sa ville natale, il a acheté un journal anglais où il a appris qu'il était recherché. Il y avait un mandat d'amener, ou d'arrêt, contre lui. Il a dit à son cousin :

« Écoute, je ne pars plus. Je dois d'abord voir quelle est la situation. L'hôtel, je ne peux pas y aller parce qu'ils m'arrêteront aussitôt. Trouve-moi un endroit où aller. »

Et il est venu chez nous, accompagné par son cousin. Il a téléphoné en Amérique et il a appris qu'il s'agissait d'une histoire de prêts usuraires. Une femme l'avait dénoncé parce que... il y avait aussi un Noir dans l'histoire... Je ne connais pas bien l'affaire. Lui, il avait essayé de les mettre d'accord mais la femme prétendait que c'était lui, Bruno, qui faisait de l'usure. Ensuite, le Noir a été retrouvé mort. Un sale pétrin.

Alors il a téléphoné à un avocat de Catane, il a décidé de se constituer prisonnier et il s'est mis d'accord avec la police américaine pour qu'ils l'attendent à l'aéroport de Rome et qu'ils se chargent de lui. Et en effet, ils l'ont arrêté et ils l'ont emmené.

Bruno et sa femme ne sont restés chez nous qu'une nuit. Sa femme a dormi et le lendemain matin elle a pris un avion pour les États-Unis. Lui, il n'a pas dormi. Il s'est mis à discuter avec Pippo et moi. Il nous a raconté l'histoire de Cuba et de Castro, il nous a parlé de sa vie et de la Cosa Nostra américaine. C'était une circonstance particulière, c'est vrai. D'habitude, il parlait peu. C'était un grand personnage, très réservé, mais j'ai eu l'impression que c'était un homme... bon. Oui, un homme bon. Il m'a présenté ses félicitations pour mon initiation récente, il m'a embrassé et il m'a dit : « Bonne chance... » Mais il me l'a dit avec le cœur, à la manière sicilo-américaine.

J'avais vingt-huit ans. C'était le premier grand homme que je rencontrais. Plus tard, j'ai appris qu'on avait fait sauter sa maison et qu'il était mort, en 1980, je crois.

Je vous ai raconté l'épisode d'Angelo Bruno non seulement parce que je l'ai vécu directement et qu'il m'a impressionné, mais aussi pour vous montrer à quel point les Américains, pour nous, étaient loin. Quand je lis des choses sur l'existence d'une Cosa Nostra italo-américaine, à la fois italienne et américaine, comme si c'était une seule et même association, j'ai envie de rire. On n'a jamais eu entre nous de rapports d'association à association. Cosa Nostra est autonome. La commission régionale décide seule.

Un grand nombre d'entre nous connaissaient des hommes d'honneur américains. On s'échangeait des services. On leur cachait des fugitifs, ou on leur envoyait quelques-uns des nôtres. On reconnaissait même la validité de leur serment de fidélité à Cosa Nostra. La qualité d'homme d'honneur était valable aussi bien ici que là-bas. Mais c'était tout.

Eux, ils s'intéressaient plus aux affaires, à l'argent, que nous. Quelquefois même, l'accueil qu'ils ont fait à des hommes d'honneur siciliens en cavale ou en visite n'a pas été des meilleurs.

7.

Revenons à la décision de tuer Angelo La Barbera pendant son séjour à Catane. Ces mafiosi illustres qui se trouvaient chez moi voulaient le tuer parce qu'ils n'avaient pas encore compris que les « Giulietta » bourrées de T.N.T., ça n'était pas lui qui les mettait, ni son frère, mais Cavataio.

Qui était Cavataio ? C'était le représentant d'un canton de Palerme, celui de l'Acquasanta, qui avait constitué un groupe à part — aujourd'hui, on dirait un groupe « transversal » — avec quelques vieux chefs appartenant à d'autres familles. Ces chefs avaient été détrônés par de nouveaux boss, mais ils n'acceptaient pas la situation et ils avaient formé une coalition secrète avec Michele Cavataio.

Ils étaient peu nombreux mais forts et très dangereux, parce que c'étaient des hommes d'honneur éprouvés, qu'ils connaissaient tout le monde, qu'ils arrivaient à savoir les contre-manœuvres des autres et que personne ne les soupçonnait.

A l'origine de tout, il y avait le ressentiment de Cavataio contre l'élite de Cosa Nostra. Un acolyte de Cavataio avait été tué par Antonio Salomone, le représentant de la famille de San Giuseppe Iato [1], parce qu'il lui avait causé des dégâts dans une cave. Comme les chefs de Cosa Nostra de Palerme avaient approuvé le meurtre,

1. Quartier de Palerme. *(N.d.T.)*

voilà Cavataio qui tue Calcedonio Di Pisa. Mais en s'arrangeant pour que la culpabilité retombe sur les La Barbera.

Ensuite, toute une série de voitures-bombes ont commencé à exploser près des maisons des mafiosi les plus importants, chacun d'eux commençant à soupçonner les autres. Dans un monde aussi compliqué que celui de Cosa Nostra, où une offense, même minime, est gardée en mémoire pendant des années et où les situations embrouillées se comptent par milliers, la matière à soupçons, à hypothèses, ne manque jamais.

Chacun avait un motif de revanche, récent ou de vieille date, caché ou déclaré, contre quelqu'un d'autre. Les bombes de Cavataio semaient la zizanie au sein de la mafia parce que personne ne reconnaissait les avoir placées, sans compter qu'elles attiraient l'attention de la police et des journaux sur leurs victimes. C'est comme ça que Bernardo Diana, vice-représentant de la famille Bontade, est tombé, et que la sœur de Salvatore Greco « Cicchiteddu » a failli perdre la vie dans un attentat. Enfin, la « Giulietta » qui a explosé à Ciaculli a tué sept carabiniers et policiers, et les conséquences pour Cosa Nostra ont duré pendant toutes les années soixante.

Cavataio était sans pitié, méchant. Pour éliminer un adversaire, il était capable de faire sauter un immeuble entier sans se préoccuper des morts innocents. Son plan, c'était de frapper indistinctement tous les chefs qui s'affaibliraient dans des luttes internes ou se feraient arrêter par la police. Il resterait alors le seul patron de la mafia à Palerme.

Mais les chefs de Cosa Nostra n'ont rien compris ; ces grands génies ont accusé les La Barbera de tout ce bazar. Une réunion de la commission provinciale a été convoquée, composée des chefs de canton, et Salvatore Greco a demandé à Angelo La Barbera comment il se faisait que son frère Totò, chargé d'enquêter sur le meurtre de Calcedonio Di Pisa, n'était arrivé à aucune conclusion. Les explications des La Barbera ont été jugées insuffisantes et les soupçons à leur égard se sont encore accrus.

Salvatore Greco a accusé alors Totò La Barbera d'être l'assassin et La Barbera a été étranglé par les chefs de canton pendant cette même réunion. C'est Salvatore Greco en personne qui a remis ensuite le cadavre à enterrer à Gigino Pizzuto, qui me l'a raconté plusieurs années après, vers 1972.

Angelo La Barbera avait réussi à s'échapper de cette réunion, ce que Cavataio a présenté comme la preuve de sa culpabilité non seulement pour l'affaire Di Pisa mais aussi pour les bombes et pour les attentats exécutés contre les chefs de la commission. Et comme après la fuite d'Angelo La Barbera, les activités déstabilisantes continuaient — toujours effectuées par le même Cavataio — c'est Cosa Nostra tout entière qui s'est coalisée pour rechercher le coupable.

L'ordre était de le prendre à n'importe quel prix ou bien de le tuer à vue, quel que soit l'endroit où on le repérerait. De son côté, Angelo La Barbera cherchait le contact pour pouvoir s'expliquer ; il voulait discuter, il voulait convaincre les mafiosi qu'il n'y était pour rien, que lui aussi il était à la recherche du responsable des attentats.

La Barbera a fini par réussir à établir un contact avec certains chefs et, après de longues tractations, ils ont décidé d'un lieu et d'une date pour une rencontre de clarification. La Barbera avait amené avec lui à la réunion Stefano Giaconia, un de ses hommes les plus sûrs. On a dit — je ne sais pas si c'est vrai — que Giaconia était arrivé à la réunion complètement bardé de dynamite. Il ressemblait à un saucisson, et il avait une mèche à la main.

« Si vous faites quoi que ce soit de suspect, j'allume la mèche et on saute tous », a-t-il annoncé dès qu'il est entré dans le lieu prévu pour la rencontre. Quelqu'un dans l'assistance a fait alors, peut-être sans y penser, un signal quelconque. Angelo La Barbera a donné l'ordre à Giaconia de s'enfuir et l'espoir d'arriver à une clarification s'est définitivement évanoui. La Barbera a fini par se convaincre que ce n'était pas la peine d'essayer de s'expliquer. De toute façon, ils le tueraient, quoi qu'il arrive. Les autres, de leur côté, intensifiaient la chasse.

Voilà pourquoi tous ces gens étaient venus à Catane. Ils ont tout de suite organisé les choses, allant demander dans tous les hôtels si La Barbera y était descendu et se répartissant les rôles. Gerlando Alberti attendait que quelqu'un lui envoie de Milan le message « le wagon est parti », qui voudrait dire que La Barbera était en route. Mais La Barbera n'est jamais arrivé. Ou s'il est arrivé, il ne s'est pas arrêté à Catane pour dormir et il a continué en voiture jusqu'à Messine. On n'a jamais su. Angelo La Barbera a été tué plus tard en prison à coups de couteau, mais pour une autre raison.

De 1962 à 1969, année du massacre de viale Lazio, une grande confusion a régné dans la mafia palermitaine. La « guerre de mafia » a fait beaucoup de morts et entraîné beaucoup d'arrestations — plus de cent. Les chefs les plus importants ont été incarcérés et il y a eu ensuite le procès de Catanzaro. La « Giulietta » de Ciaculli contre les Greco, en 1963, est ce qui a causé le plus de préjudice. Le gouvernement a envoyé la Commission antimafia. Il n'y a plus eu de Cosa Nostra dans la région de Palerme, après 1963. Elle était K.O.

La mafia a été sur le point de se dissoudre ; elle a eu l'air de partir en quenouille.

Quand on pense par exemple que le chef de la commission provinciale de Palerme, Totò Greco « Cicchiteddu », a abandonné sa charge et émigré au Venezuela ! Il était en fuite, et d'ailleurs, il avait même été condamné.

Les familles étaient toutes éclatées. On ne faisait plus que le minimum indispensable. Il n'y avait presque plus de meurtres, que des meurtres « ordinaires », de ceux dont on trouve tout de suite le coupable. Mais pas de meurtres de mafia. Même le *pizzo* n'était plus prélevé à Palerme.

Mais dans les autres villes, la mafia gouvernait encore. A Catane, comme je l'ai dit, il n'y avait pas de problèmes particuliers. On se tenait tranquilles et il n'y avait pas de meurtres. En ville, personne ne pensait à la mafia, mais plutôt au progrès, au développement : Catane était alors la ville la plus industrieuse de la Sicile.

A un moment donné, le jeu de Cavataio a été découvert, mais trop tard. Tout le monde avait déjà été arrêté et on ne pouvait plus rien faire. On a été obligés d'attendre la libération des chefs les plus importants après 1968-1969, après le procès de Catanzaro.

Avant de se réorganiser, avant de penser à l'avenir, il était en effet indispensable de régler le problème Cavataio. A l'intérieur de Cosa Nostra, deux lignes se sont dessinées sur la question : faire la paix avec lui, ou le détruire. Mais les deux lignes n'étaient pas figées. Elles changeaient selon les moments. Et surtout, selon la force qu'on lui attribuait.

Au début, on croyait que Cavataio avait derrière lui une grosse armée et des hommes infiltrés dans toutes les familles. C'est pourquoi un grand nombre de tractations ont été échafaudées pour aboutir à un accord avec lui.

Elle est vraiment bizarre, Cosa Nostra, par moments ! Comme elle est capable de devenir concrète, accommodante ! Tous avaient subi des préjudices, tous avaient été trahis, offensés. Tous haïssaient Cavataio à cause des gens qu'il avait tués, de sa manière sournoise d'agir, mais ce qui avait le dernier mot, c'était sa force et sa capacité offensive. S'il était fort, il fallait faire la paix avec lui.

La puissance de Cavataio a fini par se révéler un bluff. Quand on creusait un peu, il n'y avait plus rien. Mais avant qu'on s'en aperçoive, que de temps perdu en prises de contact, accords, voyages, délégations ! Et que de précautions avant de parler, de se confier, même à l'intérieur d'une même famille !

Le mot d'ordre était de se méfier et de parler le moins possible, à cause du risque que les hommes de Cavataio infiltrés aillent lui rapporter nos mouvements et nos plans secrets. On avait adopté des mesures exceptionnelles de prudence, parce qu'on ne comprenait plus d'où arrivaient les coups durs. On avait donné l'ordre aux jeunes, à ceux qui tirent, de ne jamais monter seuls dans une voiture avec quelqu'un et de n'aller à aucun rendez-vous sans être accompagnés par un autre, qui devait rester dans la voiture à les attendre, et avertir dans tous les cas le chef de dizaine ou quelqu'un d'autre quand il y avait convocation par une autre famille.

Les événements du début des années soixante avaient représenté une leçon qu'il ne fallait pas oublier. Même un chef aussi respecté et aussi important que Pietro Torretta jouait double jeu avec Cavataio. Totò Greco croyait que Torretta était un homme à lui, alors que Torretta allait tout raconter à Cavataio. D'ailleurs, c'est Torretta lui-même qui a fourni la preuve décisive concernant Cavataio.

Un jour, un « soldat » devait aller à un rendez-vous avec l' « oncle Pietro » ; il avait emmené avec lui un autre homme d'honneur, Gianni La Licata. Ce dernier l'attendait en bas dans la rue, pendant que le soldat montait à l'appartement où habitait Torretta. Là-haut, ils ont aussitôt essayé de le tuer. Le soldat a réagi très vite. Il a sorti son pistolet, il a commencé à tirer et il a bondi par le balcon en criant : « Gianni, Gianni, Gianni ! »

Mais il est arrivé au sol déjà mort, parce que les types qui étaient dans l'appartement de Torretta l'avaient frappé au moment où il franchissait le rebord du balcon. Mais Gianni La Licata a réussi à s'enfuir et il a raconté l'épisode à la commission, qui s'est rendu compte de l'erreur qu'elle avait commise en attribuant aux La Barbera les massacres et tout le reste, et elle a compris que si Pietro Torretta était impliqué, ça voulait dire qu'il fallait chercher dans une autre direction. Et on est remontés très rapidement jusqu'à Cavataio.

Mais revenons à ce qu'on disait avant, à l' « après-Catanzaro », quand on croyait encore que Cavataio était fort et qu'il fallait arriver à faire la paix avec lui et ses hommes. Trois médiateurs sont apparus à ce moment-là, tous étrangers à Palerme, soit parce qu'ils étaient nés ailleurs, soit parce que, comme Gerlando Alberti, ils résidaient depuis longtemps à Milan et ne participaient pas directement à la vie des familles palermitaines.

Les deux autres médiateurs étaient Pippo Calderone et Giuseppe Di Cristina. Le bruit qu'ils avaient l'intention de faire la paix a commencé à se répandre. Il y a eu des rencontres officielles avec les responsables des familles les plus nombreuses et avec les chefs de canton de Palerme. L'opinion des représentants des autres provinces a été écoutée. Jusqu'au jour où Ciccio Occhialino, représentant du Jardin Anglais de Palerme et homme de Cavataio, a fait savoir à Pippo que ce dernier voulait le rencontrer pour discuter et examiner la situation.

Ils se sont vus deux ou trois fois, Cavataio et mon frère. Lors d'une de ces rencontres — Nino Sorci était présent — Cavataio s'est dit prêt à faire la paix et a dicté ses conditions. Mais mon frère est resté bouche bée quand il a entendu Cavataio s'enflammer en parlant, puis glisser la main dans une de ses chaussettes et en sortir un bout de papier. C'était un plan de Palerme, avec autant de cercles qu'il y avait de quartiers, et avec les noms des familles, des représentants et de tous les hommes d'honneur connus. Cavataio a posé le plan sur la table et il a commencé : « Ce chef de canton-là, il doit aller ici. Ce chef de famille-là, ici. Là, on mettra celui-ci. Celui-là, on le déplace là, etc. » Bref, il dictait ses conditions. Il faisait l'organigramme. Un truc, je ne sais pas, moi, comme ferait le président des États-Unis. Un truc à la Bush.

A n'y pas croire. La stupéfaction de Pippo venait de ce qu'il avait la preuve flagrante — la preuve « contondante », comme disent certains avocats de la mafia — que Cavataio était fou, mégalomane. Personne ne peut traiter les familles de Cosa Nostra comme des pions sur un damier. Mais il faisait aussi un autre raisonnement : comment quelqu'un d'aussi malin que Cavataio ne se rendait-il pas compte du danger que la seule existence d'un document comme celui-là représentait ?

Peut-être que Cavataio n'était pas si astucieux que ça. Ou alors c'était peut-être Liggio qui avait eu raison, quand il avait dit de lui qu' « au royaume des aveugles, les borgnes sont rois », en faisant allusion aux capacités mentales des interlocuteurs de Cavataio ? Le fait est que Cavataio est mort précisément à cause de ce plan, qu'il avait montré aussi à d'autres personnes, cet imbécile.

En dehors de l'interdiction absolue — et toujours valable aujourd'hui — de mettre quoi que ce soit par écrit à propos de Cosa Nostra, il y avait aussi à ce moment-là une question pratique qui rendait ce plan extrêmement dangereux. La police ne savait rien de la véritable structure de la mafia. Il n'y avait pas encore eu de repentis pour décrire la hiérarchie et donner des noms. Les magistrats commettaient un tas d'erreurs quand ils enquêtaient sur les meurtres. Et il y avait beaucoup de gens qui pensaient que la mafia, c'est-à-dire Cosa Nostra, n'existait même pas.

Quoi qu'il en soit, les médiateurs du conflit ont décidé de convoquer une réunion. Ils devaient communiquer aux chefs de Cosa Nostra les résultats de leurs conversations et faire part à Totò Greco — en tant que secrétaire de la commission de Palerme, c'était le chef qui avait le plus de poids — de la volonté de paix de Cavataio. La rencontre a eu lieu en Suisse, à Zurich, dans un hôtel, et elle a été organisée dans le plus grand secret. Di Cristina et mon frère n'ont été mis au courant du lieu de la rencontre qu'après être arrivés à l'aéroport de Rome. Les chefs de Cosa Nostra de Palerme se méfiaient d'eux et de Gerlando Alberti parce qu'ils avaient eu trop de contacts avec le diabolique Cavataio.

La réunion (Tommaso Buscetta[1] était présent) s'est déroulée sous le signe des belles paroles. « La paix, la paix, la paix ! Les meurtres, ça suffit. On tire un trait et on va de l'avant », c'est ce qu'ont recommandé les médiateurs, et qui a recueilli l'assentiment de beaucoup. Mais Totò Greco « Cicchiteddu », demeuré pendant tout ce temps silencieux, a déclaré à la fin : « D'accord. D'accord. Faites la paix. Faites comme vous voulez. Vous

1. Le plus célèbre de tous les grands repentis de Cosa Nostra, emprisonné en Italie puis (à sa demande, pour sa sécurité) aux États-Unis. *(N.d.T.)*

êtes la majorité », faisant comprendre par là qu'il n'était pas du tout d'accord.

Puis il a pris Pippo à part : « Je ne peux pas être d'accord. Moi, Cavataio, je veux le voir mort.

— Alors, mon cher Totò, on arrête tout. Stop. Reprenons la discussion, a répondu Pippo.

— Non. Personne ne doit connaître mes intentions. Vous, négociez comme si c'était la paix. Sortons d'ici avec la décision de faire la paix. Mais il faut le tuer.

— Je le sais bien, moi aussi, qu'il faudrait le tuer. Mais si on décide ici officiellement de faire la paix et qu'après on le tue, on va avoir contre nous toute la Cosa Nostra de Sicile. Ils nous accuseront de faire comme Cavataio, de ne pas respecter les pactes, de faire des choses en cachette, des choses illégales..., insistait Pippo.

— C'est moi qui vais le tuer, et pour mon propre compte. Pas la peine que vous participiez à ça », a coupé « Cicchiteddu ».

Pippo a compris qu'il était inutile d'essayer encore de le convaincre.

« Écoute, Totò. Je comprends ton point de vue. Tu as raison. Ils ont posé une bombe en bas de chez toi, ils ont même failli tuer ta sœur. Mais explique-moi comment je fais, moi, qui représente une autre position, pour tenir ce double langage que tu me demandes de tenir. Si je dois le faire, j'ai besoin d'avoir au moins avec moi des hommes qui partagent ça, qui sont d'accord, qui prennent eux aussi leur part de responsabilité. Je ne peux pas me promener comme un canard qui répéterait sans arrêt " la paix, la paix, la paix " uniquement parce que tu m'as dit de le faire, alors que ça n'est pas vrai. Il faut qu'il y ait quelqu'un à qui je puisse dire que c'est truqué, que ça n'est pas la paix. Et ce quelqu'un-là doit être partie prenante, coresponsable de l'embrouille. Dis-moi à qui je peux le dire.

— Tu peux le dire à Stefano Bontade. Et ensuite, Stefano, mais uniquement lui, devra décider s'il le dit ou non à Gaetano Badalamenti.

— Et Di Cristina ?

— Tu peux le dire à lui aussi. »

De retour en Sicile, cette fausse paix a commencé. Bontade et Di Cristina ont été avertis, puis Badalamenti, Liggio et d'autres responsables de premier plan qui gravitaient autour de Palerme. On a parlé de réconciliation et de vie tranquille jusqu'à en bâiller d'ennui. Le reste des familles siciliennes a fini par se convaincre qu'une époque de concorde s'était ouverte (les Palermitains la voulaient aussi, la concorde ; mais après avoir tué Cavataio).

Mais ça n'était pas facile de faire sortir Cavataio de sa tanière. Ils lui ont envoyé des messages de paix. Ils l'ont invité à venir négocier. Ils se sont déclarés prêts à discuter de son plan. Mais lui restait caché et ne mordait pas à l'hameçon.

Les seuls à avoir des contacts avec lui étaient Di Cristina et mon frère. Leur position par rapport à Cavataio n'était pas complètement dépourvue de sincérité. Ils n'avaient pas encore totalement abandonné l'idée qu'on pourrait peut-être trouver une autre solution, même *in extremis.*

Cavataio ne se fiait pas à la déclaration de paix qui était sortie de la réunion de Zurich. Pour lui, la paix véritable ne pouvait venir qu'avec un engagement souscrit par un sommet général de tous les représentants des familles siciliennes, une très grosse chose, qui ne s'était jamais faite jusque-là. Si on ne convoquait pas cette espèce de « Parlement » de la mafia, il ne sortirait jamais de sa clandestinité.

En attendant, il devenait de plus en plus gênant. Durant une rencontre avec Di Cristina, il s'est obstiné sur une question et quand Di Cristina l'a invité à exercer son raisonnement, il lui a dit pour toute réponse que si ses propositions n'étaient pas acceptées, Salvatore Scaglione, dit « le Boxeur », serait tué dans l'heure. Pour prouver qu'il ne plaisantait pas, il a révélé à Di Cristina à quel endroit Scaglione se trouverait une heure plus tard. Le pauvre Di Cristina lui a demandé de laisser tomber, et Cavataio a eu un geste magnanime : il a pris le téléphone pour stopper le commando de tueurs qui s'apprêtait à partir.

Cet épisode, ajouté à l'histoire du plan et à tout le reste, a laissé complètement médusés les chefs de Cosa Nostra qui doutaient encore de la nécessité de se débarrasser de Cavataio.

On en est venus enfin à un plan concret pour l'élimination de Cavataio. Tout d'abord, on avait pensé exploiter une information que très peu de gens connaissaient. Cavataio allait de temps en temps à Acireale, dans les environs de Catane, où ses enfants étaient au collège. On pouvait organiser un bel attentat sur la route. Et puis finalement on a décidé de n'en rien faire.

Stefano Bontade, Gaetano Badalamenti et Di Cristina se sont mis d'accord secrètement pour le tuer là, sur le territoire de la province de Catane. Sans rien dire à Pippo, qui était maintenant le principal homme d'honneur de la province. Une incorrection énorme.

C'était Giuseppe Di Cristina, un des meilleurs amis de mon frère, qui avait suggéré aux autres de ne pas l'avertir et de ne pas l'impliquer dans l'histoire. Il n'y avait à ça aucun motif sérieux. C'était juste de la jalousie, de l'envie, parce que Pippo montait de plus en plus, et qu'il s'attirait la confiance d'un nombre croissant d'hommes d'honneur.

Une équipe de tireurs a été constituée. Badalamenti a mis à disposition deux de ses hommes qui travaillaient à Catane, les frères Sciacca, et Natale Rimi. Un jour où ils attendaient le passage de Cavataio pour lui tirer dessus (attente inutile parce que Cavataio ne passait jamais, il n'allait pas à Acireale à cette période-là), ils se sont arrêtés à ma station-service pour boire un café. Le gérant était ce cousin à moi dont j'ai déjà parlé, Marchese, un homme d'honneur, qui les a reconnus et leur a dit bonjour. Ensuite, il a dit à Pippo qu'il les avait rencontrés.

La première fois que mon frère a revu un des Sciacca, il lui a demandé comment ça se faisait qu'ils étaient passés par là avec Rimi sans venir lui dire bonjour.

« On ne pouvait pas passer vous dire bonjour, cher

« oncle » Pippo. Comment on aurait fait pour venir vous voir ? On attendait le Cavataio pour le tuer. Vous êtes pas au courant peut-être ? » Telle a été la réponse.

Pippo est monté sur ses grands chevaux et a foncé à Palerme chez Bontade et Badalamenti pour se désolidariser de l'opération contre Cavataio, les accusant de fourberie et les menaçant des pires représailles contre leurs hommes qui venaient opérer sur son territoire sans aucune autorisation.

Mais sa colère n'a pas duré longtemps. C'était un homme bon, qui en fait aimait beaucoup Stefano Bontade et Gaetano Badalamenti, qui croyait aux règles de Cosa Nostra et qui avait confiance dans ses amis. Il en est mort.

Le massacre de viale Lazio [une commerçante de Palerme *(N.d.T.)*], le 10 décembre 1969, qui a mis fin à la vie de Cavataio, a eu lieu complètement à l'insu de mon frère. Celui-ci l'a appris par les journaux puis a été informé par les chefs palermitains.

On a écrit tellement de choses vagues là-dessus. Selon ce que Pippo m'en a rapporté, cinq personnes appartenant à trois familles différentes ont participé à l'action : un des frères Grado et Emanuele D'Agostino, mis à disposition par les Bontade ; Bernardo Provenzano et un frère de Leoluca Bagarella, désignés par Gaetano Badalamenti ; et Damiano Caruso, considéré comme le soldat le plus valeureux de la famille Di Cristina (à se demander comment étaient les autres, vu le gâchis qu'a fait Caruso à cette occasion, et pas seulement là).

Les soldats sont arrivés aux bureaux du constructeur immobilier Moncada à bord de véhicules différents. Caruso et les autres étaient déguisés en policiers. Plusieurs autres voitures circulaient dans les alentours pour contrôler la situation ; à bord de l'une d'elles, Salvatore Riina dirigeait les opérations.

Caruso ne s'est guère montré à la hauteur de la situation. L'idée du déguisement en policier a été immédiatement gâchée, parce qu'au lieu d'intimer l'ordre de stopper et d'attendre que tous les présents se soient arrêtés, comme le fait la vraie police, Caruso a commencé à tirer dans tous les sens sans atteindre personne, permettant ainsi à Cavataio de se réfugier derrière un bureau et de riposter avec son pistolet. Froidement, avec précision, Cavataio a tué Bagarella d'une balle en pleine poitrine. Il a tiré sur Provenzano et l'a blessé légèrement à la main. Il était d'une habileté hors du commun, Cavataio. Caruso lui-même a été blessé à un bras, toujours par Cavataio. Lequel s'est ensuite caché sous la table en faisant semblant d'être mort. Il pensait que ses agresseurs s'en iraient sans avoir le temps de vérifier si le travail avait été fait.

Mais Provenzano et les autres avaient reçu l'ordre de tuer tous ceux qui se trouvaient dans la pièce et ensuite de tout brûler, pour faire disparaître en même temps le fameux plan de Cosa Nostra que Cavataio gardait sur lui. Pour ça, ils avaient amené avec eux des jerricans d'essence, mais ils n'ont pas pu les utiliser, à cause de la maladresse de Caruso et de l'efficacité meurtrière de Cavataio. Ils avaient à s'occuper de leur mort et de leur blessé. Ils n'avaient pas le temps de mettre le feu.

Dans la pièce, un silence irréel était tombé. On pouvait entendre les voitures qui passaient une à une dans l'avenue. Provenzano s'est arrêté un instant, puis il s'est secoué et il s'est souvenu de cette histoire des chaussettes de Cavataio, où le plan pouvait peut-être se trouver. Il a tiré Cavataio de sous la table en le prenant par les pieds, il a senti une résistance bizarre et il s'est aperçu qu'il était vivant. Cavataio, rapide, lui a tiré dans la figure, ou plutôt, a essayé de tirer mais il n'avait plus de cartouches et son chargeur était vide.

Provenzano a appuyé sur la détente, mais sa mitraillette s'est enrayée et il n'a pu la faire repartir parce qu'il avait été blessé aux doigts. Alors il a frappé Cavataio sur la tête avec la crosse de son arme et avec ses pieds pour essayer de l'assommer, et il a fini par réussir à sortir son pistolet et par le tuer. Mais le plan, il ne l'a pas trouvé. Peut-être qu'il n'a pas eu le temps. L'action avait duré trois minutes et avait laissé cinq morts et deux blessés sur le carreau, sans compter Caruso et Provenzano lui-même.

Les tueurs se sont enfuis en voiture et c'est Caruso qui a conduit, bien qu'il soit blessé. Le cadavre de Bagarella a été mis dans le coffre et enterré ensuite dans le cimetière de Corleone, dans la tombe de quelqu'un d'autre. Caruso a été envoyé en Amérique, comme récompense et pour se remettre de ses blessures.

La participation de ce Bagarella au massacre de viale Lazio et sa mort sont restées ignorées des enquêteurs et même de beaucoup de gens de Cosa Nostra. C'est Pippo et Totò Riina qui m'en ont parlé. Riina en avait été très chagriné parce qu'il était à ce moment-là fiancé avec la sœur de Bagarella, une institutrice de Corleone, et je me souviens qu'après le massacre, il a porté pendant un certain temps une cravate noire en signe de deuil.

Ce massacre a provoqué un tollé général de toutes les familles siciliennes contre les Palermitains, qui ont été accusés de n'avoir informé personne et d'avoir menti sur leurs intentions de faire la paix avec Cavataio.

Pippo a craint pendant quelque temps à la fois la réaction des partisans de Cavataio encore vivants — y compris de ses partisans non déclarés — et les protestations de ceux qui auraient pu lui demander des comptes, en tant que médiateur du conflit entre les Palermitains, sur cette issue tellement imprévue et si fracassante. On a fermé la maison de Catane où on habitait et on a disparu de la circulation pendant deux ou trois semaines. Mais il ne s'est rien passé. Personne n'a émis de protestations contre nous. Et les reproches contre les Palermitains se sont vite arrêtés eux aussi. Les familles voulaient tirer un trait sur le passé. Elles étaient fatiguées des conspirations et des guerres. Une époque était terminée. Nous avions devant nous une décennie prometteuse.

8.

Le procès de Catanzaro s'est bien terminé pour la mafia. De nombreux accusés avaient été libérés, et les familles ont commencé à se réorganiser. On n'est pas arrivés tout de suite à reconstituer la structure provinciale, parce que les cantons ne fonctionnaient pas encore de manière satisfaisante. Il y avait encore des instabilités, des problèmes. Quand Salvatore Greco « Cicchiteddu », chef de la province de Palerme — à Palerme, le chef de province s'appelle le « secrétaire » — est parti pour l'Amérique du Sud et a confié sa charge à Antonino Sorci, qui était alors chef de canton, celui-ci a été arrêté et il a fallu tout recommencer.

Après Catanzaro, de toute façon, un gouvernement provisoire s'est constitué à Palerme — il me semble que ça s'appelle la « régence », c'est le terme employé par les juges qui m'ont interrogé — formé de Gaetano Badalamenti, Luciano Liggio et Stefano Bontade.

Quelque temps après le massacre de viale Lazio, Badalamenti nous a fait chercher, Pippo, Calogero Conti, alors vice-représentant de la province de Catane, et moi. Il nous a invités dans sa ville, Cinisi. Pendant le déjeuner, il nous a demandé si nous pouvions héberger son parrain Luciano Liggio, qui était en cavale dans le coin mais qui ne pouvait plus y rester.

Pendant qu'on était à table, un prêtre est arrivé. Il nous a été présenté comme un homme d'honneur de la famille de Partinico. Il s'appelait Agostino Coppola, le même qui

107

a récupéré plus tard l'argent de l'enlèvement Cassina. Avec mon frère, pendant le trajet de retour, on a fait des plaisanteries sur ce prêtre qui appartenait à la mafia.

Nous avons accepté de bon gré la proposition de Badalamenti. Di Cristina s'est occupé de trouver des faux papiers et une maison pour Liggio, qui est arrivé quelques jours plus tard. Avant de s'installer dans le logement que Di Cristina lui avait trouvé, Liggio devait s'arrêter dans une maison de campagne que possédait Calogero Conti. C'est comme ça qu'un soir est arrivé un cortège de quatre ou cinq voitures qui l'escortaient. Luciano Liggio est descendu d'une Mercedes bleue, conduite par Stefano Bontade. Il avait un port distingué, hautain, on aurait dit... je ne sais pas... un président de Cour de cassation. Il était élégant, avec un complet croisé dans les tons clairs, un chapeau léger. Il s'est assis sur une borne de cette route de campagne. Et on était tous là, fascinés, à regarder ce Liggio, comme si je ne sais pas qui était arrivé.

D'un autre côté, pas la peine de nier que Liggio était déjà à cette époque une personnalité. Il était le n° 1 en Sicile, le « chef de tous les chefs », l' « Introuvable des Introuvables », et j'en passe.

Il n'est resté que peu de jours dans la maison de campagne de Conti. Il a voulu partir parce qu'il disait qu'il avait froid. Il était capricieux comme un enfant. Il avait toutes sortes d'exigences. Il nous a fait arpenter deux provinces pour lui trouver de l'eau minérale Ferrarelle. Sinon, il ne buvait pas. C'est-à-dire qu'il était obligé de boire l'eau du robinet, qui lui faisait du mal (à ce qu'il disait) parce qu'il avait été opéré de la prostate.

Il nous a fait tourner en bourrique. Il a encore changé de logement deux ou trois fois, jusqu'au jour où on est arrivés à lui trouver une petite villa un peu à l'écart, sur la colline, à San Giovanni La Punta. C'était un joli coin, où il est resté pendant presque deux ans. Bernardo Provenzano, en cavale lui aussi, l'avait rejoint. En ville, ils se faisaient passer pour des négociants en viande. des bouchers. Liggio disait qu'il avait été malade et qu'il était venu là parce qu'il lui fallait de l'air pur.

La villa avait été louée au nom d'Antonio et Giuseppe Farruggia, à l'aide des faux papiers que Di Cristina avait fournis. C'étaient les papiers qui ont été trouvés sur Liggio au moment de son arrestation à Milan, et Di Cristina s'est plaint auprès de Pippo de l'imprudence de Liggio, qui se servait toujours des mêmes papiers après si longtemps.

L'assistance à un fugitif important n'est pas une mince affaire. Il faut le protéger, surveiller la zone où se trouve son logement, prévoir l'imprévu, assurer son ravitaillement. Luciano Liggio, on lui fournissait tout. Il était à notre charge. On lui glissait même les sous dans la poche : en 1969, malgré son grand nom, il n'avait pas une lire.

Nous non plus, mon frère non plus ; à l'époque on n'avait pas beaucoup de disponibilités. Quand Pippo n'avait pas d'argent à donner à Liggio, il allait trouver Costanzo, l'entrepreneur en bâtiment, et il lui en demandait. Gino Costanzo était au courant qu'on avait Liggio, et il ne refusait pas, comme d'autres d'ailleurs. Pour ce type de dépenses, on avait un peu de soutien des salles de jeu clandestines, via une espèce de taxation volontaire des gérants, sans compter un peu d'aide qui arrivait de Palerme.

Attention. Quand je dis que dans ces années-là il n'y avait pas de sous, que la mafia n'avait pas d'argent, je ne le dis pas comme ça, pour exagérer. Après les arrestations de 1962-1963, les envois en relégation surveillée et les longues périodes de prison, et après le procès de Catanzaro en 1968, il n'y avait plus d'argent chez personne. Il était parti en avocats, en frais divers liés aux emprisonnements, etc. Il y a eu une collecte de fonds qui a rapporté vingt à trente millions, remis à Totò Riina en tant que régent de Palerme, et qui a servi à soutenir ceux qui avaient un besoin impératif d'argent ou qui se trouvaient dans des situations d'urgence. Vers 1971, une série d'enlèvements ont même été organisés. Celui de Pino

Vassallo — le fils de Don Ciccio, un constructeur immobilier qui s'était enrichi en exploitant l'amitié des chefs de Cosa Nostra — a été une action dictée par la nécessité. Le bénéfice de quatre cents millions a été distribué aux familles les plus nécessiteuses de Palerme.

Naturellement, les Corléonais en ont aussitôt profité et, sans rien dire à personne, ils ont fait l'enlèvement Cassina. Il serait superflu d'ajouter que les bénéfices de cette initiative n'ont pas été redistribués aux hommes d'honneur des autres familles qui étaient en prison ou qui connaissaient des difficultés financières.

Stefano Bontade, lui aussi, était dans une mauvaise passe. Heureusement, il avait droit à un pourcentage des gains de Tommaso Spadaro, le contrebandier de cigarettes, qui se vantait de lui verser une paie. Quand ils ont commencé à sortir de prison, vers 1968, les chefs de Cosa Nostra étaient presque tous des crève-la-faim. Luciano Liggio possédait peut-être quelque maison ou quelque propriété, mais il ne vendait rien.

Si je vous disais que Totò Riina pleurait quand il m'a dit que sa mère ne pouvait pas venir le voir au parloir de la prison, en 1966 ou en 1967, parce qu'elle n'avait pas de quoi se payer le billet de train !

La seule exception, c'étaient les Greco. Ça allait bien pour eux, c'étaient des gens aisés, de longue date. Mais quand je parle des Greco à ce sujet-là, il s'agit de l'autre branche des Greco, celle qu'après on a confondue avec la famille de Michele Greco.

Ensuite, ils sont tous devenus milliardaires. D'un seul coup, en deux ou trois ans. Grâce à la drogue.

Revenons à Liggio en cavale. La villa de San Giovanni La Punta avait une petite terrasse qui donnait vers l'intérieur, d'un côté où il n'y avait pas d'autres constructions. Un beau jour, Liggio s'est mis tout nu et s'est installé au soleil. De toute façon, personne ne le voyait. Mais à une certaine distance, il y avait un immeuble en construction, presque terminé.

Comme le promoteur devait vendre les appartements,

il se retrouvait souvent à accompagner des acheteurs éventuels qui voulaient les visiter. Et quand les clients voyaient cet homme tout nu, là, tout près, en train de prendre le soleil — Liggio en avait pris l'habitude, de se mettre tout nu sur la terrasse — ça faisait mauvaise impression et ils n'achetaient pas.

Le constructeur a fini par aller trouver les carabiniers pour se plaindre de la présence de cet homme nu qui lui faisait rater la vente de ses appartements. Et ce qui s'est passé alors, c'est que les carabiniers sont allés frapper à la porte de la villa de Liggio. Lui, il les a vus arriver. Il était en caleçon.

« Mmmm. Les carabiniers. Qu'est-ce que je vais faire, à présent ? » Il ne pouvait pas se sauver, et était tout seul dans la maison, Provenzano étant sorti. Il ne lui restait plus qu'à ouvrir la porte. « Bonjour », a dit Liggio aux militaires.

« Bonjour. Il y a l'adjudant qui voudrait vous parler.

— Maintenant ? Tout de suite ? a répondu poliment Liggio. Mais vous voyez bien que je ne peux pas venir tout de suite. » Et il a baissé son caleçon. « Vous voyez, j'ai la sonde. » C'était vrai, parce qu'il souffrait de la prostate. « J'attends le docteur qui doit venir m'enlever la sonde. Aussitôt après, j'irai voir l'adjudant.

— Pas de problème. Vous pouvez venir même cet après-midi », ont répondu les carabiniers.

Dès qu'ils ont été partis, Liggio s'est rhabillé et il a couru téléphoner au bureau de Pippo. C'est moi qui étais là.

« Viens tout de suite.

— Mais qu'est-ce qu'il y a ? Qu'est-ce qui se passe ?

— Viens tout de suite, je te dis. Pas à la maison, à l'arrêt d'autobus. »

J'ai couru à l'endroit convenu.

« Alors, est-ce que vous allez me dire ce qui s'est passé ?

— Les carabiniers sont venus. Ils veulent me parler. C'est l'adjudant qui veut me parler.

— Mais si vraiment les carabiniers sont venus, pourquoi vous êtes encore ici ? Pourquoi vous ne vous êtes pas sauvé ?

— Parce que je n'ai pas eu l'impression qu'ils avaient des soupçons. Ils ne m'ont pas reconnu. »

Nous avons décidé d'aller en ville discuter de ce qui s'était passé avec Pippo, qui a dit : « Écoute, Professeur... » On l'appelait « Professeur » au lieu de l'appeler Luciano. Il y tenait, il était content qu'on l'appelle « Professeur ». Après tout, dans notre milieu, beaucoup le considéraient comme un professeur.

« Écoute, Professeur. C'est pas parce qu'ils savent que tu habites là qu'ils sont venus. Ils ne seraient pas arrivés comme ça, tout gentils, en frappant à la porte. Et je suis même sûr que s'ils étaient venus d'une autre manière, à l'heure qu'il est, ils ne seraient plus de ce monde », a dit mon frère, qui faisait allusion à la réputation de férocité et de rapidité qu'avait déjà alors le « professeur ».

« Et s'ils s'en aperçoivent, ensuite ? S'il leur vient des soupçons ? Qu'est-ce que je dois faire maintenant ? » a demandé Liggio, préoccupé par la perspective de devoir quitter cette planque à laquelle il s'était attaché. Il aimait bien la maison, il aimait bien le village. Il avait même trouvé deux femmes, deux sœurs. Une des deux lui plaisait vraiment, et il avait demandé à mon cousin de lui procurer un somnifère pour endormir la sœur de manière à ce qu'elle ne puisse pas voir... Mais je ne sais pas s'il les baisait.

« Écoute, ils ne t'ont pas reconnu. Et pour l'instant ils n'ont aucun soupçon. Mais je ne sais pas s'ils ne vont pas en avoir un jour, ou s'ils ne vont pas en avoir si tu ne vas pas trouver l'adjudant.

— C'est bon, a dit Liggio, pensif. Vous savez quoi ? Je vais y aller. Je vais aller chez les carabiniers, moi. »

Entre-temps, Bino Provenzano était arrivé de Palerme, en train, pour être plus sûr de ne pas tomber sur un contrôle, et parce qu'il ne savait pas conduire, même s'il avait un magnifique faux permis. Il disait partout que puisqu'il avait le permis, il pouvait aussi conduire. Mais il en était incapable et nous tous, qui avions de bonnes voitures, nous nous gardions bien de les lui laisser conduire.

Provenzano a été informé de ce qui se passait et on a décidé de l'envoyer chez l'adjudant à la place de Liggio, en donnant comme prétexte que Liggio ne se sentait pas bien. Selon la réaction des carabiniers, on comprendrait alors quelle était la vraie raison de cette convocation et s'ils avaient des soupçons sérieux.

On a accompagné Provenzano en voiture jusqu'à la grand-place de San Giovanni La Punta, où se trouvait le poste des carabiniers. On l'a attendu longtemps. Liggio était nerveux. Il jurait en disant qu'il avait eu tort, qu'il n'aurait pas dû l'envoyer à sa place. Et il a continué à jurer jusqu'à ce que Provenzano ressorte. Il avait l'air tranquille. Il est passé près de la voiture et a dit : « Tout va bien. »

On l'a suivi un bout de chemin et puis on l'a fait monter.

« Qu'est-ce qu'ils t'ont dit ?

— Rien. Il y a celui qui construit l'immeuble à côté qui est allé se plaindre auprès de l'adjudant parce qu'il voit toujours un type qui se fout à poil », a dit Provenzano feignant d'être agacé.

On a regardé Liggio, l'air scandalisé. Liggio s'est prêté au jeu et il a fait semblant d'être offensé : « Et qui c'est ce cocu qui dit que moi, je me fous à poil ? C'est pas vrai. Moi, à poil, je ne m'y mets jamais ! » En fait, il était soulagé. Provenzano a dit : « J'ai redit à l'adjudant que tu as été malade, que tu as été opéré et que tu as besoin de soleil. Il m'a répondu qu'il comprend très bien, qu'il se rend bien compte qu'on est ici parce qu'on est en convalescence, mais qu'il suffit que tu mettes un maillot de bain, que tu t'habilles succinctement, et voilà tout. »

Liggio a réfléchi un peu, puis il a lâché : « Et qui parle de partir d'ici, maintenant ? Tout va bien. On n'est plus en cavale. Les carabiniers sont au courant de notre présence, par conséquent ils ne viendront plus nous chercher là. »

Liggio est resté clandestin à Catane jusqu'en juillet

1971, date de l'arrestation de Pippo pour une inculpation dans le « procès des cent quatorze », par le tribunal de Palerme. Il est parti de Catane parce que c'était devenu trop risqué de rester dans une zone contrôlée par Pippo, qui était maintenant dans le collimateur des enquêtes et des contrôles de police. En suivant les mouvements de mon frère, on aurait pu arriver jusqu'à lui.

Il a regretté de partir. Il s'était un peu installé, il avait connu des gens, dont Nino « Cori granni » [Nino « Grand cœur » *(N.d.T.)*] un jeune homme d'honneur qu'il appréciait beaucoup parce qu'il parlait peu mais « faisait les choses ». « Cori granni » allait souvent lui rendre visite dans la villa de San Giovanni et il l'accompagnait dans ses expéditions à la recherche du commissaire Angelo Mangano, son adversaire irréductible.

Liggio haïssait Mangano, parce qu'au début des années soixante il l'avait arrêté à Corleone, mais surtout à cause de certains mauvais traitements que Mangano avait infligés à sa sœur. Comme il savait que Mangano était originaire de Riposto, une ville de la côte au nord de Catane, il se disait que pendant l'été il devait sûrement revenir là-bas pour aller se baigner. « Rien de mieux que de le tuer à ce moment-là », confiait Liggio. Tous les matins du mois d'août, il partait de San Giovanni La Punta avec son fidèle « Cori granni » en direction des plages des environs de Riposto pour retrouver Mangano. Ils s'en allaient, bien tranquilles, en Fiat 500, les pistolets à portée de main. Mais aussi un grand couteau. Liggio n'avait pas l'intention de tirer sur Mangano, quand il l'aurait trouvé. Mais de le dépecer de ses propres mains.

Il ne l'a pas trouvé en Sicile, Mangano. Il l'a trouvé quelques années plus tard, à Rome, en 1973, et il a essayé de le tuer. Vous vous souvenez du fameux attentat contre le commissaire Angelo Mangano, dont les journaux ont tant parlé ? Eh bien, moi, je peux vous raconter comment les choses se sont passées. Un des auteurs de l'attentat était Liggio ; les autres participants n'étaient pas siciliens mais napolitains. J'ai appris ces circonstances par plusieurs personnes, dont Pippo, qui a fait ce commentaire à

Stefano Bontade : « Heureusement, aucun Palermitain n'a été impliqué dans un truc aussi mal ficelé. »

Les Napolitains qui étaient avec Liggio dans cette opération étaient Ciro Mazzarella et Michele Zaza, deux contrebandiers. Mazzarella conduisait la voiture qui s'est approchée de l'entrée de la maison de Mangano. Liggio est descendu de la voiture pour tirer dans la tête de Mangano à distance rapprochée, pour être sûr de ne pas le rater. Sauf que, soit par un défaut de l'arme, soit par un défaut des cartouches, soit pour une autre raison, Mangano n'a pas été mortellement touché. Juste au moment de passer à l'action, il y avait eu par ailleurs une dispute entre Liggio et Zaza, qui leur avait fait perdre un temps précieux. Nello Pernice m'a dit également que Liggio n'arrivait pas à se remettre de cet échec.

C'était un sanguinaire, Luciano Liggio. Il éprouvait du plaisir à tuer. Il avait une manière de regarder qui faisait peur à tout le monde. Même à nous, les mafiosi. Il suffisait d'un rien pour qu'il change de couleur ; il lui venait alors une lueur bizarre dans les yeux qui faisait le silence autour de lui. Quand on était avec lui, il fallait faire attention à la manière dont on parlait. Un ton qui n'allait pas, un mot mal compris, et tout à coup, ce silence soudain. Tout le monde muet, mal à l'aise ; on pouvait sentir la mort qui circulait.

Un jour, pendant son séjour à Catane, je me suis permis de lui dire qu'il était fou. Oui. Moi, Antonino Calderone, j'ai dit un jour à Luciano Liggio qu'à mon avis il était fou, dingue. Liggio avait une femme à Tarente [dans les Pouilles *(N.d.T.)*]. Il avait fait sa connaissance pendant un séjour en clinique par là-bas, et il voulait aller la voir. Quand il me l'a dit, je lui ai répondu aussitôt : « Professeur, c'est de la folie. Vous voulez aller voir une femme qui connaît votre identité, qui sait qui vous êtes. Mais est-ce que vous vous rendez compte à quel point c'est dangereux ? » Je le lui ai vraiment dit comme ça. Spontanément, sans même y penser...

La conversation s'est portée ensuite sur le commissaire Mangano. Liggio a sorti un grand couteau et il a commencé à l'agiter comme s'il était en train de tuer Mangano : « Tu vois comment je veux faire ? Je veux couper comme ça, et comme ça. »

Aussitôt après, mon cousin m'a dit : « Mais comment tu peux te risquer à dire des choses pareilles ? A parler comme ça à Luciano Liggio ? Tu es complètement inconscient. Mais tu ne t'es pas aperçu de comment il te regardait ? La tête qu'il avait quand il agitait le couteau devant toi ? »

Pendant qu'il était à Catane, Liggio avait commencé à en avoir aussi après quelqu'un d'autre, le journaliste Giuseppe Fava, qui a été tué ensuite par la mafia bien des années plus tard, en 1984[1]. La faute de Fava, ç'avait été d'avoir mal parlé de lui. Il s'était permis d'écrire un article dans lequel il tournait en ridicule les yeux de Luciano Liggio. Qui a demandé à Pippo de s'informer sur les habitudes et sur l'adresse de Fava, pour pouvoir lui « faire un cadeau ». Pippo s'est opposé à sa demande et il a fait remarquer à Liggio qu'il n'y avait aucun motif pour s'en prendre à un homme de ce niveau-là.

Il tuait pour pas grand-chose, par pure méchanceté. Un jour, il a dit à un jeune, à Giuseppe Madonia[2] : « A mon avis, toi, tu n'es pas capable de tuer un carabinier. » Et ils sont partis en voiture à la recherche d'un uniforme de carabinier ; par chance, ils n'en ont pas trouvé. Cet épisode m'a été raconté par le père de Madonia, tout effrayé rien que d'y repenser. Son fils était encore un gamin, inexpérimenté et influençable.

Après l'arrestation de Pippo, Liggio est parti à Milan et il s'est mis à organiser des enlèvements. Il avait besoin d'argent, et il a même fait de la revente de drogue avec Nello Pernice. Il n'a pas complètement rompu les ponts

1. Au début des années quatre-vingt, dans l'incrédulité générale, il avait été le premier à révéler l'existence de la mafia à Catane. *(N.d.T.)*

2. À quarante-cinq ans, il est considéré aujourd'hui comme l' « étoile montante » de Cosa Nostra et présenté par la presse comme le n° 3 (ou le n° 2, selon les sources). Arrêté en septembre 1992 dans une villa de Vicence, en Vénétie, où il se cachait depuis sept ans. Il aurait participé au recyclage de l'argent sale en prêtant des capitaux à nombre d'industriels de la région. *(N.d.T.)*

avec Catane. Francesco Madonia m'a raconté que de temps en temps Liggio venait à Catane, mais je ne l'ai plus rencontré, sauf en une seule occasion.

Il est venu me trouver à la station-service avec Nello Pernice pour me tenir des propos très bizarres. Il m'a dit qu'il était au courant de mon amitié étroite avec les Costanzo et qu'il savait aussi que ces derniers retiraient périodiquement des banques cent à deux cents millions de lires pour la paie des ouvriers. Les sommes en liquide étaient transportées jusqu'aux bureaux de l'entreprise sous l'escorte des carabiniers. Liggio m'a demandé de m'adresser aux Costanzo pour m'informer de la date et de l'heure des retraits, pour pouvoir faire tranquillement une attaque à main armée. Au cas où les hommes de l'escorte feraient usage de leurs armes, il n'y aurait pas de problème. Les attaquants riposteraient d'une manière plus qu'adéquate, et les Costanzo n'y perdraient rien, puisque le transport des valeurs se faisait sous la responsabilité des banques.

C'étaient des propos bizarres, c'était même un peu de la provocation. Liggio prétendait s'en prendre à des personnes protégées par moi, mes amis, et qui plus est, en considérant comme une chose acquise l'autorisation d'opérer sur un territoire qui relevait de ma compétence.

A cette même occasion, j'ai noté un autre élément insolite dans le comportement de Liggio. Il ne me disait plus « tu », comme par le passé, mais « vous ». Je lui ai demandé pourquoi et il m'a répondu que c'était parce que je n'avais pas souscrit à sa demande de ne pas désigner d'avocat pour la défense de mon frère au « procès des cent quatorze ». Lui aussi était inculpé dans ce procès ; il n'avait pas nommé de défenseur, en signe de protestation, prétendant que tous les autres accusés devaient suivre son exemple. Je me suis justifié en rétorquant que je ne m'étais pas senti le cœur de laisser Pippo sans défense, mais il a continué à me dire vous. Quand ensuite je lui ai dit avec détermination que je ne ferai rien pour lui permettre d'effectuer cette attaque à main armée, il s'est levé d'un bond et il est parti. Ç'a été la dernière fois que je l'ai vu.

Le comportement de Liggio m'avait préoccupé. J'en ai parlé avec Francesco Madonia et je suis allé au parloir discuter avec Pippo de ce qui s'était passé. Nous avons convenu tous les deux que ce que Liggio demandait était tellement inacceptable qu'il devait y avoir une autre raison. Un peu après, Pippo a hoché la tête et a conclu : « C'est sûrement un prétexte pour couper les relations avec nous, étant donné qu'on l'a aidé et qu'il a donc contracté des obligations envers les Calderone. Tout le monde le sait que Liggio fait comme ça. Il se met contre les gens qui l'aident parce qu'il ne veut pas avoir d'obligation de reconnaissance envers personne. Il s'est comporté de la même manière avec Gaetano Badalamenti qui l'a caché pendant longtemps. »

Le ressentiment de Liggio à l'égard de Badalamenti (et de nombreuses familles palermitaines qui étaient ses alliées) était en fait fondé sur autre chose ; il était d'ailleurs partagé par les autres Corléonais. Badalamenti était accusé de s'être enrichi avec la drogue, au moment où beaucoup de familles se trouvaient dans de sérieuses difficultés financières et où beaucoup d'hommes d'honneur en étaient presque à avoir faim.

9.

Pendant que Liggio était à Catane, il avait reçu la visite de deux chefs de Cosa Nostra de Palerme, Salvatore Greco « Cicchiteddu » et Tommaso Buscetta, qui devaient discuter avec lui d'une question extrêmement importante : la participation de la mafia à un coup d'État, le fameux « golpe Borghese » de 1970. Pour recevoir ces invités, Liggio s'était déplacé jusque dans le centre ville, dans la maison de Pippo sur la via Etnea, où j'habitais moi aussi. J'ai donc pu assister à leur arrivée. Mon frère les attendait au balcon, et à un moment, il est revenu dans la pièce en disant : « Ils arrivent. Il y a Masino[1] avec eux. »

Liggio a explosé : « Mais qu'est-ce qu'il fabrique, Totò, à venir ici avec ce sans-honneur ? Au lieu de lui tirer deux balles dans la tête, le voilà qui se balade avec lui. » Pippo était en train de descendre les escaliers pour aller à leur rencontre et il n'avait pas entendu le commentaire de Liggio. Mais moi, je lui ai demandé pourquoi il était aussi remonté contre Buscetta. Il m'a répondu que, dans son passé, il avait eu des putains, mais il s'est repris aussitôt parce que les invités entraient dans la pièce et il a salué Tommaso Buscetta avec cordialité.

La conversation est venue tout de suite sur le prince Junio Valerio Borghese. Son nom ne m'était pas totale-

---

1. Diminutif de « Tommasino », lui-même diminutif de « Tommaso ». (N.d.T.)

ment inconnu. Il me semblait que c'était le commandant des MAS[1], ou des NAS, ou quelque chose de ce genre. Il faut me pardonner. J'ai toujours été un peu ignorant, et si j'ai appris quelque chose, c'est en lisant le journal tous les jours, et beaucoup en faisant la *Settimana enigmastica*[2].

Je ne savais pas ce que c'était que ces MAS. Je les avais vus cités dans la *Settimana enigmastica*. Quand j'ai entendu parler pour la première fois du prince Borghese et des MAS, ça ne m'a fait aucune impression particulière. J'ai juste pensé aux MAS des mots croisés.

Il s'agissait, en gros, de participer à un coup d'État militaire qui serait parti de Rome pour s'étendre ensuite au reste du pays. Le rôle de la mafia aurait consisté à prendre part aux opérations en Sicile. Au moment fixé, les mafiosi devraient accompagner dans les différentes préfectures de la Sicile un personnage qui prendrait la place du préfet. L'intermédiaire avec les conjurés était un mafieux de Palerme que je connaissais, un certain Carlo Morana, un type un peu dingue, un ami de Di Cristina.

On a discuté longtemps. Les opinions étaient controversées. Greco et Buscetta sont restés chez mon frère pendant une vingtaine de jours, à discuter avec Liggio — qui n'avait pas d'objections particulières à participer à un coup d'État — et avec d'autres chefs de la mafia. On faisait beaucoup de réunions, mais pas trop non plus. Il y avait les championnats du monde de football et beaucoup de mafieux tenaient à ne pas rater les matchs.

En contrepartie de son aide, les conjurés proposaient à la mafia la révision d'un certain nombre de procès déjà prévus, dont celui des Rimi d'Alcamo et celui de Liggio pour le meurtre du Dr Navarra de Corleone[3]. Mais la méfiance restait grande, parce que les promoteurs du

1. Unité d'élite de la Marine italienne. La « Decima MAS » (10e section des MAS), commandée par Valerio Borghese, était chargée, durant la période troublée qui a suivi le débarquement allié en Sicile, des exécutions sommaires de partisans. *(N.d.T.)*

2. Hebdomadaire de mots croisés. *(N.d.T.)*

3. Liggio avait définitivement assis son pouvoir en tuant en 1958 celui dont il avait été le « lieutenant », le Dr Michele Navarra, médecin de Corleone et tout-puissant chef de la mafia dans cette ville. *(N.d.T.)*

coup d'État étaient des fascistes et qu'il y avait le précédent du préfet Mori. « On va les aider à prendre le pouvoir et après ils vont tous nous arrêter, maintenant qu'ils savent qui on est », pensaient un certain nombre de chefs mafieux. D'autres proposaient de demander la révision de tous les procès de la mafia, une sorte d'aministie générale.

On a décidé en conclusion qu'on adhérerait à ce fameux coup d'État, mais comme ça, sans vraiment s'engager. Un peu comme pour leur faire une bonne farce.

Pippo est allé à Rome rencontrer le prince. Il a été pris en charge dans un endroit convenu, sur les bords du Tibre, par un homme qui avait comme signe de reconnaissance un sac noir et le *Messagero*. Cet homme lui a demandé s'il était « Pippo de Catane » et il l'a accompagné auprès de Valerio Borghese. Ce dernier a dit à mon frère qu'il voulait des hommes pour occuper les préfectures siciliennes et imposer de nouveaux préfets. Si quelqu'un voulait résister, les mafiosi — qui porteraient pour l'occasion un brassard de reconnaissance — devraient l'arrêter aussitôt.

Pippo a écouté patiemment l'exposition du plan mais quand le prince en est venu à parler des arrestations, il a eu un sursaut : « Arrêter qui ? Nous, la mafia, nous mettre à faire des arrestations ? Attention, nous, le travail de police, on ne fait pas ça ! On n'arrête personne, nous, a dit mon frère, scandalisé. S'il faut tuer quelqu'un, d'accord, on le tue. Mais des services de police, nous, on n'en fait pas. »

Valerio Borghese a été d'accord pour que les hommes d'honneur ne fassent pas d'arrestations. Ils appuieraient les actions de force qui étaient nécessaires, en épaulant les jeunes fascistes de Catane, de Palerme et d'autres villes, qui savaient déjà ce qu'ils avaient à faire. A Rome, il fallait occuper la RAI [la radio-télévision nationale italienne (*N.d.T.*)] et le ministère de l'Intérieur. De là, on transmettrait les ordres aux préfets.

Ensuite, il a promis la révision des procès. Et Pippo :

« Cher prince, nous sommes d'accord. Mais est-ce que vous n'allez pas ensuite nous jouer un mauvais tour et nous refaire le coup de Mussolini avec le préfet Mori ?

— Non, non, soyez tranquilles. Si vous nous aidez, nous ne vous causerons pas de tort. Nous respecterons les engagements. Mais vous devez comprendre que si après, quand nous serons au gouvernement, il y a des meurtres, la magistrature et la police ne resteront pas les bras croisés. Elles devront suivre leur cours.

— C'est logique. On ne peut pas demander à faire des meurtres et à rester impunis. Non. L'accord, c'est de regarder toutes ces choses-là d'un autre œil. »

Mais c'était l'affaire tout entière qui, en réalité, ne convainquait personne. Liggio et les autres s'étaient déclarés d'accord, ou ils faisaient semblant. Beaucoup d'autres n'étaient pas d'accord, et ils l'avaient dit. Pour moi, la mafia tentait un coup de bluff pour obtenir des appuis, dans le but de faire sortir des gens de prison ou d' « arranger » quelques procès.

Si on raisonne un peu, il fallait dire oui aux organisateurs du coup d'État. S'ils l'avaient fait avec notre aide et qu'ils aient gagné, on pouvait espérer des choses. S'ils avaient gagné sans nous, ils nous auraient certainement combattus. Ils nous auraient tous renvoyés dans l'Ile, comme pendant le fascisme. On aurait disparu. Il fallait donc leur dire qu'on était avec eux. Mais sans leur donner aucune liste. Parce qu'eux, ils voulaient — imaginez un peu ça ! — une liste, un répertoire de tous les mafieux. Pippo leur a dit que nous disposions de deux mille hommes et que les listes, il n'était pas question d'en parler.

Au moment opportun, on aurait dit aux conjurés de s'adresser à une personne donnée dans une ville donnée, dans un quartier donné, et ils n'auraient connu que l'identité de cette personne-là. Ensuite, une fois les choses faites, on leur aurait recommandé ou déconseillé les personnes à récompenser ou à désigner pour les nouveaux postes. Mais pas question de listes. On n'était quand même pas idiots. Et si les fascistes, après, avaient pris tous ces noms pour mieux nous envoyer au diable ?

Finalement, rien ne s'est fait. Ils nous avaient dit qu'ils voulaient qu'un certain jour X l'un de nous soit à Rome avec une poignée d'hommes. C'est Natale Rimi qui y est allé. On leur a donné des mitraillettes, et pendant la nuit, ils ont entendu des coups de feu. Rimi devait rentrer à Catane le lendemain matin en avion pour nous dire ce qu'on devait faire, si on devait envoyer d'autres hommes, etc. Pippo est allé le chercher à l'aéroport et Rimi lui a dit que rien ne s'était fait.

Un peu plus tard, on a appris qu'un général des carabiniers de Naples avait fait marche arrière. Mais nous, on a toujours eu pas mal de doutes, comme je vous l'ai dit, sur le sérieux de toute cette histoire. L'année suivante, au « procès des cent quatorze » qui a eu lieu à Palerme, on a vu surgir une lettre anonyme qui décrivait le déroulement de toute l'affaire.

Un épisode étrange lié au coup d'État manqué est arrivé, toujours en 1971, à mon frère. Il a été arrêté à Catane et transféré à Palerme, où il a été gardé pendant deux jours dans une caserne de carabiniers. Le premier à l'interroger a été le capitaine Russo, celui qui a été tué ensuite en 1977[1]. Russo lui a demandé :

« Mais dites-moi, vous, comment est-ce qu'on vous appelle ?

— Comment ça, comment on m'appelle ?

— Votre famille, vos amis, comment ils vous appellent ?

— Ils m'appellent Pippo.

— Ça y est ! C'est lui ! C'est Pippo de Catane ! a crié le capitaine, qui s'est levé et a couru chercher le commandant. C'est lui ! C'est lui ! »

Mon frère était déconcerté. « Il est fou, ce type. Fou à lier. Mais qui c'est ce type ? (Le capitaine Russo était en

1. Voir plus loin, chap. 22. (N.d.T.)

civil). Je lui dis comment je m'appelle et vous avez vu comment il s'est mis à crier. »

Après le dénouement heureux (pour la mafia) du grand procès de Catane et après l'exécution de Cavataio, Gaetano Badalamenti est devenu le personnage le plus puissant de Cosa Nostra. Un de ses premiers gestes a été d'organiser une série d'attentats en Sicile pour montrer à tout le monde que la mafia était revenue sur la scène plus forte qu'avant. « Il faut qu'on reprenne possession de la Sicile. Il faut qu'on se fasse entendre. Tous les carabiniers, il faut qu'on les rejette à la mer », avait l'habitude d'affirmer Badalamenti. Il fallait pour ça créer le désordre, le bordel, et tuer des juges, des hommes politiques, des journalistes.

Je ne sais pas s'il y a eu aussi des mouvements politiques impliqués dans ce plan de la mafia. Je sais que Francesco Madonia, de la famille de Resuttana, a été chargé de faire exploser au même moment une série de bombes dans différents services publics et de frapper quelques hommes en vue. Beaucoup de ces bombes n'ont pas explosé par suite d'une erreur dans leur préparation.

Une autre bombe a été apportée à Catane par Madonia lui-même et quelqu'un d'autre. L'engin a été remis à Pippo qui l'a fait cacher par mon cousin, lequel, à la requête de Luciano Liggio, l'a fait exploser au palais de justice, derrière la porte d'entrée de la Cour d'assises. Un procès pour vol à main armée était en train de s'y dérouler contre un certain Mirabello et d'autres, et l'attentat a été attribué à des complices extérieurs des voleurs. Mirabello a été condamné à perpétuité.

Les attentats contre des hommes publics ont eu plus de succès que les bombes. Je n'ai pas d'éléments plus précis, mais Pippo m'a dit que la disparition du journaliste Mauro De Mauro en 1970 et l'assassinat du procureur de la République de Palerme Pietro Scaglione l'année d'après rentraient dans cette stratégie de la mafia.

Ce début des années soixante-dix a été un moment de grande unité. Il n'y avait pas de frictions. Tano [diminutif de Gaetano *(N.d.T.)*] Badalamenti chouchoutait Luciano Liggio ; Riina et Provenzano commençaient à monter et ils s'inclinaient devant « Don Tano » comme s'il avait été leur père.

Il fallait tuer aussi le député Nicosia, le fasciste, et le président de la Région Sicile, le député Giuseppe D'Angelo. Nicosia n'a survécu que grâce à l'incompétence du tueur, l'éternel Damiano Caruso, qui n'a réussi qu'à le blesser, tandis que la vie du député D'Angelo a été sauvée par l'interdiction du chef de la famille du territoire concerné. D'Angelo a vraiment été en très grand danger d'être tué, parce que Cosa Nostra l'accusait d'avoir demandé haut et fort l'institution de la Commission antimafia après le massacre de Ciaculli. Pas mal d'années avaient passé depuis 1963, mais les dégâts causés par cette Commission duraient encore. Mais Giovanni Mongiovi, représentant de la province d'Enna dont dépendait Calascibetta, la commune natale de D'Angelo, s'est opposé au meurtre. Et certainement pas par peur des mesures de rétorsion.

10.

L e 14 décembre 1970, je me suis marié. Un peu tard, pour quelqu'un qui est né en Sicile : à trente-cinq ans. Je me suis marié à Catane, avec la fille qui travaillait à la Coopérative agricole et qui m'a suivi dans toutes les péripéties de ma vie bizarre. J'ai toujours essayé de ne rien lui dire de mon engagement dans la mafia, de la tenir en dehors des problèmes, des haines et de la peur. J'ai fait semblant, tant que ç'a été possible, de mener une vie normale, aisée et tranquille. J'ai fait la même chose avec mes enfants. Malgré ça, ils ont tout compris, parce qu'ils sont intelligents. Mais faire semblant, ça aide.

Les témoins de mon mariage ont été Francesco Cinardo et Gino Costanzo, qui a été aussi le témoin de Pippo à son mariage et le parrain de confirmation de son fils Salvatore. A cette époque-là, nos relations avec les Costanzo étaient plus suivies, également parce que l'entreprise de Pippo avait fait faillite et que lui et moi, on s'occupait des intérêts des Costanzo dans différents coins de la Sicile.

Le voyage de noces a été court. C'était juste avant Noël. On est allés d'abord à Naples, où Stefano Bontade et Stefano Giaconia ont organisé un beau banquet chez « Giuseppone a mare », à Mergellina. Ils nous avaient réservé — par l'intermédiaire d'un homme très proche de

Cosa Nostra, l'acteur Franco Franchi[1] — une chambre à l'albergo Massimo d'Azeglio à Rome, où nous nous sommes rendus tous ensemble, et on a fait de nouveau la fête dans un restaurant du centre historique.

Nous avons poursuivi ensuite vers Milan, où nous avons été invités à l'extérieur de la ville par Giuseppe Bono — le grand trafiquant de stupéfiants — et par Antonio Salomone. Pendant que nous étions là-bas, Pippo m'a téléphoné pour me dire que Salvatore Ferrera, qui était à Milan en même temps que nous, avait été blessé d'une balle à la tête. Je suis allé aussitôt le voir à l'hôpital. Ferrera m'a dit qu'un certain Arena lui avait tiré dessus pour une histoire de répartition du butin dans une vente de fourrures volées. Nous sommes rentrés ensuite à Catane — un peu à contrecœur pour ma femme.

Entre 1971 et 1973, j'ai presque été tout le temps à Palerme. Chaque semaine, j'allais voir Pippo à la prison de l'Ucciardone et je rencontrais plusieurs hommes d'honneur. Je fréquentais beaucoup un ami, Salvatore Rinella, qui m'avait été présenté quelques années auparavant par Francesco Di Noto, un responsable de la mafia palermitaine, de la famille de Corso dei Mille. J'avais procuré à Rinella et à son frère, par l'intermédiaire des Costanzo, un entrepôt de commerce du lait dans la zone de Catane, et ils m'en étaient restés reconnaissants.

On se voyait presque toutes les semaines, avec les Rinella ; on parlait de toutes sortes de choses, bien que Salvatore Rinella ne soit pas homme d'honneur. C'était une amitié sincère. Quand j'ai commencé ma cavale, en 1976, Rinella m'a hébergé dans une villa qu'il avait louée aux environs de Palerme, à Casteldaccia. Ça m'a fait beaucoup de peine quand j'ai lu dans les journaux, en 1987 — j'étais en France — la nouvelle de son assassinat.

Souvent, quand j'allais voir mon frère à la prison, il y avait aussi Gaetano Badalamenti, qui s'arrangeait pour

1. Acteur comique très populaire, qui jouait dans des navets parodiques destinés à un très large public. *(N.d.T.)*

que ses horaires coïncident avec ceux de Pippo. Pendant ces entrevues, je donnais à Badalamenti les messages que Totò Riina lui envoyait, et vice versa. Un jour, Badalamenti m'a dit de transmettre à Riina qu'il fallait « mettre la cravate » à l'un des frères Silvestri. C'étaient quatre ou cinq frères qui n'étaient pas hommes d'honneur et qui avaient commis l'imprudence de se mettre mal avec Cosa Nostra : ils avaient frappé un homme d'honneur, à l'intérieur de l'Ucciardone. La bagarre n'était pas allée plus loin, parce qu'un affilié de la famille de Porta Nuova [un quartier de Palerme. *(N.d.T.)*] s'était interposé et avait séparé les adversaires. Mais le verdict était tombé aussitôt : la mort.

Pendant cette période, je rencontrais souvent Riina, et c'est là qu'il m'a raconté comment ils avaient organisé l'enlèvement Cassina. Les enlèvements étaient à l'ordre du jour à ce moment-là, à Palerme. Un jour, les frères Antonino et Gaetano Grado, hommes d'honneur de la famille de Stefano Bontade, m'ont parlé d'un autre enlèvement. On était au restaurant, et au moment où j'étais en train de dire du bien de Pippo Gambino, un ami inséparable de Totò Riina, j'ai été contredit par Gaetano Grado, qui m'a dit que Gambino avait tenté, avec son frère à lui, Salvatore Grado, de séquestrer quelqu'un dans le centre de Palerme, du côté de la via Ruggero Settimo. Comme la victime avait osé réagir, Pippo Gambino lui avait tiré dessus et il l'avait tuée.

Totò Riina m'a proposé aussi (toujours au début des années soixante-dix) d'investir avec lui dans le trafic de drogue. Riina et son groupe en étaient au début de cette activité. Ils n'avaient pas assez de capitaux. Comme ils n'avaient pas encore touché la rançon de l'enlèvement Cassina, Totò m'a demandé d'engager la somme la plus grosse que je pouvais rassembler dans la famille de Catane. Après avoir consulté mon frère, j'ai rassemblé cinq millions de lires. Bino Provenzano a participé pour trois millions mais il a dû se les faire prêter par Nitto Santapaola parce qu'il n'avait pas d'argent. Nitto a remis cette somme à Bino en ma présence, à Palerme, dans un magasin d'antiquités tenu par un petit type grassouillet du nom de Enea.

J'ai attendu pas mal de temps, mais les profits de mon investissement tardaient à se montrer. Je me suis d'abord informé auprès de Pippo Gambino de ce qu'était devenu mon argent, il m'a répondu qu'il n'en avait aucune idée et il m'a suggéré d'en parler directement avec Totò Riina.

J'ai demandé à Riina ce qui s'était passé et il s'est excusé, en me disant qu'il y avait eu des problèmes à cause de la mauvaise qualité de la drogue et qu'il avait donc été obligé de la vendre à un prix inférieur. Une fois les comptes faits, il était arrivé à récupérer pour moi quatre millions et demi. Il ajoutait à cette somme cinq cent mille lires — de sa poche, selon ses dires — puisqu'il ne m'avait pas encore fait de cadeau de mariage. En définitive, j'avais récolté exactement ce que j'avais avancé.

Je n'ai pas cru un mot des explications de Riina. En réalité, il avait voulu me punir, parce que j'avais raconté à Pippo, malgré son interdiction, ce qu'il m'avait confié à propos de l'enlèvement Cassina et du trafic de drogue mis sur pied par Badalamenti à son insu. Mais les choses ne s'étaient pas passées comme ça. Riina m'avait autorisé à parler avec Pippo de l'enlèvement Cassina mais pas du commerce de stupéfiants, que Badalamenti avait commencé à faire tout seul, à l'insu des autres chefs de la mafia, qui traversaient à l'époque de graves difficultés économiques.

Vous pourriez me demander maintenant comment Riina en était venu à connaître l'activité secrète de Badalamenti, et pourquoi Badalamenti l'avait gardée secrète. Le fait d'entamer une quelconque activité illicite sans en informer au moins les membres de sa propre famille n'était-il pas contraire aux règles de Cosa Nostra ? Ou bien la règle n'était-elle valable que pour les soldats et pour les chefs de dizaine, tandis que les chefs de famille, eux, pouvaient faire ce qu'ils voulaient ?

Pas facile de répondre à ces questions. Cosa Nostra est faite de règles, mais ensuite il y a les cas concrets, avec toutes leurs nuances et leurs complications. Et il y a aussi ceux qui se servent des règles. Et il y a les exceptions et les abus. Ceux qui sont tolérés, ceux qui sont étalés, et ceux qui sont punis. Ce qui se passe en fait, c'est que beaucoup de chefs de la mafia croient pouvoir se permettre certains abus. Ils considèrent que c'est un signe de puissance. Liggio, Riina, les Corléonais ont été les maîtres en matière d'abus. Et d'embrouilles.

Gaetano Badalamenti aurait dû faire savoir, au moins à ses pairs, qu'il avait commencé à se lancer dans le commerce de la drogue. Ça, c'était selon les règles de Cosa Nostra. Et il aurait dû, ensuite, selon les règles de la courtoisie, inviter d'autres chefs de famille à s'associer avec lui. Mais il ne l'avait pas fait. Alors quoi ?

Il aurait pu se justifier en disant qu'il ne s'agissait pas d'une règle fixe et que, puisque dans les affaires licites des hommes d'honneur la plus grande liberté régnait, le même principe devait s'appliquer aux activités illicites qui ne portaient pas préjudice à la sécurité de la famille. Ou bien il aurait pu rappeler la pratique interne de Cosa Nostra, qui est de ne pas parler des affaires de drogue, parce que, dès qu'on en parle, tous veulent en avoir leur part. Ou bien il aurait pu soulever la question du territoire, en disant que son rôle, c'était d'exporter de grandes quantités d'héroïne aux États-Unis et que dès l'instant où cette activité se faisait à l'aéroport de Punta Raisi[1], inclus dans le territoire de Cinisi — le sien —, il n'avait aucune obligation d'informer qui que ce soit.

Mais qui avait dit à Totò Riina que Badalamenti était en train de s'enrichir de cette manière-là, en catimini ? Mes soupçons se tournaient vers Domenico Coppola, parent du fameux Frank Coppola, dit « Trois doigts », et frère du père Agostino, de la famille de Partinico, amis intimes de Badalamenti mais très liés également à Totò Riina.

Je me souvenais en effet qu'un jour Totò Riina était passé à ma station-service et m'avait demandé de bien

1. Dont il a d'ailleurs longtemps été directeur. Il a été arrêté en 1986 en Espagne. *(N.d.T.)*

vouloir aller chercher Domenico Coppola et Nello Pernice à l'aéroport de Catane. Je l'ai fait et j'ai organisé aussitôt après un déjeuner dans la maison de campagne de mon frère, à Monterosso Etneo. Plusieurs hommes d'honneur sont arrivés, parmi lesquels, naturellement, Totò Riina.

Pendant le repas, je me suis aperçu à plusieurs détails que ce n'était pas un hasard si la rencontre entre Riina et les autres avait lieu justement à Catane. Il s'agissait en réalité d'une sorte de réunion ou de rencontre préparée dans le but d'échanger des informations importantes, loin de Palerme. Domenico Coppola a commencé par se féliciter avec ceux qui étaient là de la conclusion heureuse du massacre de viale Lazio et il a réprouvé une déclaration d'Antonio Minore, chef de la mafia de Trapani, qui, se trouvant aux États-Unis, avait condamné l'action contre Cavataio en disant que ça n'avait pas été juste de le tuer puisque les Palermitains avaient fait croire à tout le monde qu'ils voulaient faire la paix avec lui. Minore était aux USA parce qu'il s'était enfui de Sommariva Bosco, en Ligurie [1], où il était en relégation surveillée, grâce à un passeport que lui avait fait obtenir le député social-démocrate Lupis.

Le déjeuner a duré longtemps ; à un moment donné, Coppola et Riina sont allés dans une autre pièce et ont discuté pendant pas mal de temps. Quand Badalamenti a eu vent ensuite de cette conversation entre eux deux, il est entré dans une grande colère contre Coppola ; il voulait même prendre des mesures contre lui.

Ça n'était pas la peine, finalement, de chercher qui avait raison et qui avait tort. Dès que Riina a appris, pour Badalamenti et la drogue, il s'est empressé de lui rendre la pareille. Il a commencé lui aussi à trafiquer sans rien dire à Badalamenti. La deuxième grande « guerre de mafia » est venue de ça, et de bien d'autres raisons encore.

Le pouvoir, par exemple. Ou plutôt le pouvoir absolu, qui a fait perdre la tête à Gaetano Badalamenti. A un

---

1. Province dont Gênes est la capitale. (N.d.T.)

moment donné, vers la fin de 1973, il s'est proclamé représentant de la province de Palerme et a désigné Luciano Liggio comme conseiller provincial et Stefano Bontade comme son vice-représentant. Il voulait écraser tout le monde, Badalamenti, avec ses grands discours, avec sa force. Et c'est les autres qui l'ont écrasé.

Est-ce que c'était possible, vraiment ? Est-ce que ça vous paraît une chose réaliste, sensée, que Luciano Liggio — un type qui n'ôtait son chapeau devant personne, même pas quand il entrait à l'église — s'incline devant Badalamenti, uniquement parce que Badalamenti s'était imposé (ou s'était fait nommer, peu importe) représentant provincial ?

Et en effet, à la première réunion qu'ils ont faite — vers le début de 1974, pour décider de rétablir le système de la commission provinciale formée des chefs de canton qui avait été en vigueur avant 1962 —, Liggio a laissé tomber et s'est dissocié de tout en disant : « C'est vous qui l'avez faite, cette commission. Eh bien, vous n'avez qu'à vous la garder ! Moi, je ne serai le second de personne. » Et c'est là que les ennuis ont commencé.

Il n'y avait pas besoin, d'ailleurs, de cet incident pour comprendre comment Liggio considérait les pactes, les règles et les usages du monde de Cosa Nostra. Je vous ai déjà raconté l'épisode de son projet d'attaque à main armée contre les Costanzo. Écoutez ça maintenant.

Entre la fin de 1972 et le début de 1973, pendant l'incarcération de Pippo, mon cousin Salvatore Marchese m'a raconté que Calogero Conti, le vice-représentant de la famille de Catane, lui avait demandé, pour le compte de Liggio, de trouver dans le coin quelqu'un de friqué à enlever. Le choix s'était porté sur deux noms : l'éditeur Ciancio, propriétaire du journal *La Sicilia*, et Pavia, le commerçant en tissus. Marchese m'a dit aussi qu'il s'était décidé pour Pavia parce qu'il était arrivé, grâce à un employé, à connaître les horaires d'entrée et de sortie du propriétaire du magasin. L'employé avait même présenté à Marchese ce Pavia en question, et ses habitudes étaient étudiées, grâce à des filatures et à des contrôles.

132

Du jamais vu. Pippo avait une fonction et un charisme bien supérieurs à ceux de Calogero Conti. L'enlèvement devait avoir lieu dans le centre de Catane, en plein sur notre territoire, et personne ne nous avait consultés. Il n'y avait pas eu la moindre discussion à l'intérieur de la famille ; tout était prêt maintenant pour l'exécution du plan.

J'ai fait des reproches à mon cousin sur cette incorrection à mon égard et à l'égard de mon frère. Il a essayé de se défendre en disant qu'à Catane, la division des territoires n'était pas aussi stricte ni contraignante qu'à Palerme ou ailleurs. C'était vrai, mais il ne pouvait pas ne pas savoir qu'un enlèvement était un acte trop voyant pour qu'on n'en discute pas au moins avec les responsables locaux de Cosa Nostra. Marchese m'a dit aussi qu'il s'était engagé à garder le secret et qu'il avait violé son engagement au nom de sa loyauté envers nous ; qu'il s'exposait ainsi à de graves représailles de la part des organisateurs de l'enlèvement. J'ai demandé aussi des explications à Calogero Conti, qui m'a fait une réponse de même teneur.

J'ai obligé Marchese à me donner l'heure et le lieu prévus pour l'enlèvement et j'ai eu l'idée de me poster juste devant le magasin de Pavia. De l'autre côté de la rue, il y avait une boutique de vêtements où je pouvais entrer sous le prétexte d'acheter des choses pour Pippo. Quand je suis arrivé sur les lieux à l'heure dite, j'ai failli tomber sur Totò Riina et quelqu'un d'autre qui l'accompagnait (Gino Martello, ou Pippo Gambino, probablement). Du coin de l'œil, j'ai aperçu, à quelque distance de là, Nino Badalamenti et Nello Pernice, qui cherchaient à ne pas être vus par moi. Tous, les uns et les autres, ont fait semblant d'être là par hasard ; on s'est dit bonjour avec embarras et l'enlèvement a échoué.

Après ça, j'ai demandé à Calogero Conti comment il se faisait que l'enlèvement dont il m'avait parlé n'avait pas eu lieu ; il m'a répondu qu'étant donné que l'heure légale était entrée en vigueur, les conditions ambiantes avaient changé. Dans le lieu où la personne séquestrée devait être emmenée, il y aurait eu trop de lumière. C'était une réponse de circonstance, mais j'ai fait comme si je le croyais.

11.

Ces messieurs profitaient aussi du fait que Pippo était en prison. Je faisais ce que je pouvais pour gouverner la famille à sa place, pour faire sentir malgré tout sa présence, mais ça n'était pas la même chose. A propos de l'absence de Pippo, ça me rappelle un autre épisode, qui s'est passé vers 1971 ou 1972, quand Pippo était à l'Ucciardone. Un épisode curieux, amusant, dont je n'ai jamais parlé avant aujourd'hui, et qui concerne Franco Franchi. Comme je l'ai dit, Franchi était l'ami de beaucoup de mafiosi ; peut-être même qu'il a été fait homme d'honneur après 1978. C'était un ami intime de Stefano Bontade. Son homme de confiance à Rome — une sorte de chauffeur et de factotum qui s'appelait Gregorio — était un type de la famille de Santa Maria del Gesù [quartier de Palerme *(N.d.T.)*], c'est-à-dire qu'il appartenait à la dizaine romaine de cette famille, dont le chef était l' « oncle » Angelino.

Pippo et moi étions aussi des amis intimes de Franco Franchi, dont le vrai nom est Franco Benenato. Quand Franchi venait à Catane, c'était la fête. On était souvent ensemble. Pendant la période où Pippo était en prison, Franchi est venu à côté de Catane, à Acireale, pour tourner le *Le Filleul du Parrain,* une parodie du *Parrain.* J'étais là tous les soirs. J'ai toujours aimé le cinéma. J'étais l'ami d'un acteur important, je bavardais avec la troupe, j'assistais au tournage. Ma présence était très appréciée, on me demandait même si telle scène allait bien ou pas, si ça faisait assez rire.

Après le tournage, on allait à l'hôtel et on dînait ensemble. Franchi était du genre extraverti. Il aimait jouer du piano et chanter. Un soir, il a voulu venir chez moi et je l'ai présenté à ma femme, à ma belle-sœur et à mon neveu. Elles étaient contentes de faire la connaissance de quelqu'un d'aussi célèbre mais l'atmosphère était loin d'être joyeuse : ma belle-sœur avait son mari en prison. Franchi a deviné aussitôt la situation. Il s'est mis au diapason de l'état d'âme de cette jeune femme et de son fils. Il a chanté à mon neveu *Papà, quanto costa la libertà*[1]. Ce garçon de dix ans avait son père en prison. Il a été très ému, il lui est sorti deux grosses larmes et nous aussi on a été très émus. Il nous a tous fait pleurer. Après, pour nous remonter un peu le moral, il nous a chanté *Sono l'ultimo dei belli*[2], une chanson qu'il avait présentée au festival de San Remo.

Un homme sensible, un artiste. Quand il est parti de chez nous, ce soir-là, on s'est tous mis au balcon et on lui disait encore au revoir alors que la voiture s'éloignait déjà vers l'autoroute.

Quelques jours plus tard, le soir, après le tournage, Franchi m'a dit :

« Écoute, Nino, le film est en train de se terminer. Il va falloir qu'on s'en aille. J'ai besoin d'un service.

— De quoi est-ce que tu as besoin ?

— Il faudrait mettre le feu au camion où il y a les caméras. Les nouvelles caméras n'arriveront pas avant quinze ou vingt jours. Comme ça je peux rester encore ici sans rien faire. »

Franchi dormait à l'hôtel Maugeri à Acireale — un bon hôtel, avec beaucoup de personnel. Alors j'ai emmené avec moi deux jeunes pour faire le travail. Ce crétin de Nino Condorelli est allé là-bas pour examiner rapidement les lieux avant d'incendier la camionnette. Il est

1. « Papa, comme la liberté coûte cher. » *(N.d.T.)*
2. « Je suis le dernier des beaux gars. » *(N.d.T.)*

entré dans l'hôtel, il s'est montré dans le hall, habillé comme un crève-la-faim, avec sa tête d'étrangleur, et puis il est ressorti. Un serveur l'a remarqué et l'a suivi jusqu'au moment où Condorelli est arrivé à côté du camion. Pensant qu'il voulait le voler, le serveur a donné l'alarme. Mais Condorelli était un professionnel, ou du moins croyait l'être. Il a réussi quand même à brûler plus ou moins la camionnette et à abîmer le matériel avant de prendre la fuite.

Quoi qu'il en soit, comme il a bien fallu deux semaines pour que tout fonctionne à nouveau, et qu'à l'époque, les films étaient payés à la journée, Franchi s'est pris un peu de vacances aux frais de la société de production.

Autre soir mémorable : celui qu'on a passé pendant l'été 1973. Juste libéré de prison, Pippo venait de subir une vilaine opération. C'était la première fois qu'on sortait ensemble pour s'amuser après une longue période de revers. Franco Franchi se produisait à Enna et on est allés lui rendre visite.

Il y avait avec lui Minnie Minoprio, l'actrice. Le spectacle terminé, on est tous allés au restaurant. On a fait une sacrée fête. On est restés là toute la nuit. Franchi s'est saoulé et Pippo l'a suivi. Il s'est saoulé, lui qui ne buvait jamais ! Mais c'était une soirée particulière. Il avait échappé à une intervention difficile. On lui avait enlevé une tumeur à la gorge et il parlait à travers un appareil qui était posé contre son cou. Et il buvait, et il buvait, il buvait avec les autres. On aurait dit qu'il ne voulait plus s'arrêter, cette nuit-là. A un moment, Pippo a pris la chaussure de Minnie Minoprio et il a commencé à boire dedans. Il levait la chaussure en l'air au-dessus de la table, il la remplissait de vin ou de champagne et ensuite il buvait à la santé de cette femme. Elle était belle et gaie, Minnie Minoprio, et complètement fofolle. Je crois qu'elle ne se rendait pas compte de la situation. Elle ne savait pas avec qui elle était en train de trinquer. Ou peut-être qu'elle s'en doutait, et que c'est ça, justement, qui l'excitait.

Bien des années plus tard, après la mort de Pippo, alors

que je ne fréquentais plus personne, quelqu'un est venu me voir, un certain Romeo, qui savait que je connaissais Franco Franchi. C'était un responsable d'une chaîne de télévision privée de Catane, qui m'a demandé si je pouvais l'aider à obtenir un rendez-vous avec Franchi à Rome. Il voulait lui proposer un contrat pour un spot publicitaire.

J'ai téléphoné à Franchi :

« Ciao, Franco. C'est Nino, de Catane, le frère de...

— Ah oui, oui, dis-moi, qu'est-ce que je peux faire pour toi ?

— J'ai ici un ami qui voudrait te rencontrer pour te demander de faire un sketch pour sa télé.

— Écoute, je dois venir à Catane puisque, comme tu le sais, j'ai un rendez-vous avec des amis. » Il pensait que j'étais au courant de sa visite. Mais moi je n'en savais rien. Il pensait que j'étais encore dans les hautes sphères, dans le cercle des hommes d'honneur qui comptent, et que donc j'étais au courant.

« Je viens à Catane faire quelques petites choses avec les amis. Donc on va se voir. Tu seras sûrement là-bas avec eux. »

Je me suis renseigné auprès de Nitto Santapaola et d'autres, au sujet de cette visite de Franchi. Ils m'ont confirmé que c'était à l'occasion de la présentation du film *Paprika, chocolat et poivrons*, dirigé par le fils de Michele Greco, un homme d'honneur qui faisait du cinéma. Son père voulait, comme on dit, le lancer. Il aurait tout aussi bien pu le lancer du haut du balcon, tellement ce type était inutile. Il ne valait rien. C'était juste le fils de Michele Greco. Quoi qu'il en soit, je crois qu'il ne s'entendait pas avec son père. Il se donnait un tas d'airs de noblesse et il faisait des affaires avec des aristocrates de Palerme. Ils avaient une concession Honda devant l'immeuble de la chambre de commerce.

J'ai recommandé qu'on fasse se rencontrer Franchi et ce Romeo, et j'ai dit à Romeo d'aller dîner avec eux après la projection. Et que moi, je n'irais pas. Romeo s'est étonné et il m'a demandé comment il se faisait que je ne venais pas. Je n'ai pas répondu. Je ne pouvais pas répondre. Est-ce que je pouvais lui dire que depuis longtemps je ne sortais plus la nuit avec ces gens-là ? Est-ce que je pouvais lui dire que c'était trop dangereux, que j'avais peur qu'ils me tuent ?

Ils sont allés dans un restaurant très chic, « La Costa azzurra ». Il y avait Nitto Santapaola, « Cavadduzzu » et d'autres. La fine fleur de la mafia catanaise, quoi. Les vainqueurs.

12.

Dans les années soixante-dix, il y a eu beaucoup d'enlèvements, beaucoup de rackets et surtout de contrebande, énormément de contrebande. C'est pendant ces années-là que les mafiosi ont commencé à être à l'aise. Avant, on vivotait de petites activités licites. Chacun avait un métier, ou un magasin ou une petite entreprise, et le fait d'être mafieux aidait un peu dans les affaires. Dans les rapports avec les fournisseurs, avec les clients, et avec les concurrents. Mais rien de spécial. On n'avait pas de crédit auprès des banques. Les adjudications, c'étaient les gros entrepreneurs qui les emportaient, ceux qui avaient de bonnes relations politiques et ceux qui avaient de l'argent pour payer les fonctionnaires qui décidaient des adjudications. Le cas de mon frère, qui avait réussi à mettre sur pied une entreprise de bâtiment dès les années soixante, était une exception.

A Catane, en plus, même dans les années soixante-dix et après, les hommes d'honneur n'ont pas réussi à entrer par la grande porte dans le monde des adjudications. Il y avait déjà les *Cavalieri del Lavoro* [1] qui contrôlaient tout. Ils savaient très bien gérer leurs affaires. Ils étaient bien plus forts et bien plus malins que nous dans les questions

1. La presse désigne sous le terme de « Chevaliers du Travail » ou de « Chevaliers de Catane » les quatre principaux entrepreneurs en construction de cette ville (Rendo, Costanzo, Graci et Finocchiaro), qui auraient partie liée avec la mafia. La distinction honorifique de « Chevalier du Travail » est décernée par le président de la République. *(N.d.T.)*

d'argent. Les banques nous étaient hostiles. La société de Pippo a fait faillite justement parce qu'il était intervenu dans un conflit entre l'entreprise Costanzo et la Banca Nazionale del Lavoro, pour rendre un service au directeur du siège de Catane qui était un parent de Concetto Gallo, son associé. A partir de ce moment-là, tous les biens de mon frère ont été mis à mon nom, parce qu'après la faillite de Pippo, ses biens risquaient d'être confisqués. Mis à part ce détail de légalité, il n'y avait dans la pratique aucune distinction entre le patrimoine de Pippo et de sa famille, et le mien ou celui de ma famille. Et on a toujours tout fait ensemble, aussi bien dans le domaine licite que dans l'illicite.

C'est uniquement dans les années soixante-dix que les activités illicites ont augmenté au point que les mafiosi ont commencé à pouvoir en vivre. Ils étaient très peu nombreux, dans le passé, les hommes d'honneur très riches. A part les Greco et les Salvo, et les La Barbera, qui avaient commencé à s'enrichir dans la construction immobilière, la situation économique de la grande masse des mafieux était misérable. Imaginez : un mafioso à l'aise, c'était quelque chose de tellement rare que Nino Sorci — l'homme d'honneur qui était avec mon oncle en Tunisie et qui dormait dans les cimetières pour ne pas se faire tuer — était justement surnommé « Ninu u riccu » [« Nino le riche » *(N.d.T.)*].

Aujourd'hui, des riches, il y en a plein. Les Santapaola sont tous riches, et ça se voit. D'autres aussi sont riches mais ça ne se voit pas, parce qu'ils cachent leur argent. Ils ne veulent pas se faire remarquer par la police, et ils ont peur de cette loi qui permet de mettre leur argent et leurs propriétés sous séquestre[1]. J'ai lu il y a quelque temps dans le journal que chez la femme (ou la maîtresse) de

1. La loi La Torre (du nom du député communiste sicilien Pio La Torre, assassiné par la mafia aussitôt après, en 1982) permet la mise sous séquestre immédiate de tous les biens et le gel de tous les avoirs d'un individu, sur simple soupçon d'appartenance à une organisation mafieuse. Elle reste à ce jour l'instrument le plus efficace dont dispose l'État italien dans sa lutte contre la mafia. *(N.d.T.)*

Franco Ferrera, on a trouvé lors d'une perquisition cinq cents millions de lires en liquide. Ils étaient dans une commode. Eh bien, si on ne les avait pas trouvés, personne n'aurait jamais su qu'ils y étaient.

Ce qu'il y avait de plus gros dans les années soixante-dix, c'était la contrebande des cigarettes. Ça a commencé au début des années soixante-dix, et ça a énormément grossi en 1974-1975. Il y avait un accord entre les chefs de la Cosa Nostra de Sicile et les Napolitains — Zaza, Nuvoletta et d'autres — qui a fonctionné jusqu'en 1978. L'accord, c'était d'interdire la place de Naples à tous ceux de l'extérieur et d'établir des roulements et des quotas de participation.

Les roulements, c'était pour les bateaux. Un coup, c'était pour les Napolitains, un autre pour les Siciliens résidant à Naples, un autre encore pour Palerme et les autres. Tous les deux mois, je crois, il y avait un bateau qui descendait vers la Sicile. Son chargement de cigarettes était réparti entre les familles de Cosa Nostra. C'est-à-dire qu'il y avait mille à deux mille caisses pour Michele Greco, mille pour les Corléonais, deux mille qui allaient aux Bontade, mille à Di Cristina, etc. A chaque fois, c'étaient vingt à vingt-cinq mille caisses qui étaient réparties comme ça. Totò Inzerillo et Francesco Scaglione s'occupaient d'organiser le déchargement. Ils avaient des équipes qui faisaient ce travail-là. Ils faisaient aussi le comptage, et ils apportaient les décomptes à Gaetano Badalamenti, qui divisait ensuite entre tout le monde. Nous autres, on ne faisait rien. C'était très confortable, mais on ne gagnait pas des sommes énormes, pas comme avec la drogue.

On gagnait quand même pas mal : de l'ordre de dix à quinze millions tous les deux ou trois mois pour mille caisses de cigarettes. Mais on ne pouvait pas augmenter son quota au-delà d'une certaine limite — deux mille, deux mille cinq cents caisses environ — parce qu'il y avait un chargement maximum par bateau à chaque voyage, et chaque fois qu'on augmentait son propre quota, ça diminuait d'autant celui d'un autre. Et puis, Pippo n'avait rien d'un spéculateur. Son quota était de mille caisses, comme il convenait pour un chef important. Mais quand les dix millions de bénéfice arrivaient, deux ou trois s'en allaient tout de suite en cadeaux, en subsides pour les hommes de la famille qui étaient le plus dans le besoin.

Bien sûr, on pouvait aussi se prendre un bateau pour soi tout seul, et gagner beaucoup plus. Mais qui aurait eu tout ce capital à investir ? Et les risques ? Et les contacts qu'il fallait ? Les Napolitains contrôlaient le port et ils avaient les contacts à l'étranger, avec les fabricants de tabac et avec les capitaines et les équipages des bateaux de contrebandiers. Certains d'entre nous aussi, les Siciliens, avaient de bons contacts, mais de l'argent, il n'y en avait pas beaucoup. Néanmoins, des tentatives pour faire les choses sur une plus grande échelle, il y en a quand même eu quelques-unes.

Moi-même j'en ai fait une, en 1975. J'ai mis sur pied une équipe rien qu'à moi, qui fonctionnait à merveille et qui avait un bon rendement parce que toute la chose était bien pensée.

En ce temps-là, il y avait des associations qui se formaient entre des hommes d'honneur, même à l'intérieur d'une même famille. Et on se faisait même concurrence. Nitto Santapaola, mon frère et Francesco Mangion, par exemple, étaient associés dans une autre entreprise de contrebande. Voilà comment la mienne était organisée. J'avais pris des hommes d'honneur très jeunes, mais très éveillés et pleins de bonne volonté, qui travaillaient dur et qui n'avaient pas trop de prétentions. Les frais étaient quasi nuls. Je n'avais rien à avancer, parce que la marchandise, c'était Giovanni Bontade qui me l'avançait, en confiance. Le prix était de cent mille lires la caisse, que je revendais à cent soixante, cent soixante-dix mille lires.

Sur la place de Catane, mes hommes s'en sortaient bien, avec les ventes. On gagnait soixante à soixante-dix mille lires par caisse. Ça voulait dire cent vingt à cent quarante millions pour deux mille caisses. On déduisait vingt millions pour les frais et on avait cent à cent vingt millions de bénéfice net, à partager entre dix personnes.

143

Dix millions chacun, en 1975, il n'y avait vraiment pas de quoi cracher dessus !

Le premier travail a été exécuté dans les règles de l'art. Le paiement a été fait ponctuellement et notre crédit auprès du fournisseur s'est accru. Sans capitaux et avec des frais minimes, j'avais réussi à faire arriver les cigarettes jusqu'à Catane en gagnant dessus un beau paquet de fric ! On a investi tous nos gains dans un deuxième chargement mais il y a eu un imprévu qui a tout gâché. Pour expliquer ce qui a accroché, il faut que je vous parle d'un autre problème. Rien de particulier. Juste le problème habituel dans les affaires de Cosa Nostra.

Nitto était jaloux de ce qu'on gagnait. Il n'arrêtait pas de me critiquer. Il se plaignait auprès de Pippo parce que ses hommes n'arrivaient pas à soutenir la concurrence avec nous. Pour qu'il se plaigne le moins possible, j'avais pris avec moi comme associé son frère aîné. Le résultat a été que les deux frères ont commencé à se disputer méchamment. Dans les points de vente, mon vendeur et le sien se rencontraient et ils comparaient les prix :

« Combien vous avez gagné, vous, par caisse ?

— Soixante-dix mille lires.

— Et pourquoi nous, on a gagné seulement quarante mille lires ? »

Il était évident que quelque part, il y avait quelque chose qui n'allait pas.

Moi je savais très bien pourquoi ça ne fonctionnait pas. Francesco Mangion, le chef d'équipe, dépensait de l'argent à la pelle pour ses déplacements. Il s'en allait deux ou trois mois en Grèce, à jouer les grands seigneurs, pour contacter les capitaines et trouver ces épaves, ces vraies « charrettes » que sont les bateaux qui font le transport des marchandises de contrebande. Il gaspillait sans compter, et il mettait tout sur le compte de l'équipe. Ou bien il s'en allait directement à Rotterdam ou à Bruxelles, chez les représentants des fabriques de cigarettes, et il achetait à quatre-vingt-dix mille lires la caisse. Il y allait avec d'autres, pour préparer le travail. Ils restaient même quelquefois deux mois dans les meilleurs hôtels. Ils menaient la belle vie. Ils allaient dans les meilleurs restaurants, ils s'achetaient les vêtements les plus chers et c'était l'entreprise qui payait tout. Ils ramenaient souvent des notes de frais énormes. Et c'est comme ça qu'une caisse leur revenait à cent vingt mille lires au lieu de quatre-vingt-cinq, quatre-vingt-quinze mille.

Moi, par contre, j'allais à Palerme et je demandais : « Giovanni, à quelle heure arrive le navire ? — Il arrive tel jour. Envoie le bateau à tel endroit. » On avait acheté un petit bateau de pêche pour douze à quinze millions. C'était là tout notre capital fixe. Mes frais consistaient à aller à Palerme, à parler avec Giovanni Bontade et à revenir. Ensuite, on prenait des hommes pour le bateau de pêche : un capitaine, surnommé « Nick u capitanu », un second et quelques autres pour qu'ils fassent semblant de pêcher à l'endroit convenu en attendant que l'autre bateau arrive. Il y avait encore d'autres petits frais pour entreposer les caisses, mais aucune dépense inutile.

Au deuxième voyage, notre bateau de pêche a pris feu. Il était en train de rentrer sur Catane avec le chargement dans la cale au moment où, d'après le capitaine, une bonbonne de gaz est tombée de son étagère pendant qu'ils faisaient la cuisine, et elle a mis le feu à toute l'embarcation. Les forces navales de l'OTAN, qui faisaient des exercices dans le coin, sont venues à leur secours et les ont remorqués jusqu'à Syracuse, où le capitaine et son second ont été arrêtés pour contrebande. J'ai toujours soupçonné que l'incendie avait été provoqué par le capitaine. Peut-être qu'on l'avait payé pour qu'il mette le feu.

On n'y a rien perdu, puisque ce deuxième voyage, on l'avait financé avec les bénéfices du premier, mais à partir de ce moment-là, j'ai arrêté d'organiser des opérations de contrebande.

J'ai fait aussi plusieurs voyages à Naples pour m'occuper de certains aspects logistiques de la contrebande communs à toutes les familles siciliennes. Pendant un de mes séjours à Naples, Giovanni Bontade, dit « l'avocat », le frère et le rival de Stefano, m'a confié qu'il venait de commettre un double meurtre. Il était entré en conflit avec deux contrebandiers du Nord, ou qui travaillaient dans le Nord. L'un d'eux, à l'étranger, pendant une dispute pour des motifs liés aux affaires, avait commis l'imprudence de porter la main sur lui, en l'attrapant par la cravate.

Pour se venger, Bontade avait attendu l'occasion de la venue à Naples de ces deux-là. Il avait chargé un homme d'honneur palermitain de les faire venir sous un prétexte quelconque chez Peppe Sciorio, à Giugliano [1]. Il les avait étranglés avec l'aide de ce Palermitain et du maître de maison lui-même. Ils avaient presque certainement eu l'aide d'autres personnes parce qu'un étranglement, ça n'est pas une opération facile. C'est laborieux, et ça demande beaucoup de force.

Je me souviens que Giovanni Bontade réprouvait le comportement de Sciorio — un homme pour lequel son frère Stefano avait une grande considération — parce qu'après la chose, il était resté bouleversé. C'est Bontade lui-même qui avait porté les cadavres dans le domaine de Marano, appartenant aux Nuvoletta [2], lesquels furent bien contents de les faire disparaître.

L'accord entre les Siciliens et les Napolitains pour la gestion de la contrebande des cigarettes n'a pas duré longtemps, de toute façon. Il s'était créé trop de différends. Il était devenu impossible de vérifier que tout le monde respectait les engagements. Les Napolitains, comme d'habitude, faisaient les malins. Chaque fois que c'était leur tour, ils essayaient de décharger bien plus de caisses que ce qui était convenu. On était en 1979, et il y avait aussi la drogue qui attirait les hommes d'honneur les plus puissants.

1. Dans la banlieue nord de Naples. *(N.d.T.)*
2. Aujourd'hui l'une des plus puissantes familles de la Camorra napolitaine. *(N.d.T.)*

13.

L e rôle de mon frère comme artisan de la paix à l'intérieur de Cosa Nostra a commencé en 1973-1974. Le « procès des cent quatorze » était terminé. La régence de Riina a été remplacée par les organes ordinaires de Cosa Nostra, même si le pouvoir écrasant de Gaetano Badalamenti, qui s'était instauré représentant provincial de Palerme, était une préoccupation pour beaucoup. Liggio, comme je l'ai dit, a tout de suite réagi ; il a déclaré ne pas être concerné par les décisions de la commission provinciale. La commission l'a remplacé dans sa charge de conseiller par Totò Riina et Bernardo Provenzano, qui devaient alterner tous les deux ans.

Le seul à avoir deviné quel feu couvait sous la cendre de la toute-puissance de Badalamenti et à quel point l'équilibre reconstitué à Cosa Nostra après Cavataio et le « procès des cent quatorze » était précaire, c'était mon frère Pippo. Il l'avait compris bien avant Di Cristina, et il n'arrêtait pas de m'en parler. Il se creusait la cervelle là-dessus. Petit à petit, un plan s'est formé dans sa tête.

C'était quelque chose de très audacieux, quelque chose de nouveau. Un système pour en finir avec les trahisons, les malentendus, les jalousies, les controverses, qui empoisonnaient les relations entre les hommes d'honneur et qui provoquaient tant de malheurs et tant de morts. Un moyen pour créer une paix permanente, pour éviter de faire couler le sang à chaque fois que quelqu'un pensait que quelqu'un d'autre se trompait.

Un soir d'hiver, très tard, Pippo m'a téléphoné à la maison en me demandant de venir tout de suite chez lui. Il devait à nouveau me parler de ses idées sur Cosa Nostra. Il m'a fait asseoir dans un fauteuil et il m'a entretenu pendant plusieurs heures, et c'est uniquement lui qui a parlé. Le point de départ de son raisonnement, c'était la vérité.

« Tu vois, Nino. A l'intérieur de Cosa Nostra, il y a le principe qu'entre hommes d'honneur il est obligatoire de se dire la vérité. Tu le sais très bien. On doit savoir qui a fait un meurtre ou un cambriolage, qui a ordonné de faire un enlèvement, qui protège qui. Sinon, c'est tout qui saute. Et alors arrivent des gens comme Cavataio, qui sèment la zizanie et qui nous font nous entre-tuer. Mais la vérité, elle n'est pas en noir et blanc. Il y a plein de situations compliquées, qui provoquent des discussions à n'en plus finir. Et il y a d'autres circonstances où la vérité est comme une pièce de monnaie, une face blanche et une face noire. Et puis, il y a les bouts de vérité qui peuvent brouiller les choses vraies, en te les faisant apparaître d'une autre manière.

« Les situations à l'intérieur des familles sont plus faciles à résoudre parce qu'il y a le représentant, il y a les conseillers, et tout le monde se connaît. On vit au même endroit, on travaille ensemble. On se contrôle les uns les autres sans s'en apercevoir. C'est plus difficile de cacher ou de brouiller les choses.

« Mais il y a plein de problèmes plus vastes qui surgissent à l'extérieur des familles, et personne ne sait comment les traiter. Il y a les violents, qui manipulent les règles comme bon leur semble, et qui vont faire des choses sur le territoire des autres. Ils te sortiront toujours une excuse. Ils enlèvent ou ils tuent quelqu'un pour leur propre compte, sans rien dire à personne. De toute façon, personne ne trouvera jamais la preuve que telle ou telle chose, c'est eux qui l'ont faite. Et si on la trouve, où va-t-on aller réclamer ? Qui décide qu'une famille a fait une erreur ? Personne. Bien sûr, si un tort à été causé à une famille, elle peut toujours réagir avec ses propres forces, avec ses propres hommes. Mais ça autorise l'autre famille à répondre, et les autres doivent rester là à regarder et à attendre pour savoir qui va gagner, ou bien essayer de ramener la paix une fois que le bordel a éclaté.

« Alors, pourquoi est-ce qu'on ne ferait pas une commission pour toute la Sicile, un endroit où on discute tous les problèmes dès qu'ils surgissent ou même avant ça encore ? Où on décide toutes les choses importantes, comme les meurtres et les appuis à donner pour les élections, où on punit celui qui fait une erreur et où on parle pour l'ensemble de Cosa Nostra au lieu de parler pour les éternels Greco, Liggio et autres de Palerme ? On a déjà essayé de la faire cette commission régionale, dans les années cinquante. Le représentant régional, c'était Don Andrea Fazio, de Trapani. Il faut la remettre sur pied, Nino. Et elle doit être plus forte qu'avant.

« Et pourquoi est-ce qu'on n'écrirait pas aussi une loi, des statuts de Cosa Nostra, que tout le monde doit respecter sans essayer de faire le malin et sans utiliser la force à chaque fois que la loi ne lui convient plus ? On ne fait pas de choses écrites, nous, je sais. Mais d'autres le font. On n'a pas besoin d'écrire des noms ou de faire des plans comme ce dingue de Cavataio. On a juste à écrire : les règles sont celles-là, et tout le monde s'engage à les respecter. »

Je l'ai regardé avec admiration. J'avais encore une fois la confirmation de la raison pour laquelle mon frère Pippo était si considéré, écouté et respecté par des hommes bien plus puissants que lui, des chefs de famille qui avaient des centaines d'hommes et qui ne possédaient pourtant pas son intelligence, sa capacité à voir loin. Son projet était séduisant, convaincant. Et c'était le seul qui pouvait nous sauver du désastre et des affrontements qui menaçaient.

Pendant les mois qui ont suivi, Pippo a consacré beaucoup de temps à la réalisation de ce projet. Tout au long de l'année 1974, il a parcouru la Sicile en long et en large. Il a obtenu le consentement des familles les plus en vue, et surtout des familles non palermitaines. La commission régionale a été créée en 1975, et les statuts aussi, qui ont été écrits de la main même de mon frère.

Les statuts, c'était un instrument pour mettre de l'ordre dans un panorama de plus en plus embrouillé. Ça servait pour les familles. Ça n'était pas un code de comportement pour le simple homme d'honneur. Le mafioso de Cosa Nostra sait déjà quelles sont les règles, il n'a pas besoin d'avoir des statuts. Il sait qu'il doit faire les choses comme il faut, qu'il doit être honnête, qu'il doit dire la vérité aux autres hommes d'honneur, être « irréprochable » et ne pas regarder les femmes des autres, et plein d'autres interdictions, qui sont plus nombreuses que les commandements. Ces règles sont très belles, mais elles sont utopiques. Un joli bibelot que tout le monde fait semblant d'admirer tout en trafiquant de la drogue, en tuant, en volant et en faisant ce que bon lui semble. Les mafiosi ont tout un tas de règles qu'en réalité ils n'arrêtent pas de violer.

Les statuts — et la commission régionale, évidemment — devaient régler le comportement des familles, empêcher qu'il y ait le bordel, la détérioration qui aurait amené un autre Cavataio, dans un sale moment de répression gouvernementale comme celui qu'on traversait dans les années soixante. Une des règles les plus importantes élaborées par Pippo était qu'il ne pouvait pas y avoir plus de deux frères dans une même famille, ou que deux frères ou deux apparentés par le sang ne pouvaient pas être ensemble au sommet d'une famille ou d'un organisme provincial. En se basant sur cette règle, Pippo et moi, nous serions devenus incompatibles, parce que lui était représentant de la province de Catane et moi vice-représentant.

Selon Pippo, cette règle était indispensable pour empêcher que le pouvoir ne se concentre dans les familles de sang. Cosa Nostra était en train de devenir, à son avis, une chose de plus en plus privée, une affaire de clans, d'intérêts limités qui se dresseraient les uns contre les autres, tôt ou tard.

« Tu te souviens comme je me suis mis en colère, ce

soir-là, il y a si longtemps, quand nous t'avons fait homme d'honneur, toi, Nitto et les autres ? Les " Cavadduzzu " ont intégré ce jour-là quatre de leurs jeunes, qui aujourd'hui sont devenus une vraie force, un danger qu'on ne peut presque pas contrôler. Quatre " Cavadduzzu " déjà en 1962. Et après, sont venus s'ajouter Turi et Nino Santapaola, et ils sont devenus six. Ensuite sont arrivés Pippo, Sebastiano et Aldo Ercolano : neuf ! Et pour finir, Vincenzo Santapaola : dix ! Un seul clan qui est presque aussi grand qu'une famille de la mafia ! Et qui se l'est presque entièrement grignotée, notre famille !

« Est-ce que je n'avais pas raison de ne pas vouloir trop de frères, trop de cousins et de parents proches dans la famille ? Ça finit toujours comme ça : c'est eux qui essaient de commander. C'est la force du sang, elle passe avant tout. Et elle ne raisonne pas, elle détruit tout ce qu'elle trouve devant elle.

« Si on met une loi selon laquelle un seul frère peut être au sommet et qu'il ne peut y avoir plus de deux frères dans la même famille, à partir de ce moment-là, on doit remplacer ceux qui se trouvent dans cette situation, ou bien on attend la fin de chacune de leur charge — à Palerme, c'est cinq ans — et on change peu à peu les hommes.

« Si on continue comme ça, on va reculer au lieu de progresser. Mais tu ne vois pas que ces ignorants de " Cavadduzzu " sont en train de faire la course à qui aura le plus de fils, comme les barbares du Moyen Âge ? Tu ne vois pas qu'un imbécile comme Salvatore Ferrera — ce type-là, tout le monde lui riait au nez — est devenu fort et respecté parce qu'il a eu quatre garçons ? Francesco, Natale, Pippo et Nino sont tous dans la pègre, et Pippo est dans les hautes sphères de la province. Qui c'était, Salvatore Ferrera, avant d'avoir tous ces fils ? C'était rien. »

Après la mort de Pippo, j'ai essayé en vain de retrouver ces statuts parmi ses papiers.

Les journaux l'ont appelée la « Coupole » ; pour nous c'était simplement la « Région » : un comité de six personnes, chacune d'elles représentant une province mafieuse de la Sicile (étaient donc exclues les provinces de Messine, de Syracuse et de Raguse[1]). Cet organisme devait se réunir une fois par mois dans une province différente. Pour augmenter le caractère secret, et pour montrer que toutes les provinces comptaient de la même manière. C'était faux, bien sûr. Les Palermitains ont toujours compté plus que tous les autres dans Cosa Nostra, et la famille Greco a toujours eu plus d'influence que les autres. Le pouvoir réel dans la mafia, ce sont les Greco qui l'ont eu pendant longtemps, indépendamment de qui était formellement le chef de la « Région ».

La commission régionale, l'organe qui coordonnait les familles de Cosa Nostra en Sicile, était bien distincte de la commission provinciale de Palerme. Il y a eu beaucoup de confusion entre les deux, parce que la province de Palerme, à la différence de toutes les autres, n'a pas eu — excepté la courte tentative de Badalamenti — de représentant provincial investi de grands pouvoirs sur les simples familles. Elle a eu une commission provinciale, avec un secrétaire, élu parmi les dix-huit chefs de canton de la province. Ce secrétaire était un coordonnateur, un mafieux comme les autres, pas un chef qui pouvait commander aux chefs de canton ou donner des ordres aux hommes des familles.

Michele Greco, par exemple, qui a été pendant très longtemps le secrétaire de Palerme, avait l'habitude de dire, à l'occasion de décisions d'une certaine gravité qu'il fallait prendre dans la commission régionale : « Stop. Je ne peux dire ni oui ni non. Je dois d'abord en parler avec les chefs de canton. »

Un canton, c'était un territoire qui comprenait trois familles limitrophes. A Palerme, il y avait cinquante-quatre familles (grosso modo les mêmes depuis plusieurs décennies) et près de deux mille hommes d'honneur.

1. Ces trois provinces semblent encore à ce jour ne pas être concernées par la mafia. (N.d.T.)

Quelle différence avec Catane, qui n'avait même pas un canton, puisqu'il n'existait que deux familles ! A Palerme, le chef de canton devait être aussi le représentant d'une famille, tandis qu'ailleurs, par exemple à Agrigente ou à Caltanissetta, on avait tendance à garder les deux charges séparées. A Catane aussi, c'était comme ça. Mon frère était représentant provincial mais pas représentant de la famille. On séparait les charges pour éviter des concentrations excessives de pouvoir.

Totò Riina a essayé de diminuer le nombre des cantons qui étaient représentés dans la commission de Palerme. Il disait que dix-huit, c'était trop, et qu'avec un nombre plus restreint, on décidait plus rapidement. Si bien que pendant un temps, certains cantons de Palerme ont été regroupés pour réduire à huit ou dix les membres de la commission.

La première réunion de la « Région » a eu lieu début 1975, en février, à Enna, dans la maison de campagne de Paolino Cancelliere. L'organisme a été formellement constitué et on a voté pour élire le secrétaire. Là aussi, il faut faire bien attention. Dès le début, nous l'avons appelé « secrétaire », et non pas « chef » ou « président ». Et on ne l'a pas appelé non plus « représentant », parce que le secrétaire de la commission régionale comptait moins, par rapport aux six membres du comité régional, que le représentant provincial et le chef de canton par rapport aux simples chefs de famille. Quand c'est lui qui est devenu secrétaire, Michele Greco a même dit qu'il n'était que le « *cameriere* », le « serveur » des représentants, celui qui les écoutait tous et qui fixait une heure, une date et un ordre du jour pour la réunion.

Le premier secrétaire de la commission régionale a été mon frère. C'était une reconnaissance méritée pour son activité en faveur de la paix et de l'unification de Cosa Nostra. Mais le vote n'a pas été unanime. Il y a eu une surprise. Cola Buccellato, de Castellammare del Golfo — représentant de la province de Trapani — quand son tour est venu, a bondi : « Moi, je vote pour Binuzzo Provenzano, de Corleone. »

Stefane Bontade a répliqué :

« " Oncle " Cola, vous ne pouvez pas faire ça. Provenzano n'a rien à faire ici.

— Et pourquoi ?

— Et vous me le demandez, en plus ? Bino Provenzano n'est pas présent ici. Il n'est pas représentant provincial. Comment pouvez-vous voter pour lui si ça n'est pas possible ?

— Moi, je vote pour lui quand même. »

C'était bizarre. Buccellato n'était pas un imbécile. Il savait très bien que ça n'avait aucun sens de voter pour quelqu'un qui n'était pas candidat, et qui ne pouvait pas être élu. Il en a été question après la réunion, Bontade était déconcerté mais mon frère lui a dit : « Stefano, tu n'as pas compris qu'il l'a fait exprès ? Qu'il est venu ici pour se fiche de nous, pour nous avertir ? »

Quoi qu'il en soit, la réunion s'est poursuivie avec solennité. Il a été décidé que les rencontres suivantes se dérouleraient selon le critère de rotation entre les provinces, et l'interdiction absolue a été proclamée, sous peine de mort pour les éventuels responsables, d'opérer des enlèvements de personnes en Sicile. Pippo a beaucoup insisté : ces actions rendaient leurs auteurs impopulaires auprès des gens de la rue ; de plus, le bruit suscité par les enlèvements augmentait la pression de la police sur les mafiosi et causait beaucoup de tort aux familles dans le territoire desquelles ils avaient eu lieu.

C'était un discours simple et clair auquel il n'y avait rien à redire ; et de fait personne n'a soulevé d'objections. Mais c'était aussi un discours contre les habitudes des Corléonais, contre leurs privilèges. La colère de Bontade et de Badalamenti contre Totò Riina à cause de l'enlèvement Cassina, qui avait eu lieu trois ans avant, ne s'était pas encore calmée. Bien qu'ils fassent tous les trois partie de la « régence » temporaire de Cosa Nostra à Palerme, Riina avait organisé l'enlèvement sans les consulter, en profitant du fait qu'ils étaient en prison. Le prestige de Bontade avait été atteint également avant, en 1971, par l'enlèvement Vassallo ; il en était resté comme une certaine brouille, depuis cet épisode.

Mais personne n'a protesté. La proposition a été approuvée à l'unanimité, et tous les présents se sont déclarés décidés à la faire respecter à n'importe quel prix.

La conséquence de cette décision, ç'a été l'enlèvement de Luigi Corleo, beau-père de Nino Salvo, qui s'est produit quelques mois plus tard, en juillet 1975. Un événement extrêmement grave, qui a fait une énorme impression à Cosa Nostra. Nino Salvo était un homme d'honneur, chef de dizaine de la ville de Salemi, et fils d'homme d'honneur aussi. Avec son frère Alberto et son cousin Ignazio — lui aussi homme d'honneur et vice-représentant de Salemi —, ils avaient le monopole du recouvrement des impôts pour toute la Sicile [1]. Les Salvo étaient très riches. Ils avaient une petite famille, un peu comme la Principauté de Monaco. Mais ils avaient une force : l'argent. Ils achetaient les hommes politiques. Ils achetaient tout. Ils faisaient la pluie et le beau temps dans la politique de la Sicile.

Les Salvo étaient très liés à Bontade et à Badalamenti qui du coup, se prenait pour le roi d'Italie. Et tous les deux ont fait une figure de merde face à Nino, parce qu'ils ne sont même pas arrivés à ce qu'on lui rende le corps de son beau-père. L'enlèvement, c'était les Corléonais qui l'avaient fait, et ils avaient demandé vingt milliards de rançon, quelque chose comme quatre-vingt milliards d'aujourd'hui. Je ne crois pas que les Salvo aient jamais payé quoi que ce soit. L'enlèvement, d'ailleurs, n'avait pas été fait pour le fric, mais pour faire comprendre aux Salvo que l'aiguille de la balance s'était déplacée dans l'autre sens, pour leur montrer de quel côté — en dépit des règles, accords, délibérations et commissions — le pouvoir se trouvait.

Après la réunion à Enna, Pippo est rentré à Catane et a

1. C'est en 1982 seulement que l'État italien a décidé de recouvrer lui-même directement les impôts en Sicile. Ignazio Salvo a été abattu en septembre 1992, alors qu'il sortait tranquillement de sa luxueuse villa, par des tueurs encore inconnus. *(N.d.T.)*

annoncé à son ami Nitto Santapaola qu'il avait été nommé secrétaire de la « Région ». Au lieu de le féliciter, Nitto a changé d'expression et lui a dit : « Tu as fait une erreur, Pippo. Tu as été inconsidéré et tu as eu trop confiance. Tu ne devais pas accepter sans m'avoir consulté. »

Mon frère s'est irrité d'une telle affirmation. Il ne s'attendait pas à ça d'un ami, d'un frère ; en plus, ça avait tout l'air d'un manque de respect à son égard. Il lui a répondu avec brusquerie qu'il ne voyait aucune raison pour laquelle il aurait dû le consulter avant. Nitto s'est rendu compte qu'il avait fait un impair et il a changé de sujet en essayant d'atténuer ce qu'il venait de dire.

Maintenant, en réfléchissant sur ce qui s'est passé, il faut bien que je me dise que cette affirmation de Nitto Santapaola ne constituait pas une menace ou une manifestation d'arrogance. Nitto était encore un ami sincère de mon frère, et il craignait que Pippo ne soit broyé par les jeux du pouvoir des Corléonais. C'est quelques mois plus tard seulement que l'amitié de Nitto Santapaola s'est peu à peu transformée en son contraire.

Un autre signal menaçant qui montrait que l'époque était en train de changer est survenu quelques mois après l'enlèvement Corleo. En octobre 1975, le 24, jour du baptême de mon fils, sont arrivés à Catane deux responsables du clan Greco, Nicola et Giovannello Greco. Ils devaient informer mon frère d'une importante nouveauté qui se préparait à Palerme. Comme ça arrive souvent à Cosa Nostra, ces visites sont aussi l'occasion de se rencontrer dans la convivialité, entre amis, pour fêter des anniversaires, faire des excursions, s'amuser ensemble.

Pippo avait organisé pour ce jour-là une battue. C'était dimanche, et après la chasse, tout le monde est venu déjeuner chez moi. Le baptême devait avoir lieu le soir et on a eu le temps pendant l'après-midi de discuter, même si ceux qui avaient pris part à la chasse étaient un peu fatigués et ensommeillés. On s'est assis autour d'une table. J'avais invité aussi Nitto Santapaola.

On a parlé de toutes sortes de choses, mais Nicola

Greco a trouvé le moyen de dire à Pippo, et seulement à lui, que son frère Totò Greco, « l'ingénieur » — un responsable de premier plan dans la Cosa Nostra de Palerme — voulait l'informer que Gaetano Badalamenti avait fait son temps comme secrétaire de la commission provinciale et que son successeur serait probablement Michele Greco. Badalamenti était en porte à faux parce que, dans les réunions de la commission, il commençait à lui manquer des voix. Il se trouvait à présent en minorité ; en effet, sur les dix-huit chefs de canton, un grand nombre votait régulièrement contre lui. Son prestige avait tellement décliné qu'un jour Bino Provenzano s'était permis de lui dire en public : « " Oncle " Tano, ce que vous venez de dire, ça ne va pas. Les choses ne sont pas comme vous dites. J'ai l'impression que vous êtes un peu tombé sur la tête. » C'était une affirmation très grave. D'où l'hypothèse de nommer Michele Greco à sa place.

Pippo s'est rendu compte aussitôt de ce que ça voulait dire. C'était le premier grand coup porté officiellement au groupe Badalamenti-Bontade-Inzerillo à Palerme, et indirectement, à leurs alliés dans le reste de l'île. Il a masqué sa déception en répondant qu'en tant que secrétaire de la « Région », il ne pouvait pas interférer dans les décisions internes des organismes provinciaux, mais que de toute façon il n'était pas favorable à la nomination d'un personnage aussi effacé, aussi dénué de charisme que Michele Greco, à une charge aussi importante.

« Oui, ce que tu dis, c'est vrai, a répondu Nicola Greco. Mais nous, derrière Michele Greco, on va mettre Antonio Mineo, le chef de la famille de Bagheria, qui est un homme d'une grande expérience. Lui, il saura donner à Michele Greco les conseils qu'il faut. »

Mineo était aussi chef de canton. Il était également influent. Il était en mesure d'entraîner derrière lui deux ou trois chefs de canton. Ça voulait dire que le front anti-Badalamenti était large et consolidé. Et qu'ils avaient tout préparé avec soin, en prévoyant les objections du front adverse. C'est comme ça qu'à la fin de 1975, Michele Greco a été effectivement élu secrétaire de la commission provinciale de Palerme, un des postes clés de Cosa Nostra en Sicile.

La période qui va de l'instauration de la « Région » jusqu'au mois d'août 1977, date de l'exécution du colonel des carabiniers Russo[1], a été une période de tranquillité apparente, qui a fait illusion à beaucoup de gens. Les Corléonais ont donné quelquefois l'impression qu'ils voulaient respecter les règles établies par la « Région », du moins les plus importantes. Après l'enlèvement Corleo, ils ont essayé de retrouver un peu de crédibilité en punissant quelques infractions commises par des personnages mineurs.

Un jour de 1976, je me trouvais dans le domaine de Favarella, chez Michele Greco, avec Pippo. On était assis à discuter avec Michele Greco quand sont arrivés Rosario Riccobono et Vittorio Mangano, un homme d'honneur de Pippo Calò que j'avais déjà rencontré à Milan. Ils étaient venus dire à Greco qu'ils avaient exécuté un ordre : ils venaient d'éliminer les responsables de l'enlèvement d'une femme, et ils avaient même libéré l'otage. Les victimes avaient passé outre l'interdiction très sévère (pour les non-Corléonais) d'effectuer des rapts en territoire sicilien et ils avaient été punis de manière exemplaire. Riccobono a dit qu'ils étaient arrivés à connaître le lieu où la femme était gardée prisonnière, grâce aux aveux d'un des auteurs présumés de l'enlèvement, qu'ils avaient capturé et « interrogé » la veille. Ensuite, ils avaient mis les cadavres dans deux sacs poubelle en laissant à l'extérieur les papiers d'identité des morts, et ils avaient téléphoné à la police pour qu'elle trouve les corps.

La tranquillité au sein de Cosa Nostra ressemblait en réalité au calme qui précède la tempête. Le silence qui règne juste avant la bataille. Les Corléonais continuaient inexorablement à tisser leurs trames, en créant un réseau de personnes qui leur étaient fidèles à l'intérieur des différentes familles. Des traîtres qui les informaient des

1. Cf. plus loin, chap. 22. (N.d.T.)

mouvements de leurs adversaires, des gens assoiffés de pouvoir qui voulaient prendre la place des chefs de famille, des chefs de canton, des représentants provinciaux.

Les réunions de la « Région » se sont déroulées régulièrement, dans les endroits prévus, mais seulement les premiers mois. L'une d'elles, prévue dans la province de Catane, a eu lieu chez moi. Une autre s'est tenue à Agrigente, dans le domaine de Falconara, chez Antonio Ferro. Ensuite, pour Caltanissetta, dans la villa que Di Cristina venait juste de faire construire à Riesi. Celle de Trapani s'est tenue dans une campagne perdue des environs de Castellammare del Golfo. La réunion de Palerme a eu lieu à Ciaculli, dans le domaine de Favarella, chez Michele Greco.

Après ce premier cycle, les réunions mensuelles de la commission régionale se sont tenues presque toujours dans le domaine de Favarella, autour de la grande table d'une maison entourée d'immenses vergers d'agrumes. Le pouvoir des Greco, alliés des Corléonais, se confirmait.

Avant de poursuivre, il faudrait essayer de faire un peu le point sur la situation de Cosa Nostra dans les années 75. Avec l'Amérique, on a déjà vu qu'il n'y avait pas de relations formellement établies dans le passé et jusqu'à ce moment-là, il ne s'en était pas créé de nouvelles. Il y avait toujours les liens personnels d'amitié et les parentés, mais Cosa Nostra en tant que telle n'avait aucun contact avec les États-Unis. Les relations avec la Tunisie s'étaient arrêtées elles aussi après la guerre et ne s'étaient pas reformées. Il n'y avait plus de familles en Tunisie.

La seule famille de Cosa Nostra existant en dehors de la Sicile résidait à Naples ; elle était très ancienne. Pendant une de mes visites dans la région napolitaine, qui avait eu lieu en 1974, un très vieil homme d'honneur originaire de Palerme qui vivait dans un immeuble du quartier de Santa Lucia m'avait raconté l'histoire de cette famille, qui remontait aux années trente. Les principaux responsables étaient les frères Zaza, Nuvoletta et Mazzarella. Il y avait aussi des personnages comme Nunzio Barbarossa, les frères Sciorio et d'autres. Toute la famille de Naples dépendait de Michele Greco mais à l'intérieur de cette famille, les frères Nuvoletta constituaient une dizaine à eux tout seuls, avec un lien encore plus étroit et direct avec Michele Greco, qui pouvait leur donner des ordres sans passer par la médiation des organes directeurs de cette même famille. Les relations entre la maison mère sicilienne et la colonie napolitaine, en vérité, n'ont jamais été idylliques. Cosa Nostra prétendait gouverner Naples à partir de cette filiale locale, mais en réalité Naples était un trop gros morceau pour tout le monde. J'ai demandé une fois à Giovannino Mongiovì ce qui était en train de se passer dans la région de Naples. C'était au début des années 80, les meurtres se multipliaient et on commençait à parler de la Camorra. Mongiovì m'a répondu que la commission régionale s'était réunie pendant deux jours consécutifs dans le domaine de Favarella pour discuter de la question napolitaine et essayer de mettre un peu d'ordre dans cette zone. Pour éviter que le contenu de la discussion ne transpire au-dehors, il avait été interdit à tous les participants de quitter la séance avant la décision finale. Nitto Santapaola et Salvatore Ferrera avaient été envoyés aussitôt après à Naples pour communiquer les résultats de la réunion, mais Ciro Mazzarella avait refusé de reconnaître la validité de cette délibération.

Il existait aussi deux dizaines, une à Turin et une à Rome. Celle de Turin avait été constituée par Giuseppe Di Cristina, qui s'était trouvé en relégation surveillée dans ce coin-là vers la fin des années soixante. La dizaine était composée d'éléments originaires de Riesi qui avaient été faits hommes d'honneur — qui avaient eu « les yeux ouverts », comme on dit dans le jargon de Cosa Nostra — par un vieux mafioso de Caltanissetta qui résidait là. Mais ç'avaient été des initiations abusives, non autorisées, et ces gens-là ne savaient pas à qui se rattacher, à quelle famille sicilienne appartenir. C'étaient des gens plutôt capables, mais ils étaient livrés à eux-mêmes. Ils vivotaient au mieux en travaillant comme ouvriers. Di Cristina avait eu l'idée d'assainir la situation en créant la dizaine et en l'intégrant à sa famille.

À Rome, il y avait la dizaine de Stefano Bontade, celle commandée par l' « oncle » Angelino. Je ne sais pas si ensuite, dans les années soixante-dix, Pippo Calò n'en a pas fait une autre. Calò a longtemps été en cavale à Rome sous un faux nom. Il se faisait appeler Mario, et il venait souvent à Palerme, où il a même été fait chef de canton.

À Milan, Pippo Bono était représentant de la famille de Bolognetta, un bourg des environs de Palerme. En déménageant à Milan, il avait emmené avec lui certains des hommes de sa famille, mais il était resté représentant de Bolognetta. Il faisait la navette entre les deux et ne s'est jamais rangé du côté de personne. Ni avec Badalamenti ni avec les Greco. Il a gardé un pied dans chaque étrier. Bono a été un des premiers à travailler très fort dans la drogue. Il était ami avec Joe Adonis, le mafioso américain. D'autres ont travaillé avant lui dans la drogue, mais il a été le premier à faire les choses en grand. C'est pour cette raison-là, peut-être, qu'il ne s'est pas mis dans une coalition particulière et qu'il s'est toujours défilé dans les moments critiques. Et c'est aussi pour ça qu'il n'a pas beaucoup apprécié l'arrivée de Liggio à Milan, au début des années soixante-dix. Liggio voulait se faire une place lui aussi dans le commerce de drogue et il vendait de petites quantités avec un mafioso de la famille de Ramacca qui habitait à Milan. Mais par la suite, il s'est spécialisé dans les enlèvements.

En 1975, quand Pippo était déjà secrétaire de la « Région », je suis allé avec lui à Milan où nous avons rencontré les frères Bono. Alfredo Bono avait des problèmes avec le milieu milanais ; il avait même été giflé par un voyou pendant une attaque à main armée dans une maison de jeu. Mon frère a conseillé à Pippo Bono de quitter la famille de Bolognetta et de former une vraie famille milanaise de Cosa Nostra. Les Bono auraient pu mieux se défendre et les nombreux hommes d'honneur

161

qui circulaient pendant ces années-là à Milan auraient pu mieux travailler, dans une place qui était très prometteuse. Bono n'a pas accepté le conseil mais nos relations avec lui n'ont pas été gâchées pour autant : à notre départ de Milan, il nous a offert à chacun un maxi-manteau en peau de renne provenant d'un atelier dans lequel il avait des intérêts. Pour le climat de Catane, ce manteau était peut-être un peu déplacé mais Pippo et moi, on se pavanait avec, on le mettait souvent pour aller se promener en ville.

Voilà pour les relations avec l'étranger, avec l'extérieur de la Sicile. Nous avions aussi un « bureau des passeports », pour ceux qui voulaient s'expatrier. Je plaisante, naturellement. Ce que les journaux appellent de ce nom pompeux, qui fait imaginer Dieu sait quoi, à Cosa Nostra, c'est beaucoup plus simple, beaucoup plus terre à terre. Le bureau des passeports n'était rien d'autre qu'un certain Aurelio Bonomo, le secrétaire du député Lupis. Bonomo était en mesure de faire obtenir un passeport dans des délais très rapides à quiconque parmi nous en avait besoin. Il connaissait, c'est-à-dire qu'il avait un contact avec un employé d'un consulat italien en Allemagne qui travaillait à la délivrance des passeports. Il suffisait que Bonomo lui fasse parvenir les photographies et les coordonnées d'une personne pour que cet employé établisse aussitôt le passeport et l'envoie à Catane. La police n'en savait rien, puisque cet employé oubliait de communiquer à la Préfecture de Catane que le passeport avait été délivré.

C'est grâce à notre bureau des passeports que Nitto Santapaola a pu faire un beau voyage aux États-Unis avec sa femme, vers la fin 1980. Je le sais avec certitude, parce que Nitto, à son retour, nous a dit qu'il s'était beaucoup amusé, et parce que sa femme en parlait autour d'elle en se vantant des endroits qu'elle avait visités.

14.

Il n'y a pas de familles ni d'hommes d'honneur de Cosa Nostra en Calabre. Un jour de 1972 ou 1973 est arrivé à Catane Paul Violi, le célèbre mafioso canadien, en provenance de Calabre. Il s'est arrêté dans mon bureau pendant une demi-heure, le temps de prendre un café ensemble et de me demander si je connaissais des hommes d'honneur en Calabre. Violi était originaire de Sinopoli, un petit bourg dans la province de Reggio de Calabre. Il m'a expliqué qu'il était un des chefs de dizaine de la famille de Carlo Gambino, celle de New York, détaché au Canada. En plaisantant, il m'a dit que l' « oncle » Carlo ne voulait entendre parler de rien, qu'il voulait juste des dollars, du fric, de sa dizaine de Toronto. Violi faisait ce qu'il voulait. L' « oncle » Carlo ne s'en mêlait pas, il lui déléguait ses pouvoirs. Mais à la fin de l'année, Violi devait lui apporter le fric. Et ce fric, ils le gagnaient en faisant payer le *pizzo*, et pour ça, ils mettaient des bombes dans les bars. Lui-même était propriétaire d'un bar à Toronto.

Il ne m'a pas fait une grosse impression, Paul Violi. C'était un fanfaron, un grand et gros bonhomme qui n'avait pas l'air d'avoir grand-chose dans la citrouille. Quoi qu'il en soit, il s'était dirigé vers la Calabre parce qu'il pensait qu'il y avait des hommes d'honneur calabrais. En Amérique, en effet, c'est différent. Les hommes d'honneur américains ne sont pas uniquement siciliens, il y a aussi des Calabrais et des Napolitains. Il n'y a pas de différence. Bon. Mais arrivés là, on pourrait se poser la question : si Violi était Calabrais et si c'était un mafioso important, comment est-il possible qu'il n'ait pas de relations directes, qu'il ne connaisse pas personnellement des Calabrais appartenant à la 'ndrangheta[1] ?

Il faut revenir alors à cette histoire du caractère secret des hommes d'honneur, de la qualité d'homme d'honneur. Si Violi connaissait des « 'ndranghetistes », il ne serait jamais arrivé pour autant à connaître des hommes d'honneur, même s'il y en avait eu. Parce que les 'ndranghetistes ne l'auraient pas su, et s'ils l'avaient su, ils n'auraient pas pu les lui présenter. Si bien que Violi, très correctement, était venu en Sicile pour trouver un homme d'honneur, une tierce personne, qui serait en mesure de faire éventuellement les présentations. Seul un homme d'honneur pouvait lui dire si en Calabre il y avait des hommes d'honneur, et par conséquent, les lui présenter.

Nous, les Siciliens, de toute façon, nous ne « faisions » pas d'hommes d'honneur calabrais. Il est possible qu'un Calabrais ait été affilié à titre individuel, comme dans le cas des Napolitains, à une occasion particulière. Mais la règle restait valable.

De plus, les Calabrais ne cherchaient pas du tout à entrer dans Cosa Nostra. Ils avaient leur propre organisation, qui était presque égale à la nôtre, et prétendaient même qu'ils étaient plus importants que nous, que leur organisation était supérieure à Cosa Nostra. Je ne sais pas comment était organisée leur hiérarchie, mais je sais que la 'ndrangheta était très étendue. Elle était dans tous leurs villages. Du temps de mon frère, les Calabrais parlaient de don Antonio Zoccali comme du chef de la 'ndrangheta.

Quand ils savaient qu'ils parlaient avec un homme d'honneur, ils commençaient à utiliser une manière de

---

1. Du grec *andragathos*, qui désigne un homme valeureux. La 'ndrangheta est l'équivalent (en aussi féroce, sinon plus) de la mafia pour la Calabre. *(N.d.T.)*

parler très spéciale, colorée, pour se donner des airs :
« Don Antonio Zoccali est le soleil de notre province. »
Quant à Don Antonio Macrì, le chef de la « Région »
calabraise, ils le définissaient dans je ne sais plus quels
termes exagérés, avec ce langage fleuri.

Et puis les Calabrais, ils parlaient, ils parlaient, ils
n'arrêtaient pas. Pas avec les autres, entendons-nous bien,
mais entre eux. Ils faisaient des raisonnements interminables sur les règles, spécialement en présence de nous
autres, les hommes d'honneur. Comme ils se sentaient
mal à l'aise, parce qu'ils savaient qu'ils étaient en réalité
inférieurs à Cosa Nostra, ils essayaient de mettre les
hommes d'honneur en difficulté avec tous ces détours et
tous ces débordements verbaux.

Ils avaient une infinité de règles. Quand un homme
d'honneur parlait avec l'un d'eux, il était perdu, il en avait
mal à la tête. Gare à ne pas atterrir en prison dans la
même cellule qu'un 'ndranghetiste. Du matin au soir,
c'était la même chanson. Ils étaient ennuyeux, pesants,
maniaques. Ils n'arrêtaient jamais de comploter, de
tourner et de retourner dans tous les sens des propos sur
la même chose : « Si quelqu'un se comporte de cette
manière, c'est un " sbire " ou c'est pas un " sbire " ? » Et
ainsi de suite. Ou bien ils y allaient à coups de comptines
et de bouts rimés, comme les gosses à l'école primaire. Le
sujet ? La 'ndrangheta, ses règles et ses usages.

Ils se croyaient importants, les 'ndranghetistes, alors
qu'ils faisaient un tas d'idioties. Imaginez-vous qu'ils
faisaient même entrer dans leur société les gardiens de
prison. Beaucoup d'entre eux, en effet, faisaient partie de
la 'ndrangheta. C'est quelque chose d'inadmissible pour
la mafia. Autrefois, on disait même qu'aucun de ceux qui
portaient une casquette ne pouvait être fait homme
d'honneur, et les agents de police non plus. Les magistrats aussi étaient exclus, parce qu'un magistrat, c'est
quelqu'un qui condamne. Eux, au contraire, ils les
acceptaient. Ils faisaient entrer une quantité infinie de
gens, et c'est pour ça qu'ils étaient nombreux, mais ils
n'étaient pas aussi organisés que Cosa Nostra. Nous, on

sélectionnait avec attention, et on avait des gens qui étaient beaucoup plus fiables.

Je connais un seul cas d'un homme en uniforme qui ait été admis de plein droit à Cosa Nostra : le médecin-colonel Vito Cascio Ferro, un homme d'honneur d'Agrigente que j'ai rencontré chez un cousin de Stefano Bontade. C'était un homonyme d'un des plus célèbres mafiosi de ce siècle [1].

Il est possible aussi qu'il existe un cercle plus restreint, de 'ndranghetistes plus expérimentés et mieux sélectionnés pour faire des choses plus secrètes, et il est possible aussi que les gardiens de prison aient été admis parce que comme ça on pouvait envoyer plus facilement des messages à l'extérieur des prisons. Nous, de toute façon, on a évité d'élargir le recrutement à ces gens-là.

Il y avait aussi le fait que les Calabrais — et les Napolitains — admettaient la prostitution. A l'époque des bordels, pas mal d'entre eux tournaient autour des maisons de tolérance. Les Siciliens, jamais. Nous avons toujours exclu la prostitution du domaine des affaires de Cosa Nostra, et nous avons toujours méprisé ceux qui exploitaient les prostituées. Dans les années trente, quand le préfet Mori envoyait dans l'Ile aussi les maquereaux, les hommes d'honneur qui étaient en relégation organisaient des expéditions pour aller casser la figure à ces « ricottari [2] », comme on les appelait alors.

Pour cette raison-là, nous avons toujours considéré les Calabrais comme inférieurs à nous, un sous-produit. Sans parler des Napolitains, en qui on n'avait pas non plus une grande confiance.

1. Vito Cascio Ferro (« Don Vito »), premier chef historique de la mafia au début de ce siècle et tout-puissant en Sicile de 1909 jusqu'à sa mort en prison, pendant la Seconde Guerre mondiale. Inculpé une soixantaine de fois (entre autres pour 29 meurtres), il fut à chaque fois acquitté par les jurés. (N.d.T.)
2. De *ricotta*, sorte de fromage blanc. (N.d.T.)

15.

Pour comprendre la situation de la famille de Catane, il faut partir du fait que nous étions trente-cinq hommes d'honneur pour une ville de cinq cent mille habitants. Il n'y avait pas chez nous la densité de Palerme. Les affaires et les activités ont toujours été libres, parce qu'on n'avait pas besoin de poser des contraintes particulières. Le principe était : « chacun est maître de sa propre liberté ». Quiconque voulait faire un cambriolage par exemple, le faisait et c'est tout. Après avoir demandé l'autorisation à son chef de dizaine ou au représentant, quelquefois même sans la demander : il était évident que chacun savait qui il pouvait cambrioler. Les chefs veillaient seulement que la personne ou l'entreprise visée ne se trouvait pas sous la protection d'un homme d'honneur.

A Palerme, c'était différent. Il fallait non seulement toujours demander l'autorisation mais aussi verser un pourcentage, à sa propre famille si l'action devait se faire sur son territoire, ou à une autre famille si elle se faisait sur le territoire de celle-ci.

Par ailleurs, à Catane comme à Palerme, le responsable était toujours celui qui avait fait la chose. Si celui qui avait cambriolé était arrêté, c'était son affaire. S'il était tué pendant l'action, même chose. La famille, en général, se mettait à sa disposition pour l'aider à sortir de prison ou pour apporter un soutien à sa femme et à ses enfants en cas de mort, mais elle n'y était pas obligée. Dans les associations constituées pour la contrebande, par contre, il y avait une obligation de secourir l'associé qui avait des problèmes avec la justice ou avec la concurrence.

Plusieurs soldats avaient de toute façon intérêt, pour leurs affaires illicites, à se ménager un appui sûr auprès des chefs de dizaine et des représentants ; ils leur offraient donc une participation. Ils allaient trouver leur chef : « Écoute, je suis en train de faire ça ou ça. Est-ce que tu veux une part ? Devenons associés et partageons les gains. » De cette manière, si des problèmes surgissaient, si quelqu'un se mettait dans le pétrin, les chefs étaient incités à donner un coup de main pour l'en sortir.

C'était complètement différent quand la famille avait ordonné à quelqu'un de faire un cambriolage ou un meurtre. Si la personne était arrêtée, le représentant devait tout faire pour le tirer de ce mauvais pas. Il était obligé de payer les avocats, d'essayer d' « approcher » les juges, de payer les dépenses du séjour en prison, de donner une somme mensuelle à la famille de celui qui avait été arrêté, etc.

Tous les discours sur la mafia d'autrefois, qui faisait attention à ce qu'il n'y ait pas de vols ni de cambriolages, et qui maintenait l'ordre et entretenait de bons rapports avec la population, tout ça c'est de la vieille histoire. Quand un jeune se mettait à faire des cambriolages dans le quartier et foutait trop le bordel, et qu'après avoir été pourtant dûment averti, il continuait comme avant, le chef mafieux pouvait dire alors : « Éliminons cet inconscient, puisqu'il ne veut pas entendre raison. » Mais quand on voyait tout à coup apparaître un jeune capable, dégourdi, qui savait bien tirer et qui respectait les hommes d'honneur, alors le chef l'approchait et lui disait : « Écoute, si vraiment tu dois faire des cambriolages, c'est nous qui allons te dire chez qui tu peux les faire. » Si l'individu répondait bien, s'il comprenait qu'il valait mieux être d'accord avec nous plutôt qu'agir tout seul, on le faisait entrer dans la famille.

C'est vrai que la mafia d'autrefois ne voulait pas qu'on abuse des pauvres gens. Mais c'était parce que ça ne lui allait pas. Qu'est-ce que vous vouliez aller voler à celui qui n'avait rien ? C'étaient les imbéciles qui volaient les pauvres. On ne gagnait pas grand-chose et on devenait impopulaire. Si quelqu'un se comportait mal, c'est-à-dire s'il était l'ami des carabiniers ou s'il s'opposait à la mafia, on essayait de lui porter préjudice. Mais on ne s'en prenait pas aux gens bien, ceux qui respectaient et protégeaient les hommes d'honneur, et on ne faisait pas de cambriolages ni de vols au hasard chez ceux qui ne le méritaient pas. On n'allait pas chez les petits. Aussi longtemps que j'ai été à Catane, je suis sûr qu'aucun mafioso n'est venu exiger cinq cent mille lires dans les petites boutiques. Notre cible, c'étaient les gros patrons, c'est ceux-là qu'on cherchait à exploiter. Ils y gagnaient, d'ailleurs, à être d'accord avec nous et tout fonctionnait comme il faut.

Et puis le grand changement est arrivé. Des jeunes sont apparus, qui étaient terribles. Des anonymes, qui s'organisaient en groupes et qui téléphonaient aux magasins en leur demandant l'argent du *pizzo*. C'est pour ça qu'il est important de faire la distinction entre la mafia et le crime ordinaire. A Catane, les extorsions à l'aveuglette, la mafia n'en a jamais fait. Du moins tant que j'ai été là. Les soldats de notre famille ne faisaient pas d'extorsions non plus. Ils se débrouillaient avec la contrebande, le recel, le cambriolage, un peu de vol et les activités licites mais pas avec les petits rackets, ça n'était pas considéré comme une activité honorable. C'était mis sur le même plan que l'usure. Je ne sais pas si la mafia, aujourd'hui, à Catane, s'est lancée dans l'usure mais de mon temps elle n'en faisait pas. C'était une question de principe, comme pour la prostitution. C'étaient les autres qui organisaient la prostitution, les voyous, les criminels ordinaires.

A Palerme, en ce qui concerne les extorsions, le système était différent. Tout le monde payait le *pizzo*, même les petites boutiques. La population mafieuse était très nombreuse et il fallait bien que quelqu'un la fasse vivre. Chaque faubourg, chaque quartier, chaque rue de Palerme était gouvernée par une famille. Chaque famille avait plusieurs chefs de dizaine et chaque chef de dizaine avait un certain nombre d'hommes d'honneur. Les bars et les magasins d'une rue donnée étaient sous la compétence d'un certain homme d'honneur qui encaissait le *pizzo*, pire qu'un percepteur. En échange, il fournissait une protection contre les bandes de délinquants ordinaires, mais c'était une garantie contre un danger plus imaginaire que réel. Les bandes de voyous existaient bien à Palerme, c'est logique, mais il était rare qu'elles fassent du racket, parce que dans ce cas-là, elles se faisaient tuer avant même d'être nées ou l'instant d'après.

Les soldats de ma famille ne recevaient pas de salaire, ceux des familles parlermitaines non plus. Chacun devait se procurer lui-même de quoi vivre. Bien sûr, il existait aussi une solidarité à l'intérieur de la famille. Si quelqu'un avait de l'argent, il était en quelque sorte tenu de le prêter à un autre membre de la famille si celui-ci en avait besoin pour démarrer une activité. Il n'y avait aucun risque que l'argent ne lui soit pas rendu. Ne pas rembourser les prêts, abuser de la confiance des autres hommes d'honneur était considéré comme infamant. Je n'arrive pas à me souvenir d'un seul cas de dettes non honorées, en dehors du cas de soldats morts pendant une action.

Les soldats d'une famille se connaissaient tous entre eux. Gare s'il en avait été autrement ! Ensuite il y avait toutes les différences qui existent dans la vie normale : certains étaient amis et se fréquentaient, y compris avec leurs familles, ils échangeaient des visites, ils s'invitaient à dîner, etc. D'autres se disaient bonjour et c'est tout. D'autres encore ne s'entendaient pas et s'évitaient pour ne pas se disputer ni porter tort à l'unité de la *cosca* [1]. Mais tous les soldats avaient en commun un certain sentiment d'être différents, supérieurs aux gens ordinaires, et ils finissaient peu à peu par s'éloigner de leurs anciennes connaissances, de leurs amitiés d'enfance, pour fréquenter surtout des gens comme eux, des gens avec qui

---

1. Dans le vocabulaire de la mafia, la *cosca* est la famille, le gang, le groupe. (*N.d.T.*)

ils pouvaient dialoguer, discuter de leurs problèmes, parler la même langue. Le monde, les affaires de Cosa Nostra prenaient tôt ou tard le dessus. Les amitiés normales perdaient leur sens et devenaient vides, parce que le soldat, au bout d'un certain temps, commençait à snober celui qui n'était pas mafioso et s'ennuyait en sa compagnie, au point de presque le lui faire comprendre.

A Catane, la famille fonctionnait de manière très différente de ce que les journaux ont décrit. Ces rôles rigides, précis, comme le tueur, l'armurier, le comptable, ça n'a jamais existé. Pendant une certaine période, nous avons eu un caissier, et puis ç'a été supprimé parce que le nôtre n'était pas honnête, il prenait l'argent de la caisse au lieu de veiller dessus. Quand je suis entré à Cosa Nostra, le caissier de la famille de Catane était l'oncle d'un tailleur très connu. Les activités illicites n'amenaient pas à l'époque de rentrées consistantes et la caisse commune était alimentée par des souscriptions personnelles. Chaque homme d'honneur versait une somme tous les mois, mais les fonds ne suffisaient jamais. Un chef de dizaine, Giovannino « u scemu » [« l'idiot » *(N.d.T.)*], était régulièrement arrêté pour vol à la tire, et les dépenses pour résoudre ses problèmes vidaient à elles seules notre caisse. Dès qu'il était arrêté, Giovannino se déclarait sans ressources et réclamait de l'argent pour lui, pour ses enfants et pour ses avocats. Il avait même deux familles, une régulière et une autre, avec une de ses maîtresses et les enfants de celle-ci. Heureusement, il ne demandait pas en plus de l'argent pour son associé, un caporal-chef de la police affecté aux cellules du commissariat central.

Pour les armes, c'est la même chose. Il n'y a jamais eu d' « armurier de la mafia ». La famille prélevait un petit pourcentage sur la vente d'un stock de cigarettes de contrebande, elle achetait un peu d'armes et elle les faisait cacher par quelqu'un qui avait une maison à la campagne. Le chef de dizaine, un jour, se rendait chez le propriétaire de cette maison, il lui demandait un pistolet et le soir, il y avait un meurtre. Les armes, ça n'a jamais été un problème parce que ça se trouve facilement. A part le fait que chaque homme d'honneur possédait ses armes personnelles, quand on avait à utiliser un pistolet pour un meurtre de la famille, il suffisait de corrompre un gardien de nuit. On lui disait de nous vendre son revolver pour un million, un million cinq, et de dénoncer ensuite le vol ou la perte, après avoir effacé le numéro de matricule. Pour les fusils, on cambriolait les armureries, tandis que pour les explosifs on avait recours aux petits entrepreneurs en bâtiment amis de la famille.

Les Kalachnikov sont arrivées plus tard, après la mort de mon frère. Alfio Ferlito les faisait venir en même temps que le haschisch. Pour Pippo et moi, d'ailleurs, le problème des armes se posait moins que pour quiconque : le frère de notre chef d'atelier, le chef des ouvriers de notre entreprise de construction, était exceptionnellement doué pour fabriquer des armes, ou pour les modifier, ou pour en créer à partir des objets les plus invraisemblables.

Il n'y a jamais eu de jeunes tueurs à gages. Des garçons qui, pour deux cent mille lires, sont allés tuer quelqu'un. La mafia n'a jamais fait de choses pareilles et je ne crois pas qu'elle le fasse, même aujourd'hui, parce qu'elle n'en a pas besoin. Aucun chef mafieux n'irait se déshonorer avec un gamin qu'il ne connaît pas et qui pourrait « chanter » s'il était pris par la police. S'il doit faire un meurtre, un chef mafieux normal, qui a la tête sur les épaules, utilise un de ses hommes d'honneur, une personne fiable. Je n'ai jamais vu ni entendu parler d'un représentant qui aurait dit à un petit jeune : « Va tuer Untel et je te donne un million. » Il est possible qu'un gosse de quinze, vingt ans, après avoir fait un cambriolage de dix millions, soit allé demander à un autre jeune de lui descendre quelqu'un pour deux millions et que ce jeune y soit allé. Mais l'inconscience restera toujours l'inconscience, et ça n'a rien à voir avec la mafia.

La mafia, elle, n'est pas inconsciente. Elle sait très bien faire ses calculs, elle l'a prouvé. Les mafiosi ne sont pas des irresponsables. Peut-être qu'ils l'ont été quelquefois, quand ils ont fait des massacres, des choses moches, des choses sales. Mais ils n'ont jamais fait ce genre de gamineries. Si la mafia se comportait comme ça, il faudrait en conclure qu'elle est incapable de raisonner. Et si la mafia ne raisonne pas, comment se fait-il que l'État n'arrive pas à vaincre ces gens sans cervelle ?

Les familles mafieuses peuvent se permettre de sélectionner leurs recrues. Elles n'ont pas de problèmes de demandes d'admission. La base de tout, c'est le quartier où vivent les hommes d'honneur. Dans la mafia de Palerme, le quartier est encore plus important qu'à Catane. Nous les Catanais, dès qu'on a fait un peu d'argent, on quitte la banlieue pour le centre ville. Personne ne veut vivre dans un endroit comme San Cristoforo. Nous, les Calderone, et les Santapaola, Turi Palermo et tant d'autres encore, on est nés dans les endroits les pires de la ville, et on s'est tous transférés dans le Centre. Les mafiosi de Palerme ne vont pas habiter à Palerme-centre, ils restent dans leur quartier. Ils naissent, vivent et meurent au même endroit. Leur quartier, c'est tout, pour eux, leur famille vit là depuis des générations et ils sont tous parents. Il y a quatre ou cinq noms de famille principaux, les autres sont des branches apparentées. Tout au plus, ils se font construire une maison plus belle, plus luxueuse. Stefano Bontade a démoli l'immeuble de son père, dans le quartier de Santa Maria del Gesù, et a reconstruit un palais. Son frère Giovanni, comme Salvatore Inzerillo, a fait la même chose dans le quartier de Bellolampo. Ils n'ont pas bougé d'un millimètre de leur royaume, où ils sont les maîtres absolus depuis des décennies et des décennies.

Quand les jeunes d'un quartier voient le respect, la déférence, les attentions dont l'homme d'honneur est entouré, ils finissent par tomber amoureux de la mafia. Ils voient que l' « oncle » X entre dans un bar et que tout le monde se précipite pour lui rendre hommage et que c'est la course pour le servir, ou bien que les gens accourent rien que pour le voir, pour l'admirer, un peu, si on veut, comme les jeunes avec Madonna. Ils commencent alors à penser à la mafia comme à quelque chose de grand, qui permet de dépasser les autres, de s'élever au-dessus de la masse. Ces jeunes feraient n'importe quoi pour entrer dans la famille. Et quand ils s'aperçoivent que même les journaux parlent de cet homme d'honneur, celui qu'ils ont vu dans la rue, au bar, dans un magasin, alors leur considération pour lui monte jusqu'aux étoiles.

Certains se mettent à faire un cambriolage uniquement pour attirer l'attention du chef mafieux de la zone, lequel garde un œil sur les jeunes qui promettent, à commencer par ceux de sa famille ; mais il observe aussi à l'extérieur. Autour de chaque homme d'honneur d'un certain poids, il y a toujours vingt ou trente gosses qui ne sont rien et qui veulent devenir quelqu'un. Ces jeunes sont à sa disposition, toujours là pour lui rendre de petits services, pour lui demander s'il a besoin de quelque chose. L'influence d'une famille mafieuse est très vaste. Elle peut avoir cinquante hommes d'honneur actifs, autour desquels tourne essentiellement leur propre famille de sang (les fils, les neveux, les frères, etc.), et puis cette couronne de jeunes prêts à tout, qui ne demandent pas mieux que d'être mis à l'épreuve pour pouvoir être admis à Cosa Nostra.

L'homme d'honneur, de son côté, ne reste pas les bras croisés, à se contenter de recevoir sans rien donner à ses partisans. Il ne faut pas oublier que le mafioso est aussi une sorte d'autorité, une personne à laquelle tout le monde s'adresse pour demander des faveurs, résoudre des problèmes. Le mafioso cherche le pouvoir et le prend, et il en est fier. Mais une grande partie de son pouvoir, ce sont les autres qui le lui donnent. Quand nous, les Calderone, nous étions en place, il y avait tous les jours la procession dans mon bureau. C'était un va-et-vient incessant de gens qui demandaient les choses les plus diverses. A un moment, ils étaient si nombreux que pour les recevoir il a fallu louer un appartement à côté de mon bureau. Mon frère s'installait là, les portes bien fermées pour qu'on ne puisse rien voir de l'extérieur, et il écoutait les requêtes.

Il y avait ceux qui cherchaient du travail, ceux qui

avaient passé un concours et qui voulaient être reçus, ceux qui offraient des fournitures pour les Costanzo, ceux qui crevaient de faim et n'avaient pas de quoi acheter du pain pour leur famille. Dans ce cas-là, mon frère me demandait cinquante mille lires pour les donner à ces malheureux, et moi, je lui répondais en plaisantant qu'on devrait mettre un panneau sur la porte et marquer dessus « bureau de bienfaisance ». Les gens venaient de tous les quartiers de Catane et même de toute la province, et Pippo ne disait non à personne, il prenait en charge tous les problèmes des autres.

Et nos propres affaires, nos propres problèmes, on finissait par ne pas y penser comme on aurait dû. Ç'aurait été tellement facile de s'enrichir, à cette époque-là ! Il suffisait de demander à Carmelo Costanzo de nous prêter cent millions, puis d'acheter un terrain et de le revendre cent cinquante l'année d'après. Mais on ne l'a jamais fait, parce qu'on n'avait pas le temps de s'en occuper sérieusement. Les gens ne nous laissaient pas le temps de penser à nous, de nous occuper de nos propres intérêts.

Je me levais tous les matins vers sept heures, je prenais le café avec ma femme qui sortait pour aller travailler à l'université. J'attendais ensuite mon frère et on descendait ensemble dans nos bureaux en bas de chez moi. On a toujours été inséparables. Devant la porte des bureaux, il y avait déjà des gens qui nous attendaient : certains voulaient être embauchés dans l'entreprise des Costanzo, d'autres cherchaient une aide pour une démarche auprès de la municipalité, ou pour une admission à l'hôpital. D'autres encore avaient un problème avec les délinquants à la petite semaine de leur quartier et ils venaient demander l'intervention de Pippo. Lui, il notait tout mentalement — jamais rien n'était écrit, de peur d'une éventuelle perquisition de la police — et il essayait d'arranger un peu les choses en s'adressant à son tour à d'autres ou bien en téléphonant à des personnes de sa connaissance qui pouvaient savoir, qui pouvaient intervenir.

D'autres venaient là pour nous parler d'une bagarre qui

avait eu lieu la veille, ou d'un échange de coups de feu dans lequel ils s'étaient trouvé impliqués d'une manière quelconque. D'autres en avaient après un débiteur qui ne les payait pas, ou après un agent de police qui les tarabustait, ou un groupe d'ennemis qui les menaçait. Ceux-là, Pippo leur donnait un rendez-vous pour un autre jour ; entre-temps il entendait les arguments de la partie adverse. Puis il les convoquait tous pour trouver une solution de compromis. C'étaient des gens ordinaires, des gens de tous les jours, qui voyaient en Pippo une personnalité, quelqu'un qui était en mesure de les aider. Ça n'étaient pas des hommes d'honneur, naturellement. Les hommes d'honneur ne se disputent pas pour des broutilles ; quand ils ont un problème, ils le résolvent à l'intérieur de Cosa Nostra et selon les règles de Cosa Nostra. Quelquefois, malgré tout, ils demandaient eux aussi des services et des recommandations. Rosario Riccobono, par exemple, a recommandé à mon frère un homme d'honneur palermitain qui voulait obtenir l'adjudication du service de la restauration dans l'aéroport de Catane. Pippo devait « dissuader » les concurrents de se mettre en liste pour l'adjudication. Cette histoire a entraîné une certaine friction entre Pippo et le frère de Nitto Santapaola, Nino, qui travaillait dans ce secteur-là et aurait bien aimé s'approprier le marché.

Mon frère est même arrivé jusqu'à faire des recommandations à l'université, pour les examens. Un jeune de la famille Di Mauro, un groupe de la pègre catanaise, surnommé « Puntina » [« Petite Pointe » *(N.d.T.)*], était inscrit à la faculté de droit de l'université de Palerme, parce qu'on disait que là-bas, les études étaient plus faciles qu'à l'université de Catane[1]. Son père avait une grande considération pour Pippo et il est venu plusieurs fois lui demander de recommander son fils à l'occasion des examens les plus difficiles. Pippo renvoyait la requête aux hommes d'honneur de Palerme, qui voulaient à

1. L'université de Catane est en effet renommée pour la qualité de son enseignement dans de nombreux domaines. *(N.d.T.)*

chaque fois connaître le nom du professeur et le quartier où celui-ci habitait. Le représentant qui « gouvernait » ce territoire se rendait alors chez ce professeur et lui demandait de considérer ce candidat catanais avec bienveillance. Quand le jeune « Puntina » a décroché son diplôme, son père a même dit qu'en fait on aurait dû le donner à l' « oncle » Pippo, étant donné le nombre de recommandations qu'il avait faites.

A l'École polytechnique de Palerme enseignait un certain professeur qui était très lié avec l'entreprise Costanzo. Certains des fils Costanzo sont sortis diplômés de Palerme, sous la direction de ce professeur d'université qui connaissait aussi beaucoup d'ingénieurs travaillant sur des projets pour des entreprises et qui était pratiquement le « bras caché » des Costanzo dans le Palermitain, pour tout ce qui touchait l'université. Il a joué aussi le rôle d'arbitre dans des conflits entre eux et les organismes adjudicateurs. Les Costanzo faisaient souvent appel à lui pour un conseil ou des projets concernant leur secteur. Quelquefois, ce professeur téléphonait à Catane et demandait quelque chose, une voiture ou je ne sais quoi. Les Costanzo étaient agacés par ces requêtes, mais ils couraient tout de suite les satisfaire.

Pippo aimait beaucoup son rôle et se passionnait pour les problèmes des autres, même les plus bizarres. Il aimait mettre de l'harmonie. Il s'asseyait tous les jours dans ce bureau pour écouter ; jamais il ne s'impatientait ni ne s'ennuyait. Un des frères Costanzo lui a demandé une fois d'intervenir auprès d'un de ses fils qui était tombé amoureux d'une fille sur laquelle les gens jasaient. Ils avaient pris des renseignements sur elle, d'où il ressortait que c'était une fille un peu légère, qui aimait bien s'amuser, et qui n'était donc probablement plus vierge. Pippo était censé distraire le jeune Costanzo, en lui faisant rencontrer des gens nouveaux, pour que cette fille lui sorte de la tête. Il est intervenu mais sans succès parce que le garçon s'est braqué, et l'histoire s'est terminée par un mariage.

Les conflits les plus difficiles à résoudre, c'étaient les conflits internes entre les délinquants ordinaires de la ville. Une fois, les Laudani, un autre groupe de la pègre, ont eu une dispute avec un jeune dont ils croyaient qu'il faisait partie d'un clan rival, celui des Carcagnusi, lesquels n'attendaient qu'un prétexte pour entamer les hostilités. Bien que le jeune qui était en conflit avec les Laudani n'ait rien eu à voir avec les Carcagnusi, ces derniers, deux heures après, étaient déjà partis pour aller tirer sur les Laudani. Pippo a vérifié les tenants et les aboutissants de la question et il a mis toute son autorité dans la balance pour faire comprendre aux deux parties qu'il s'agissait d'un malentendu, et qu'il n'était ni juste ni sérieux de déclencher la guerre sans motif réel. Il a organisé une cérémonie de pacification et il a sauvé la vie de ce malheureux, qui avait d'ailleurs cinq ou six frères et tout un groupe d'amis prêts à la vengeance et à la guerre.

Si on voit aujourd'hui autant d'assassinats, c'est parce qu'il n'y a plus de gens comme Pippo qui s'interposent dans les conflits, qui freinent les adversaires, qui interviennent avant qu'il y ait des morts. Notre réputation, à nous, les mafiosi, c'était d'être au-dessus des différentes parties, au-dessus de tous ces groupes de la pègre de banlieue, qui avaient confiance en nous et qui acceptaient notre intervention dans leurs conflits. Quand Nitto Santapaola a commencé à tuer des gens aussi bien dans un de ces groupes que dans l'autre, on a perdu notre prestige, on est descendus à leur niveau.

Pippo n'a jamais gagné une seule lire avec ces activités. De ce point de vue-là, il était comme les mafieux d'il y a cinquante ans. Personne ne devait parler d'argent en sa présence, quand on venait lui demander un service. Si quelqu'un qui venait demander sa protection lui proposait à un moment donné de se mettre en association avec lui, nous le faisions, mais jamais il ne nous serait venu à l'esprit de prétendre à une compensation en échange de nos services.

A Noël, c'est vrai, toutes sortes de cadeaux arrivaient chez nous, mais ceux que Pippo faisait étaient aussi nombreux. Dix ou quinze jours avant les fêtes, il s'enfermait dans l'appartement à côté de nos bureaux pour mettre en bouteilles et étiqueter le vin de sa propriété de Monterosso Etneo. Il était très fier de son vin. Il le faisait vieillir dans des fûts de chêne pendant sept ou huit ans et il le mettait ensuite en bouteilles pour l'offrir, en même temps que les meilleures mandarines, les petits artichauts à l'huile, les gigots d'agneau composant les paquets-cadeaux qu'il confectionnait lui-même. Quand les paquets étaient prêts, il les envoyait porter par des jeunes qui faisaient le tour de la ville pour les remettre chez l'avocat, le docteur, le député, le professeur. Il y avait des dizaines et des dizaines de paquets-cadeaux, ça coûtait des millions, et Pippo, de son côté, en recevait autant pour les services qu'il avait rendus.

Et puis il y avait la vie à l'intérieur de Cosa Nostra. Les inépuisables, les interminables discussions sur Cosa Nostra. Chaque jour que Dieu fait, nous parlions de Cosa Nostra. Cosa Nostra, ça n'a pas de fin, les discussions sur Cosa Nostra n'ont jamais de fin. Mon frère était un vrai homme d'honneur. Il aurait pu devenir plus riche que Gino Costanzo, s'il l'avait voulu. Mais il préférait Cosa Nostra. Tout ce temps qu'on passait à discuter des faits et gestes des familles, à s'informer, à juger, à réfléchir, à établir qui avait raison et qui avait tort !

Le recrutement des jeunes est fondamental pour le pouvoir de la famille. Tous les chefs veulent des grandes familles, avec beaucoup de soldats jeunes et actifs. Les vieux soldats sont importants eux aussi, parce qu'ils ont des relations avec les vieux notables du coin, qu'ils connaissent beaucoup de gens influents dans la mafia et à l'extérieur, qu'ils ont l'expérience des choses de Cosa Nostra. Mais le rôle principal, au niveau des soldats, c'est celui des jeunes. C'est eux qui produisent, qui représentent la force de combat à partir de laquelle on évalue la puissance d'une famille. C'est pour ça qu'il faut être très attentif à ne pas trop en « faire », à ne pas en intégrer trop en une seule fois et à ne pas commettre d'erreurs, en admettant des gens qui ne sont pas fiables, parce qu'ils aiment trop le pouvoir et la grandeur.

Les jeunes hommes d'honneur sont précieux parce qu'ils sont plus forts et plus éveillés que les vieux, mais ils sont excités, ils ont tendance à ne pas respecter la hiérarchie et la discipline, et ils doivent être gouvernés d'une main ferme. L'obéissance aux ordres est tout, dans une famille. Le chef de dizaine est très important, justement à cause de ça, parce que c'est de lui que dépendent les soldats et les actions les plus risquées. Le chef de dizaine doit s'y connaître en hommes. Il doit comprendre comment utiliser les soldats qui sont à sa disposition : si Untel n'est pas capable de faire un meurtre, alors il lui fera voler une voiture, une arme..., ou bien il lui fera tirer dans les jambes de quelqu'un, ou il l'enverra vendre de la marchandise volée ou de contrebande. On essaie de valoriser les dispositions et les qualités de chacun.

Fonction délicate que celle de chef de dizaine. Il doit savoir commander mais aussi être proche de ses soldats, qui n'ont de comptes à rendre qu'à lui, ne parlent directement qu'avec lui. Quand on fait un meurtre, par exemple, on n'est pas obligés de dire à tous les membres de la famille que c'est le soldat Untel qui a tiré. On ne va pas afficher un faire-part à l'intérieur de la famille chaque fois qu'on a assassiné quelqu'un [1]. On devine bien que tel meurtre a été exécuté par quelqu'un de la famille, mais seul le chef de dizaine connaît l'identité du tueur et la communique au représentant. Quand un soldat est envoyé éliminer quelqu'un, le chef de dizaine est totalement impliqué. Il circule dans les parages, très inquiet, comme si c'était lui qui devait exécuter ce meurtre. Et il ne cesse pas de se faire du souci aussi longtemps qu'il n'a pas vu le soldat revenir, parce qu'il est conscient de l'avoir exposé au risque d'y perdre la vie. Si le soldat est

1. Dans toute l'Italie, les familles annoncent le décès d'un de leurs membres en collant des affichettes faire-part bordées de noir sur les murs du quartier. (*N.d.T.*)

arrêté ou blessé pendant une action, le chef de dizaine se sent totalement responsable et se creuse la cervelle pour savoir s'il n'a pas commis une erreur dans le choix de l'homme, du moment, des circonstances.

Le lien entre le soldat et le chef de dizaine passe avant tout. Il vient avant les obligations importantes comme celle de dire la vérité entre associés à l'intérieur de Cosa Nostra. Si un homme d'honneur me demande une chose dont je ne peux pas parler parce que mon chef de dizaine m'a interdit d'en parler avec qui que ce soit, je dois répondre que je ne sais rien. Si le chef de dizaine m'ordonne : « Va faire ce meurtre et n'en parle ensuite à personne, sous aucun prétexte », je dois obéir. Je ne dois parler à personne de ce meurtre, pas même au représentant de la famille. J'exécute l'ordre. Je vais tuer et je reviens. Que le chef de dizaine me l'ait ordonné en ayant consulté le représentant ou non, c'est son affaire. Et si le chef de la famille me convoque en commission et me demande devant le chef de dizaine si j'ai commis ce meurtre, je réponds : « C'est lui qui m'a donné l'ordre. Adressez-vous à lui. »

Le grand pouvoir du chef de dizaine sur le soldat vient du fait que les ordres qu'il donne représentent la volonté de la famille. Et la famille est au-dessus de tout le reste. Le soir de mon initiation à Cosa Nostra, on m'a dit très clairement que quand la famille a besoin de vous, il faut y aller les yeux fermés, abandonner tout ce qu'on est en train de faire et courir répondre à l'appel. Dès qu'ils l'ont décidé, je ne suis plus mon propre maître. Ils peuvent m'ordonner de tuer quelqu'un que je connais, un parent, une personne qui m'est chère, je n'aurai pas le choix : je devrai le faire. S'ils ont décidé d'éliminer mon frère, ils demanderont presque certainement à quelqu'un d'autre de s'en charger, mais je devrai accepter cette décision. Ou tu baisses la tête, ou tu fais la guerre. Il n'y a pas de milieu. C'est ce qu'on m'a dit et répété le soir de mon entrée à Cosa Nostra.

Il peut arriver que la famille — à travers le chef de dizaine — informe un soldat qu'il doit tuer un de ses amis. Si le soldat ne se sent pas le courage d'exécuter matériellement le meurtre, la famille en charge un autre, un compagnon qui est chargé de tirer, d'étrangler, de poignarder, etc. Mais le premier doit collaborer, en aidant le tueur à approcher sa victime sans éveiller ses soupçons, justement parce qu'ils sont amis, en exploitant la confiance qui fait partie de la relation d'amitié.

Les liens de parenté, l'amitié n'ont aucune valeur en face de la fidélité à Cosa Nostra. Si l'intérêt de la famille est en jeu, tous ces sentiments passent au second plan. Ils sont même utilisés pour mieux frapper, pour arriver plus facilement au but. Personne ne se sent particulièrement gêné de ça, et personne ne parle de « trahison » dans ces circonstances.

A ce sujet-là, un épisode est resté gravé dans ma mémoire, celui de l'exécution d'un vieux chef de canton de Palerme qui s'appelait Matranga, je crois, et qui a eu lieu peu de temps après l'élimination de Michele Cavataio. Un jour, Stefano Bontade et d'autres Palermitains sont arrivés à Catane pour discuter avec mon frère, Salvatore Ferrera, Calogero Conti et moi. Le but de la visite était de trouver comment obliger à sortir à découvert ce Matranga, qui habitait à Milan et qui vivait très retiré, par peur d'être tué. Matranga était très ami ou en tout cas avait une grande confiance dans son beau-frère, qui tenait un étal au marché de fruits et légumes à Milan. Ce dernier était à son tour très ami avec Salvatore Ferrera, lequel devait l'approcher et le convaincre de tranquilliser Matranga sur sa sécurité. Ferrera et Conti ont donc pris l'avion pour Milan, ont pris contact avec le beau-frère de Matranga et, par son intermédiaire, ont rassuré le vieux mafioso : tout le monde, à Palerme, ne lui voulait que du bien, on avait posé une pierre sur les haines du passé et on se tournait vers un avenir de paix et de concorde entre les familles. La victime a cru à ces paroles amicales, qui lui étaient transmises par son beau-frère, une personne de confiance, et a relâché progressivement sa garde, en commençant à sortir dans la rue. Ç'a été très facile, alors, de le tuer.

Des épisodes de ce genre ne sont pas rares mais ils ne sont pas non plus très fréquents, parce que les intérêts d'une famille et les règles de Cosa Nostra ne sont pas toujours poussés jusqu'à leurs conséquences extrêmes. Bien sûr, en temps de guerre, on est plus sévère et plus pointilleux mais en temps normal, on peut choisir de laisser courir. Ma famille, par exemple, a laissé en vie Nick Gentile, le chef de dizaine américain de l'époque de Lucky Luciano, qui s'était retiré dans un village de la province d'Agrigente après avoir fui les États-Unis parce qu'il avait collaboré avec la police. Gentile avait même écrit un livre sur sa vie et avait accordé une interview à *L'Espresso*. Tout le monde en disait du mal et le critiquait, et il avait essayé de se rapprocher de Pippo et de mon oncle, qui n'avaient pas voulu l'écouter. Quelquefois, de Palerme, on nous demandait de le supprimer, pour faire une fleur aux cousins d'Amérique ; mon frère avait même donné l'ordre de le tuer mais personne ne l'avait fait. Ils ne se sont plus occupés de ce pauvre vieux qui, à la fin de sa vie, ne survivait que grâce à la charité de ses voisins qui lui donnaient de temps en temps un plat de pâtes.

Dans d'autres cas, les membres d'une famille chargés d'un meurtre qu'ils n'ont pas l'intention de commettre recourent à des stratagèmes, inventent des imprévus ou encore préviennent la victime. Il y a même des fois où l'ordre de tuer est considéré comme contradictoire avec les règles de Cosa Nostra, ou bien contesté et remis en question par une autre autorité appartenant à la même famille, au même canton ou à la même province. De longues discussions commencent alors, qui ne sont jamais un bien pour l'avenir de la famille. La partie qui perd accepte toujours avec beaucoup de réticence la décision finale, ou bien elle fait semblant de l'accepter, attendant la première occasion pour se rattraper.

Les soldats sont utilisés pour toute une série d'actions dangereuses, mais certains meurtres sont exécutés personnellement par le représentant de la famille. S'il faut tuer un homme particulièrement fort et malin, ou un homme d'une certaine importance avec lequel la *cosca* a un différend, il est courant alors que le chef de la *cosca* lui-même entre en scène. Je me souviens de l'exécution de Stefano Giaconia, un valeureux homme d'honneur de la famille de Palerme-Centre, celle des frères La Barbera, qui avait été dissoute par la commission de Palerme. J'ai déjà parlé de lui : à l'époque de la première guerre de mafia, Giaconia s'était présenté complètement bardé d'explosifs à la réunion de la commission provinciale, avec La Barbera.

Stefano Giaconia serait certainement devenu le chef de la famille de Palerme-Centre dès qu'elle aurait été reconstituée, s'il n'avait pas eu le grave tort, aux yeux de Stefano Bontade, de devenir l'acolyte de Totò Riina. Un jour — dans la deuxième moitié des années soixante-dix —, Pippo et moi sommes allés avec d'autres à un rendez-vous fixé dans le motel qui se trouve au début de l'autoroute Catane-Palerme. Sont arrivés Michele Greco et un autre homme d'honneur de Palerme. Ils étaient venus discuter avec nous du problème d'un pot-de-vin que l'entreprise Costanzo devait payer, parce qu'elle construisait le tronçon de la rocade de Palerme qui traversait le territoire de Ciaculli. Bontade est arrivé une heure plus tard, à bord de sa Porsche Carrera. Il était très contrarié et il s'est excusé auprès de ceux qui étaient là : « Pardonnez mon retard, mais j'ai dû changer une roue et étrangler Stefano Giaconia. »

Michele Greco a approuvé :

« Ne t'inquiète pas, Stefano. On t'a attendu. De toute façon, tu as très bien fait de nous débarrasser de Giaconia.

— Ce cocu m'a créé des problèmes jusqu'au dernier moment. Quand je l'ai eu tué, on a brûlé ses vêtements et pendant qu'ils brûlaient, il y a eu une explosion. C'était un stylo-pistolet calibre 22 que Giaconia avait sur lui.

— Ouaaah ! Quel homme d'honneur ! Il tire même après sa mort ! » tel a été le commentaire sarcastique d'un des mafiosi présents.

Il me semble avoir déjà dit que dans certaines familles mafieuses d'aujourd'hui se répand peu à peu l'habitude de contacts directs, sans l'intermédiaire du chef de dizaine, entre le représentant et de simples hommes d'honneur qui bénéficient de sa confiance absolue, et dont il peut se servir pour des actions secrètes qui restent ignorées de tous les autres membres de la famille. Cette habitude s'appuie sur le fait qu'il y a en circulation quelques individus très particuliers, déséquilibrés et faibles, qui manquent de points de référence dans le monde. Des hommes sans drapeau et sans père, pour qui ça n'a aucune importance de risquer leur vie ou de l'enlever aux autres, et qui circulent comme s'ils attendaient d'être tués. L'astuce, pour le chef mafieux dégourdi, consiste à se les attacher et à les utiliser pour les tâches les plus dangereuses, surtout pour les meurtres. Ces individus peuvent devenir une arme formidable s'ils tombent entre les mains qu'il faut. Ils finissent par vénérer leur chef, par ne plus voir que lui et ses ordres, comme s'il était leur père disparu.

C'est bien ce que montre l'histoire de Damiano Caruso et de Giuseppe Di Cristina. Caruso était un dingue, un paumé qui ne savait que créer des problèmes partout où il se trouvait. Mais il était d'une audace sans limites et féroce comme un animal. Il ne se rendait pas compte de ce qu'il faisait. Le monde de Damiano Caruso commençait et finissait avec une seule personne : Giuseppe Di Cristina, qui le protégeait, le chouchoutait et l'appelait « mon pupille ». Pour éviter qu'il ne soit tué (Caruso s'était déjà mis dans de sacrés pétrins) et pour se l'attacher définitivement, Di Cristina, à un moment donné, l'avait fait homme d'honneur de la famille de Riesi. Ç'avait été un coup de force, une affiliation totalement abusive, parce qu'elle avait été faite en cachette et sans demander l'assentiment de la famille de Villabate, lieu de naissance de Caruso.

Les règles de la mafia ressemblent un peu aux lois de l'État ; elles sont les mêmes pour presque tous. Il y a eu pas mal de protestations puis la tempête s'est calmée et Di

185

Cristina a même emmené son esclave personnel avec lui à Palerme, où il avait commencé à travailler. Il l'a chargé de toutes sortes de choses et Caruso les a faites, à sa manière. Il l'a chargé de tuer le député Nicosia, le fasciste, celui du Movimento Sociale. Cet ordre avait été donné à Caruso dans le cadre de la stratégie « subversive » décidée par Badalamenti au début des années soixante-dix, et Caruso a essayé de faire de son mieux. Il était à ce point bestial qu'il s'est présenté sur le lieu de l'action avec une hache. Même pas un couteau. Non, Nicosia, c'est à coups de hache qu'il voulait le tuer. Mais comme il était maladroit, pas très précis, quand il a frappé avec la hache, il a mal visé et il se l'est plantée dans la jambe. C'est parce qu'il avait la jambe bousillée qu'il n'a pas pu le finir. Il a réussi à lui donner quand même quelques coups de hache mais Nicosia a survécu.

Caruso a été aussi chargé du meurtre de Ciuni, le gérant d'un hôtel qui avait un désaccord avec Di Cristina. Caruso était allé le chercher un soir à son hôtel et l'avait poignardé, sans parvenir à le tuer. Il l'avait blessé grièvement et Ciuni avait été emmené à l'hôpital civil. Mais Di Cristina venait juste de lire *Le Parrain* et il lui est venu l'idée de faire comme dans le livre. Il a envoyé de nouveau Caruso, cette fois avec d'autres, à l'hôpital. Ils se sont déguisés en médecins, avec la blouse blanche et tout le reste, et ils l'ont tué dans son lit. La chose a fait grand bruit parce qu'on n'avait jamais entendu parler d'un meurtre dans un hôpital.

Le comportement de Caruso, la grosse bourde qu'il a faite dans l'action de viale Lazio, je les ai déjà décrits. Je dois seulement ajouter que ce malheureux s'est comporté de travers même en Amérique, où il avait été envoyé après le massacre pour soigner ses blessures et se reposer. C'est Pippo Bono qui l'a aidé à s'expatrier et qui l'a accompagné ensuite chez Carlo Gambino, le chef des chefs en Amérique, le n° 1. Dès qu'il s'est retrouvé en présence de Gambino, Caruso a commencé à faire le fanfaron. Il lui a décrit toute l'action dans ses moindres détails, en se vantant de ce qu'il avait fait, en se donnant le beau rôle, à lui et naturellement à Giuseppe Di Cristina. Il avait l'impression de faire quelque chose de bien. Il se sentait un héros parce qu'à ce moment-là, même aux États-Unis, tout le monde parlait de viale Lazio.

Mais il ne s'apercevait pas que plus il palabrait, plus Carlo Gambino était irrité. Pippo Bono était sur des charbons ardents et avait honte comme un voleur, parce qu'il se rendait compte de l'erreur monumentale que Caruso était en train de commettre. Premièrement, il s'était mis à parler alors que personne ne lui avait rien demandé. Deuxièmement, Gambino et les autres étaient parfaitement au courant de tout, et s'ils avaient accepté de bon gré de donner l'hospitalité à Caruso et de le faire soigner par leurs médecins de confiance, ils n'avaient pas pour autant envie de se mettre à commenter l'événement avec le premier venu. Et troisièmement, qui donc l'avait autorisé à pontifier comme ça devant un personnage comme Carlo Gambino, de New York, un type qui tenait la moitié de l'Amérique dans sa main ?

Mais il était comme ça. Il ne mesurait pas ses paroles, il ne savait pas se contrôler. Après viale Lazio, Damiano Caruso a fini par se monter la tête et par se croire invulnérable, supérieur à tout et à tout le monde, sauf à son patron. Il ne respectait plus personne et il a commencé à en faire de toutes les couleurs. Il a commis un vol dans l'entrepôt d'allumettes d'Enzo Vasile, un homme d'honneur de Palerme. Il a refusé de rendre le butin d'un cambriolage effectué dans la bijouterie d'un autre homme d'honneur, et il a répondu d'une manière arrogante à Bernardo Provenzano qui lui demandait des comptes sur son comportement.

A une occasion à laquelle j'étais présent, Caruso avait même parlé à tort et à travers devant Luciano Liggio. C'était chez mon frère. On venait de prendre le café et la conversation est venue sur le moyen de faire évader les Rimi de la prison de Raguse. On était en train de discuter de la position du mur d'enceinte et on se servait des tasses et des petites cuillères pour représenter l'action. Caruso s'est mis aussitôt au centre de la discussion et a commencé à dire qu'il fallait faire comme ci et comme ça. Quand Liggio l'a contredit en faisant des objections sur le choix d'une position, Caruso a répliqué promptement : « Ne le prenez pas mal, mais moi, je les comprends mieux que vous, ces choses-là ! » Liggio l'a regardé comme s'il allait le tuer sur place et n'a plus rien dit, et ce regard a fait taire l'un après l'autre tous ceux qui étaient là.

Et c'est justement par la main de Liggio, des années plus tard, vers 1973, que Caruso a cessé de vivre. Il a été tué en même temps que sa maîtresse et la fille de sa maîtresse. Liggio le haïssait parce qu'il estimait Caruso responsable de l'élimination d'un jeune auquel il tenait beaucoup, ce Nino Guarano de Vallelunga, surnommé « Cori granni », qui l'accompagnait en Fiat 500 à la chasse au commissaire Mangano. Caruso avait tué Guarano parce qu'il soupçonnait ce dernier de s'éloigner de son cher Di Cristina pour se rapprocher des Madonia, qui étaient alors alliés à Liggio, et pour supprimer un obstacle à la nomination de Di Cristina comme représentant provincial de Caltanissetta. Liggio a rencontré Caruso à Milan, où il s'était réfugié après s'être sauvé de son lieu de relégation surveillée, et il l'a fait tuer par Nello Pernice à la première occasion. Ensuite, comme il savait que Caruso avait une maîtresse à laquelle il se confiait et que cette femme avait une fille avec laquelle Caruso couchait aussi, il les a envoyées chercher toutes les deux en leur disant que Damiano avait été blessé et qu'il fallait des vêtements et des pansements. Les deux femmes sont accourues aussitôt et Liggio a tué la mère, puis il a baisé la fille, qui pouvait avoir quinze ou seize ans, et il l'a tuée elle aussi. Un cousin de Caruso qui était arrivé de Palerme et qui le cherchait a disparu peu de temps après. Tout le monde a disparu.

16.

Les deux femmes de Caruso sont mortes à cause de la perversité de Luciano Liggio, mais aussi parce qu'elles savaient, et quand il y a des femmes qui savent, il y a aussi le risque qu'elles parlent. Les hommes de Cosa Nostra font très attention à ce qu'ils disent à leurs femmes. Le point de départ, c'est que les femmes raisonnent d'une certaine manière. Toutes les femmes, y compris celles qui ont épousé des mafieux ou qui viennent de familles mafieuses. Quand une femme est frappée dans ses affections les plus chères, elle ne raisonne plus. Il n'y a plus de loi du silence qui tienne, plus de Cosa Nostra, plus d'arguments ni de règles qui puissent la retenir ! Et si on touche à leurs enfants, les femmes deviennent folles parce qu'il n'existe rien au monde qui soit plus fort que cet amour. Le lien entre la mère et l'enfant est plus fort que tout. Plus fort que le lien avec le mari, le père ou le frère.

La douleur d'être privée de son enfant, pour une mère, c'est une douleur impossible à supporter. Si on lui tue son mari, elle pourra se résigner (et encore, ça n'est pas évident du tout) mais si on lui tue son enfant, la femme perd la raison, elle ne connaît plus aucune règle, la douleur lui fait dire et lui fait faire les choses les plus inimaginables. Vous l'avez vue, à la télévision, cette femme qui a témoigné au maxi-procès [1] ? On lui avait tué

1. Ce procès fut le premier intenté à la mafia en tant qu'organisation unitaire. 474 mafiosi y étaient accusés, dont une bonne vingtaine de hauts

son fils et la douleur sortait de chacune de ses paroles. Ça n'était pas du cinéma ou du théâtre. C'était la vérité. C'était son sang qui parlait par sa bouche.

Si elles savent quelque chose, les femmes parlent. Tôt ou tard, elles parlent. L'homme d'honneur sicilien le sait et il s'efforce de tenir les femmes, les sœurs et les mères loin des activités de Cosa Nostra. Pour les protéger, pour les sauvegarder, pour les sauver, parce que si la femme sait quelque chose, il finira par être obligé soit de la tuer lui-même, soit de la faire tuer par quelqu'un d'autre. Confier aux femmes les faits et gestes de la mafia, ça veut dire trahir le serment de fidélité à Cosa Nostra. Ça veut dire aussi trahir un autre homme d'honneur. Si je vais dire à une femme : « Untel a commis tel meurtre », le type en question viendra me voir et me dira : « C'est toi qui m'as mis entre les mains de cette femme. A n'importe quel moment, elle va pouvoir m'accuser et me faire condamner à perpétuité. Comment as-tu pu te permettre de lui parler de mes affaires ? Quel droit tu avais de disposer de moi et de mes affaires ? Comment tu as pu lui faire confiance, même si c'est ta femme ou ta sœur, alors que tout le monde sait que les femmes parlent ? »

Mais dans la pratique, il n'est pas si facile de tenir les femmes dans l'ignorance de vos affaires. Toutes les familles de Cosa Nostra établissent des règles et des punitions très sévères pour celui qui révèle les affaires de la mafia à sa femme, mais je ne sais pas dans quelle mesure il est possible de faire respecter ces normes. D'autant qu'il n'est pas toujours évident de prouver une infraction avant qu'il ne soit trop tard.

---

responsables de Cosa Nostra, enfermés dans des cages d'acier ; une salle, véritable bunker, avait été construite spécialement pour le procès, qui dura presque deux ans (de 1986 à la fin 1987). Ce fut également le premier procès basé sur les témoignages des « repentis », et notamment celui de Tommaso Buscetta. Quelques années plus tard, utilisant certaines dispositions destinées à libéraliser la justice italienne, la plupart des accusés (à l'exception des « parrains ») reprenaient leurs activités. Cependant, en janvier 1992, la révision du procès demandée par les inculpés a été rejetée par la Cour de cassation et les sentences ont été confirmées. (N.d.T.)

Du temps de mon oncle, après la guerre, il y avait un homme qui tirait d'une manière merveilleuse. Quand il était sous les drapeaux, il avait été sélectionné par le commandement allemand, après une série de concours de tir entre les soldats italiens, pour faire partie d'une section spéciale. Il avait été sous-officier dans l'armée allemande et il avait même gardé l'uniforme. Cet homme avait exécuté beaucoup de meurtres en Sicile, dont quelques-uns pour le compte de mon oncle. A l'époque, le bruit s'était répandu qu'il était efficace et tout le monde le réclamait. Étant donné qu'il n'informait pas sa famille d'appartenance des actions qu'il faisait à la demande d'autres familles, il a été décidé de le punir. Lui, il s'est aperçu qu'il avait un peu trop tiré sur la corde, et il a commencé à avoir peur. Il racontait tout à sa femme, il lui disait qui était venu le chercher et à quel endroit il allait, chaque fois qu'il avait un rendez-vous. Mais comme sa femme était une parente de Lillo Conti et qu'elle racontait à ce dernier tout ce que son mari lui disait, la famille était ainsi au courant d'une deuxième infraction grave commise par la même personne.

Il y avait le choix entre le tuer, lui tout seul, ou bien les tuer tous les deux, lui et sa femme. Mais celui qui aurait dû s'en charger, c'était Lillo Conti, qui était déjà pas mal influent dans cette famille et qui n'avait pas l'intention de tuer ni de faire tuer une de ses parentes. Alors on a décidé de reprocher uniquement à cet homme d'honneur la faute d'avoir confié des faits précis à sa femme et de le punir en le bannissant de la famille pendant un certain temps. Et c'est ce qui a été fait.

Je disais que c'est difficile de cacher à sa femme sa vie de mafioso. En dehors du fait que beaucoup de femmes d'hommes d'honneur — presque toutes celles que j'ai connues, en fait — viennent de familles mafieuses, qu'elles ont respiré l'air de Cosa Nostra depuis leur naissance et que donc elles connaissent très bien la manière de penser et d'agir d'un mafieux, il ne faut pas oublier que votre propre compagne finit par tout deviner, et que ce qu'elle n'arrive pas à comprendre toute seule, elle le demande à ses amies, ses sœurs ou ses belles-sœurs qui, souvent, sont mariées aussi avec des hommes d'honneur.

Nitto Santapaola n'est pas marié avec une femme de la mafia. Sa femme vient d'une famille très humble ; avant son mariage, elle travaillait comme corsetière, elle faisait des corsets. Mais elle s'est très bien intégrée à la mafia. Elle est aussi mafieuse que lui ! La sœur de Nitto est encore plus mafieuse que sa femme ; Nitto l'emmenait même avec lui voler. Ils faisaient les repérages ensemble, en voiture, en faisant semblant d'être des amoureux. Nitto accordait aux femmes toute la confiance possible et après ça, il venait me sous-entendre que c'était moi qui parlais trop à la mienne ! Quant aux femmes de Palerme, elles sont spéciales. Elles font semblant de ne pas savoir, mais elles en savent plus que leurs maris.

Les femmes se trouvent bien dans la mafia. Être la femme d'un mafieux, ça veut dire qu'on jouit de nombreux privilèges, petits et grands, et c'est aussi, dans un certain sens, une chose qui entraîne des obligations. On peut, dans des circonstances apparemment anodines, se retrouver à décider de la vie de quelqu'un, comme dans le cas de cet idiot de propriétaire d'une auto-école de la zone de Monserrato, à Catane, qui avait donné des leçons à la femme de Nitto Santapaola. Quand la dame a eu passé avec succès son examen de conduite, cet imbécile s'est dit qu'il allait lui apporter son permis chez elle et il a eu la géniale idée de lui dire : « Et maintenant, est-ce que je ne mérite pas un baiser ? »

La dame s'est fait beaucoup de souci, parce que cet imprudent ne savait évidemment pas à qui il avait affaire, et il ne se rendait donc pas compte de ce qu'il aurait « mérité » si Nitto avait été mis au courant de l'épisode. Elle a eu pitié de la vie de ce pauvre vaniteux et elle a décidé de ne rien dire à son mari. Mais elle en a parlé à mon cousin Salvatore Marchese, qui a décidé qu'il fallait lui donner malgré tout une leçon. Avec Salvatore Guarnieri, surnommé « Tabac », ils sont allés à l'auto-école faire une petite visite au propriétaire. Mais ils se sont trompés d'objectif et c'est le frère du propriétaire qu'ils ont blessé aux jambes. Il doit encore se demander d'où ça lui est venu.

Les femmes sont attirées par la mafia. Aussi longtemps qu'elles ne sont pas ravagées par la souffrance, par les choses atroces qui se passent à Cosa Nostra, elles y sont très bien. Les mafiosi, on les aime. Je ne peux pas oublier la fois où on était allés dans les environs d'Enna pour rencontrer un grand clandestin qui se cachait depuis trente ans. C'était il y a très longtemps. On était toute une bande d'hommes d'honneur, très jeunes et pleins d'assurance. On s'est arrêtés pour dormir à la campagne mais avant, on est allés dîner dans un autre endroit, dans une ferme tenue par un mafioso. On a mangé dehors, sous les arbres, autour d'une grande table, et il y avait une dame qui entrait et sortait de la maison pour nous apporter les plats. C'était la femme du propriétaire. En nous voyant, elle s'était exclamée : « Aaaaah ! Tous ces beaux mafieux que j'ai là aujourd'hui ! Quel plaisir de voir tous ces beaux jeunes gens dans la mafia ! Venez là, que je vous embrasse tous ! » Le mari était devenu tout rouge, mais l'embarras n'a pas été très grand, parce que c'était une dame mûre, qui avait peut-être soixante ans et qui avait parlé sincèrement, spontanément.

Ma femme, par contre, pauvre petite, n'est arrivée que peu à peu à comprendre qu'elle était en train de lier sa vie à celle d'un mafieux. Je me souviens que dans les premiers temps de nos fiançailles, elle était employée à l'université de Catane, et j'allais de temps en temps prendre un café place de l'Université. Comme elle connaissait à peu près mes horaires, elle se mettait à la fenêtre de son bureau et on restait là à se regarder et à se sourire pendant quelque temps. Un jour sont entrés dans ce bar sur la place quelques-uns de mes amis qui dormaient dans un hôtel du centre et que je rencontrais quand ils venaient à Catane. C'étaient des mafieux de la famille Alfano qui avaient la concession du nettoyage des wagons de chemin de fer. Quand ils sont entrés dans le bar, j'étais encore là, le nez en l'air, à échanger des signes d'affection avec ma fiancée. Je les ai embrassés, et aussitôt après j'ai pris congé de ma bonne amie qui était à la fenêtre et qui regardait tout. Quelque temps après, elle m'a demandé, intriguée : « Mais dis voir un peu... tu embrasses les hommes, toi ?

— Mais oui. Naturellement, ma chérie. Tu ne le savais pas, qu'aujourd'hui on s'embrasse, entre hommes ? » Mais j'étais très gêné parce que ça n'était pas vrai du tout et qu'elle m'avait déjà vu rencontrer d'autres hommes sans qu'on se fasse la bise. Mais qu'est-ce que je pouvais faire ? Est-ce que je pouvais lui dire, comme ça, tout à trac, que j'étais de la mafia ?

Elle l'a compris toute seule ensuite, et je ne m'en étais même pas aperçu. Ça faisait déjà quelque temps qu'on était fiancés officiellement, quand on est allés, avec un groupe de plusieurs familles, faire une excursion à la campagne. Pippo et moi, nous avions eu l'idée d'emmener Luciano Liggio avec nous. On avait bien mangé et j'étais allongé dans l'herbe, quand elle s'est approchée de moi pour me demander à brûle-pourpoint :

« Dis-moi, Nino, qui est ce monsieur que tout le monde traite avec déférence et qu'on appelle " professeur " ?

— C'est un ami, " le professeur ". Quelqu'un de très bien. Un de nos vieux amis, à Pippo et à moi.

— Mais qu'est-ce que tu me racontes ? J'ai vu sa photo dans le journal. C'est Luciano Liggio, a dit ma future femme, triomphante.

— Allons, allons, tu es folle ou quoi ?

— Pourquoi est-ce que tu me racontes toutes ces histoires ? Je le sais, que c'est lui. J'en ai parlé avec ta sœur et ta belle-sœur aussi le sait. Sauf que ta belle-sœur ne le dit pas à son mari, alors que moi, je te le dis. Pour te faire comprendre que je le sais, et que je ne suis pas aussi naïve que tu le crois. Personne ne nous l'a dit, ni à moi ni à ta belle-sœur. On l'a deviné toutes seules. »

J'ai raconté à mon frère que nos compagnes étaient au courant, pour Liggio, et j'ai admis devant ma fiancée ce que je ne pouvais pas éviter d'admettre, mais en lui

194

recommandant bien de n'en souffler mot à personne. Quand elle a dit oui, le jour de notre mariage, elle savait dans quoi elle entrait.

Il n'y a jamais eu de règle selon laquelle Cosa Nostra ne tue pas les femmes. Une femme qui parle, qui lance des accusations contre les hommes d'honneur, peut être tuée, c'est arrivé et ça arrive encore souvent aujourd'hui. Ce qui est vrai, par contre, c'est que Cosa Nostra ne tuait pas des femmes innocentes, dont la seule faute consistait à être la femme ou la fille d'un ennemi. Il y a eu des cas où des hommes d'honneur ont même épargné des femmes qui avaient témoigné au tribunal contre eux et leur avaient causé beaucoup de tort. Prenons le cas de la veuve Battaglia[1], de Serafina Battaglia et des Rimi d'Alcamo, qui ont été condamnés à perpétuité à cause d'elle. Les Rimi n'ont jamais voulu la tuer, la Battaglia. Ils ont tué son fils, c'est vrai, mais elle, ils ne l'ont pas tuée. Ils auraient très bien pu tuer la mère et le fils et ils se seraient évité tous les ennuis par où ils sont passés. Mais ils ne l'ont pas tuée.

Serafina Battaglia était une mauvaise femme, de celles qui asticotent, qui couvent la vengeance. Après le meurtre de son mari, elle n'arrêtait pas de dire à son fils, tous les matins : « Allez, lève-toi ! Ils ont tué ton père ! Lève-toi et va les tuer ! » Tous les matins ! Le fils, lui, ne voulait pas se lever. Il était marié, c'était quelqu'un de tranquille. D'ailleurs le mort n'était même pas son père. Qui plus est, il lui avait laissé une fortune, parce qu'il était très riche. Mais l'autre était là qui l'asticotait et l'asticotait, elle ne l'a pas laissé en paix, jusqu'à ce qu'il engage un homme de main pour tuer les Rimi. Lesquels l'ont appris et les ont éliminés tous les deux, le commanditaire et l'exécuteur, mais pas elle. A partir du moment où son fils a été tué, la Battaglia, de mauvaise femme

1. La première « veuve de mafia » à avoir eu le courage de témoigner contre Cosa Nostra, vers la fin des années soixante. *(N.d.T.)*

qu'elle était, s'est transformée en indic, elle a tout raconté aux « sbires » et à la justice.

Maintenant, c'est nous, les hommes, qui parlons. Autrefois, c'étaient les femmes qui faisaient ce travail-là.

La mère de Salvatore Lanzafame, à Catane, est allée trouver la police, elle aussi, pour dénoncer Cosa Nostra, quand on lui a tué son fils. Lanzafame était un de mes filleuls. C'est moi qui l'avais baptisé homme d'honneur. J'ai toujours gardé beaucoup d'affection pour lui et je l'ai suivi dans toute sa carrière de soldat. C'était un garçon qui avait un grand besoin d'affection parce qu'il était fils naturel, né d'une liaison de sa mère avec un homme marié. Il avait aussi subi un grave traumatisme, qui l'avait rendu renfermé, introverti. Il parlait peu, il ne se confiait qu'à sa mère et quelquefois aussi à moi. La mère et le fils étaient très proches. Il lui racontait tout. A mon avis, il lui parlait aussi des meurtres qu'il faisait pour le compte de la famille.

Il a grandi comme un garçon solitaire, Lanzafame, et il a commencé à voler quand il était tout petit. Il avait créé sa propre bande de cinq ou six garçons qui lui ressemblaient ; ils étaient tout le temps tristes et malheureux, comme lui. Ils vivaient de vols et de cambriolages et ils faisaient preuve d'un sérieux impressionnant dans ce travail-là. Ça n'était pas le genre à voler au petit bonheur et à se faire coffrer un jour sur deux. Ces garçons-là, leurs coups, ils les préparaient avec soin et ils visaient toujours haut, rien que des grosses affaires. Ils faisaient un coup tous les ans, ou tous les deux ans, après l'avoir étudié pendant des mois et des mois. Ils gagnaient gros, ensuite ils s'arrêtaient et ils vivaient paisibles et tranquilles. Salvatore Lanzafame a donc pu mener une vie normale. Il est allé régulièrement à l'école et il a décroché son diplôme de géomètre. On l'appelait « l'étudiant ».

Dans la bande de Salvatore, il y avait un adulte, l'« oncle » Angelo, quelqu'un de raffiné, de distingué, dans les quarante, quarante-cinq ans, qu'ils envoyaient dans les endroits où ils avaient l'intention de faire un travail. Par exemple, dans une ville du Nord où il y avait un mont-de-piété. L' « oncle » Angelo partait avec sa femme, ils louaient quelque chose à côté du mont-de-piété, dans le même quartier, et ils restaient là pendant deux ou trois mois, à étudier les horaires, les allées et venues, les habitudes du personnel, le système de surveillance de l'agence. Leur logement n'attirait pas l'attention, même si de temps en temps arrivaient des gens de l'extérieur qui restaient dormir.

L' « oncle » Angelo se rendait à ce mont-de-piété pour y mettre un peu d'or au clou, ou bien il assistait aux ventes aux enchères des objets qui n'avaient pas été dégagés, et il regardait et observait tout. Le moment venu, les garçons intervenaient et ils prenaient en otage tous les gens qui se trouvaient dans l'établissement à ce moment-là, ou bien ils se faisaient enfermer à l'intérieur pendant le week-end pour rafler les valeurs les plus précieuses. Le travail terminé, ils se cachaient pendant quelques jours dans l'appartement de l'oncle Angelo, puis descendaient à Naples avec l'or qu'ils remettaient à l'organisateur, au receleur. Ils empochaient l'argent et ils rentraient à Catane, tout contents, heureux, pour y mener un peu la belle vie dans les meilleurs endroits. Mais ils n'étaient pas du genre, non plus, à gaspiller en quinze jours le résultat de plusieurs mois de travail. C'étaient des garçons pleins de jugeotte, avisés, qui économisaient une bonne partie de leur butin. Tous ces bons du Trésor à dix millions de lires que la mère de Lanzafame a pu mettre à gauche !

De temps en temps, se dessinait aussi la possibilité d'une bonne opération, à Catane même. C'est à une de ces occasions-là que Lanzafame a fait une grosse bourde en s'en prenant à un tripot clandestin géré par Giuseppe Ferrera. Lanzafame l'ignorait, et quand, pendant le cambriolage, Ferrera a fait mine de réagir, c'est Lanzafame lui-même qui l'a cogné. Il avait signé sa condamnation à mort. Quand le pauvre gosse s'est aperçu de l'erreur qu'il avait commise, il a disparu quelque temps de la circulation, puis il a essayé de faire amende honorable de toutes les manières possibles, de se réconcilier avec nous, les membres de la famille. Il avait, à juste raison, affreusement peur de se faire descendre.

Il s'est lié à Pippo et à moi, il nous a fait des tas de cadeaux, il s'est mis complètement à notre disposition. Et quand la guerre a éclaté entre nous et ceux de la pègre, qu'il connaissait très bien, Lanzafame et ses gars se sont encore plus rapprochés de la famille, et ils ont fait différents travaux pour notre compte. Si bien qu'on a décidé de le gracier et de le faire entrer dans Cosa Nostra. Sa mère était rayonnante, parce qu'elle voyait son fils enfin dans de bonnes mains et elle pensait que sa condamnation à mort était maintenant de l'histoire ancienne. Elle ne voyait plus que par mon frère ; elle n'en finissait pas de le bénir et de le remercier : « Oncle Pippo, oncle Pippo, grâce à vous, mon fils est sauvé ! »

Lanzafame a été blessé à la tête pendant l'attentat qui a coûté la vie à mon frère, parce qu'ils étaient ensemble quand on a tiré sur Pippo. Mais Lanzafame a survécu, et plus tard, quand il y a eu l'affrontement entre les Ferlito et les Santapaola, il s'est rangé du côté des Ferlito.

L'heure de Salvatore Lanzafame a sonné le jour où son groupe a été informé de l'endroit où Nitto était caché et a décidé d'organiser une expédition pour le tuer. Alfio Ferlito, Lanzafame et quelques autres se sont armés de pied en cap, avec des grenades, des mitraillettes, des fusils, des pistolets et ils ont fait irruption dans cette maison de campagne où Nitto aurait dû se trouver. Mais il n'y était pas. Il n'y avait que son frère Nino et son neveu, qui ont riposté aussitôt à la fusillade. Lanzafame est descendu de la voiture et il s'est caché derrière un rocher. Mais le neveu de Nitto a braqué un fusil sur lui et l'a touché en pleine poitrine.

La mère de Lanzafame n'a pas accepté l'idée, bien vraie, pourtant, que son fils était mort en voulant tuer quelqu'un d'autre ; elle s'est convaincue que son fils avait été assassiné à cause de cette vieille histoire du cambriolage dans le tripot des Ferrera. Et c'est comme ça qu'un jour mon avocat, rentrant du tribunal, m'a annoncé :

« On raconte que la mère de Lanzafame commence à collaborer. »

Nitto a chargé Turi Palermo de tuer cette femme, mais Turi a refusé et la chose ne s'est pas faite. D'autres membres de la famille s'opposaient également à ce qu'elle soit éliminée. Et il ne lui est donc rien arrivé. Personne ne l'a touchée. Il y a même eu un procès, qui s'est terminé par un non-lieu.

Épargner la vie des femmes est une façon de voir qui n'a plus cours aujourd'hui. Que ça soit à Catane ou ailleurs, quand on apprend qu'une femme est en train de parler, on la tue sans formalités.

17.

Pour s'occuper de mes affaires, j'avais un avocat de confiance, et chaque membre de la famille avait le sien. Il arrivait qu'un même avocat se retrouve à défendre plusieurs hommes d'honneur, mais chacun avait ses préférences. L'obligation de faire appel à un bon avocat, un qui coûtait cher, n'existait que si un soldat était arrêté pour avoir exécuté un ordre du représentant. L'avocat normal du soldat passait au second plan, et sa défense était assurée par un ténor du barreau aux frais de la famille. Pour une famille prospère, les honoraires d'un avocat célèbre n'étaient pas un problème. Mais jusqu'au milieu des années soixante-dix, nous n'étions pas du tout prospères. En ce temps-là, les frais d'avocats pesaient lourds ; du coup, nous étions obligés de limiter les « missions » des soldats.

Il y avait d'ailleurs des hommes d'honneur qui étaient avocats, mais pas comme dans *Le Parrain,* où ils conseillent le représentant de la famille sur tout. Pour faire ses opérations, la mafia n'a pas besoin des conseils d'un juriste. Si on doit consulter quelqu'un avant de prendre une décision, le représentant a le conseiller de la famille, qui n'est pas un avocat. Si le chef de la famille a un problème avec la justice, un procès, alors, il va demander des éclaircissements à son avocat. Les avocats comprennent les choses de la loi. Mais qu'est-ce qu'ils en savent, de comment on mène la guerre, comment on organise la contrebande, comment on « fait marcher » la famille, comment on se comporte en affaires, comment on fait un meurtre ? Pour ces choses-là, il y a les conseillers de la famille. Et il y a le talent personnel des hommes d'honneur qui la dirigent.

Mais les avocats servent aussi à autre chose de très important. Ils peuvent entrer comme ils veulent dans les prisons et parler avec leurs clients détenus aussi long-temps qu'ils veulent. Les visites de parents aux détenus durent une demi-heure et doivent être autorisées par le juge. L'avocat peut aller voir son client chaque fois qu'il le veut. Il peut transmettre n'importe quel message, dans les deux sens. Un des avocats de Stefano Bontade, un jeune fondé de pouvoir, était homme d'honneur et lui rendait visite à la prison, tous les jours. Ils restaient là à discuter pendant une heure, deux heures, trois heures, tranquilles et blancs comme neige !

L'avocat assiste aux interrogatoires, et si c'est un avocat de la *cosca*, il contrôle, il fait attention à ce que l'accusé dit au juge. Pour une famille, l'intérêt d'avoir un homme d'honneur avocat est énorme. Si c'est un homme d'honneur et de confiance, il peut sortir les messages de la prison. Par son intermédiaire, Michele Greco peut dire à Totò Riina s'il doit ou non faire la guerre, faire ou non tel meurtre. Bien sûr, il est difficile d'éviter d'être surveillé, pendant les visites au parloir. On ne parle jamais ouvertement pendant ces rencontres, même avec ses familiers. Je me souviens qu'à Marseille, pendant les visites de ma femme, on pouvait même entendre carré-ment le bruit du magnétophone. Si bien que nous parlions le moins possible, nous faisions plutôt des gestes, des mouvements de la tête ou des yeux. C'est seulement quand j'ai décidé de me repentir que je me suis laissé enregistrer. Les avocats savent eux aussi qu'au parloir, les conversations sont écoutées, on utilise donc des noms de code, des surnoms qu'eux et nous sommes seuls à connaître.

Mon avocat de confiance, je l'ai trouvé après une mauvaise expérience avec un autre avocat, dont j'ai sauvé la vie par-dessus le marché. C'était maître Tommaso

Bonfiglio, de Catane, que Nello Pernice, le grand ami de Liggio, voulait tuer parce qu'il estimait qu'il ne s'était pas conduit correctement avec lui. Pernice m'a demandé de l'autoriser à faire ce meurtre, soit parce que j'occupais une charge officielle au sein de la famille, soit parce qu'il savait que Bonfiglio avait aussi été mon avocat.

Je n'avais aucune sympathie pour Bonfiglio qui ne s'était pas mieux conduit avec moi. Il m'avait défendu avec trop de désinvolture, devant le tribunal, contre la proposition de mesures préventives faite par la préfecture de police de Catane à mon sujet, en 1974.

L'accusation était basée sur le fait que je m'étais soi-disant enrichi illégalement. C'était faux. J'étais en mesure de démontrer que mon modeste patrimoine provenait des sources légales (la distribution d'essence et la vente de combustibles). Bonfiglio estimait superflu que je produise au tribunal les documents correspondants. Le jour fixé pour la discussion des mesures préventives, j'ai rencontré par hasard un autre avocat à qui j'ai montré les documents. Il m'a dit que j'avais raison et qu'il allait en parler au représentant du ministère public présent à l'audience, le Dottore Sebastiano Campisi.

Le ministère public s'est alors rendu compte que mes remarques étaient exactes et quand on a appelé mon affaire, il a déclaré qu'il retirait ses accusations. Le tribunal était présidé par le président D'Urso, que les Brigades Rouges ont enlevé par la suite. La requête du ministère public a été acceptée et le non-lieu prononcé. Malgré ça, je n'ai pas autorisé l'élimination de maître Bonfiglio. Sa négligence ne m'a pas semblé justifier la peine de mort.

Quelque temps après, l'avocat qui était intervenu en ma faveur auprès du Dottore Campisi m'a téléphoné. Il m'a dit que ce juge Campisi avait un problème : sa femme possédait une petite propriété qui devait être traversée par l'autoroute Catane-Enna, en cours de construction par l'entreprise Costanzo. Il était au courant, comme de juste, des rapports étroits qui existaient entre nous, les Calderone, et les Costanzo. Ne pourrait-on pas déplacer un peu le tracé de la route pour éviter d'endommager la propriété ? On a effectué un nouveau relevé de terrain, autour de Catenanuova, en présence de Campisi, de son ami l'avocat et de mon frère qui représentait les intérêts de l'entreprise. La route a été déplacée et l'entreprise Costanzo a même aménagé l'esplanade devant la propriété de Mme Campisi.

Pendant que nous faisions ce nouveau relevé, Campisi m'a révélé que maître Bonfiglio, lors de mon procès, lui avait suggéré de demander qu'on me condamne à quatre ans de relégation surveillée, prévoyant qu'on ne m'en donnerait que deux, ce qui lui aurait permis de faire apparaître la réduction de peine comme la conséquence directe de sa défense habile !

Nous sommes devenus ensuite amis, ce juge et moi. Quand mon frère était en convalescence, il est allé le voir, à l'hôpital. « Comment, Dottore... vous ici ? » s'est exclamé Pippo, surpris et flatté, faisant allusion au bruit qu'aurait pu faire cette visite d'un magistrat à un mafieux notoire. « Ne t'inquiète pas, l'a coupé Campisi, de toute façon tout le monde le sait, qu'on est amis tous les deux. »

Des années plus tard, vers 1980, j'ai revu en plusieurs occasions le juge Campisi. Un intermédiaire en produits agricoles, Pietro Castelli, m'avait demandé d'aller à Adrano, un bourg de la région de Catane, où Campisi avait une propriété, pour y rencontrer le magistrat. Entre-temps, Campisi avait déménagé à Cuneo (dans les montagnes piémontaises, au nord-est de l'Italie [N.d.T.]), mais l'été, il revenait à Adrano pour s'occuper de la récolte des pistaches. Cette fois-là, j'ai appris, de la bouche de Castelli, que Campisi avait rendu un grand service à Tommaso Buscetta, détenu dans la prison de Cuneo. Il lui avait fait obtenir la liberté surveillée, par l'intermédiaire d'une amie magistrat ou fonctionnaire au ministère de la Justice, et Buscetta s'était empressé de disparaître. Pour que le juge Campisi sache bien qui il était, Buscetta s'était présenté comme un ami des Calderone.

Quand j'ai revu Campisi, il m'a confirmé son intervention en faveur de Buscetta, mais sans paraître autrement affecté par sa disparition. J'ai eu l'idée de me gagner les bonnes grâces des Corléonais et — en faisant allusion à Liggio, sans le nommer — j'ai demandé au juge s'il pouvait faire quelque chose pour un pauvre condamné à perpétuité. Campisi m'a répondu que c'était un peu difficile, mais qu'on pouvait toujours s'arranger pour trouver des permissions et des autorisations. J'ai transmis l'information à Nitto Santapaola pour qu'à son tour il en informe les Corléonais, mais je n'ai reçu aucune réponse.

Par la suite, je suis passé régulièrement dire bonjour à Campisi, en lui apportant chaque fois des cadeaux, du poisson frais ou des cigarettes de contrebande. Des *Marlboro* pour lui et des *Muratti Ambassador* pour sa famille. Il m'a dit qu'il avait une famille nombreuse et qu'il s'était débrouillé, d'une manière ou d'une autre, pour caser tous ses enfants en leur trouvant un bon travail là-bas, à Cuneo.

Lors d'un autre de ses voyages à Catane, Campisi m'a demandé s'il était possible de faire intervenir la mafia pour découvrir des terroristes qu'on disait cachés en Sicile. Je lui ai répondu aussi sec que nous étions contre les opérations de police et que nous n'avions jamais fait arrêter qui que ce soit, et j'ai aussitôt informé Nitto Santapaola, en tant que représentant de la famille de Catane, de cette étrange requête. Il a pleinement approuvé ma réponse.

Tout au long de ma carrière de mafioso, j'ai connu beaucoup de magistrats, de policiers et de carabiniers. Mais je n'ai jamais pu me faire une idée définitive sur leur monde, le monde de nos adversaires. J'ai l'impression que, sur un point en tout cas, il ressemble à Cosa Nostra. Il y a parmi eux des gens honnêtes et des gens malhonnêtes, ceux qui y croient et ceux qui en profitent. Et il est quelquefois difficile de les distinguer, au premier abord. De toute façon, jusqu'en 1983, date de ma fuite vers la France, notre famille de Catane n'a jamais réellement eu à se préoccuper de leur existence. On était bien protégés et bien informés. Nous, on protégeait les plus gros entrepreneurs des prétentions des malfrats ordinaires de la zone et de celles des familles mafieuses non catanaises ; et eux, en retour, ils nous protégeaient des ennuis que pouvaient nous causer les forces de l'ordre et les magistrats.

L'entreprise Costanzo avait beaucoup de magistrats dans sa poche. Elle cultivait ces relations-là dans son propre intérêt : parce qu'elle avait continuellement des problèmes avec les tribunaux. Une grosse entreprise a bien deux pépins par jour : une contravention, un accident du travail, un conflit avec une autre entreprise, etc. Et comme l'entreprise avait déjà ces contacts, elle s'en servait aussi pour nous aider, en cas de procès, de mesures préventives, que sais-je encore ? Au parquet, les Costanzo avaient Di Natale. Au tribunal, ils avaient un gros magistrat, un type qui avait la haute main sur les juges dans les procès et qui habitait à Adrano. Ils l'appelaient Napoléon, pour éviter de dire son nom. Tous ces travaux qu'ils lui ont faits gratis, dans sa propriété d'Adrano, à la campagne !

Les Costanzo ont aussi construit cet immeuble de la place Santa Maria del Gesù, le plus beau de Catane à cette époque-là, dans lequel habitaient plusieurs magistrats. Et ça leur coûtait quoi, à ces gens-là ? Chaque mois, les magistrats qui étaient locataires recevaient du gérant une quittance de loyer marquée « payé », mais l'argent, c'est Gino Costanzo qui l'avait déboursé. Et eux, ils étaient couverts, puisqu'à n'importe quel moment, ils pouvaient prouver qu'ils avaient payé leur loyer.

Mais nous avions aussi nos propres sources d'informations. Au tribunal se trouvait en permanence un de nos hommes, Agatino Ferlito, qui connaissait beaucoup de magistrats et qui avait aussi des relations à la Cour de cassation. Le parquet, à Catane, était une vraie passoire, et les mandats d'arrêt une plaisanterie. Je connaissais en particulier un brigadier des carabiniers qui appartenait à la « Section d'intervention ». On était amis, ou on faisait semblant de l'être, difficile à dire. Je l'ai invité un soir à dîner chez moi et il est venu accompagné par deux autres carabiniers. L'un d'eux était surnommé « Maciste », à cause de sa corpulence. Quant à l'autre, je ne risquais pas d'avoir oublié sa tête : il faisait partie de ceux qui m'avaient arrêté, un ou deux ans auparavant.

Le rôle de la « Section d'intervention », c'est de vérifier les adresses des gens à arrêter, de manière à ce qu'on les trouve chez eux la nuit où l'opération de commando est déclenchée. Un jour, j'ai trouvé ce brigadier qui m'attendait en bas de chez moi. Je l'ai invité à monter mais il m'a répondu que ce n'était pas la peine. On s'est assis dans la voiture de ma femme, qui était garée devant le portail, et il m'a montré une liste de mandats d'arrêt qui venaient d'être lancés dans le cadre d'une opération imminente pour trafic de stupéfiants. Il y avait une vingtaine de noms de personnes étrangères à notre famille, à l'exception de mon cousin Salvatore Marchese. J'ai offert par la suite au brigadier cinq cent mille lires, qu'il a acceptées après quelques faibles protestations, en me disant qu'il ne l'avait pas fait pour de l'argent. Il m'a dit qu'il avait déjà montré la liste à Nitto Santapaola, qui lui avait répondu que la seule personne intéressante là-dedans pour lui, c'était Marchese, et que les autres étaient des moins-que-rien. J'ai confirmé au brigadier que pour moi aussi le seul nom important dans cette liste, c'était celui de mon cousin ; mais il m'a répondu qu'on ne pouvait plus rien faire. Il était impossible d'enlever son nom puisque la liste était déjà entre les mains de la justice.

Je savais comment faire, dans un cas de ce genre. J'ai couru chez Pasquale Costanzo, qui était d'ailleurs l'oncle par alliance de mon cousin inculpé, qui avait épousé une de ses nièces. Costanzo m'a assuré qu'il allait intervenir auprès d'un membre du parquet — le procureur adjoint Di Natale. Et c'est ce qu'il a fait. Di Natale s'est fait remettre le procès-verbal, qui était entre les mains d'un de ses substituts. Le nom de mon cousin a été retiré de la liste des personnes à arrêter, et comme son inculpation était liée à celle d'un autre type, il a fallu retirer également de la liste le nom de ce type-là.

Après quoi on a été convoqués, mon cousin et moi, dans le bureau de Carmelo Costanzo. Il a fallu qu'on avale un sermon interminable, à la fin duquel le *cavaliere* nous a informés que toute l'affaire lui avait coûté trente millions. Il avait dû donner trente millions au procureur Di Natale, qui jouait beaucoup aux cartes. C'était peut-être vrai, ou alors Costanzo nous menait en bateau. Il se comportait toujours de cette manière-là : quand il voulait montrer qu'il avait rendu service à quelqu'un, il faisait celui qui avait dû remuer des montagnes, même s'il n'avait pas bougé le petit doigt.

De toute façon, pour nous, l'affaire était réglée et on n'y pensait plus. Quand un soir j'ai vu arriver à l'entreprise Costanzo Domenico Compagnino, un expert en balistique auprès du tribunal, un type qui connaissait et tutoyait tout le monde, même le capitaine Guarrata et le colonel Licata, commandant la section des carabiniers de Catane. Je me trouvais dans le hall du siège de l'entreprise et j'attendais d'être reçu par un des neveux de Costanzo avec lequel je devais discuter d'un problème de travail. Dès qu'il m'a vu, ce Compagnino s'est approché de moi et s'est déclaré très préoccupé. Les carabiniers de Catane préparaient une grosse opération anti-drogue et dans la liste des personnes à arrêter, il avait vu les noms de mon cousin Salvatore Marchese et de Giuseppe Ferrera, un gros bonnet des « Cavadduzzu » (donc un parent proche de Nitto Santapaola) qui était à ce moment-là représentant provincial. Je suis resté pétrifié. « Comment ça ? me suis-je dit. Carmelo Costanzo nous a fait tout ce baratin en prétendant qu'il avait fait enlever les noms, et ça n'est même pas vrai ! Ou alors, il s'est fait avoir par Di Natale. » J'ai demandé au secrétaire de Costanzo de m'introduire tout de suite chez le *cavaliere*, qui était occupé à ce moment-là avec quelqu'un d'autre. Et dès que je suis entré, j'ai trouvé, assis en face de lui, Nitto Santapaola. Je leur ai exposé le problème. Nitto a fait semblant de ne rien savoir et s'est scandalisé que son

cousin Ferrera soit arrêté pour trafic de drogue :
« Quelle honte ! C'est une accusation infamante ! La
mafia ne s'occupe pas de drogue ! Il aurait mieux valu
qu'ils l'accusent de meurtre. La drogue, nous, on n'y
touche pas ! »

Un sacré culot, tout de même. Il jouait cette scène-là
pour impressionner le *cavaliere* (ou peut-être pour se
moquer de lui). Nitto et Costanzo sont sortis peu après.
J'ai su par la suite que Costanzo avait envoyé son
secrétaire chez le procureur Di Natale pour lui demander
des explications au sujet de ce mandat d'arrêt lancé contre
Salvatore Marchese, et pour lui rappeler que Marchese
n'était pas n'importe qui, mais le neveu des Costanzo. En
entrant dans le bureau du procureur, le secrétaire avait
croisé le capitaine des carabiniers Guarrata. Ils s'étaient
dit bonjour, étant amis, malgré les tentatives du secrétaire
pour corrompre le capitaine et pour l'inscrire sur le
registre de ceux qui émargeaient chez les « Chevaliers du
Travail ». Le capitaine Guarrata a deviné la raison de
cette visite au procureur Di Natale et il a commencé à se
faire beaucoup de souci. C'était lui qui avait mené
l'enquête et qui avait donné les noms de Marchese et
Ferrera, précisément parce qu'il voulait atteindre les
Costanzo.

La rencontre du secrétaire avec Di Natale a permis
d'éclaircir le malentendu. Il n'y avait pas de mauvaise foi
de la part du procureur ni aucun ordre officiel d'arrêter
Marchese et Ferrera. Il y avait simplement eu deux
versions du mandat d'arrêt. Celle qui avait précédé
l'intervention des Costanzo et celle qui avait suivi.
Compagnino, l'expert en balistique, avait vu la première
version, où apparaissaient encore les noms de Marchese
et de Ferrera. Malgré tout, le nom de Giuseppe Ferrera
n'avait pas été retiré à cause des pressions des Costanzo ;
ça n'avait pas été nécessaire, et Di Natale n'était pour rien
là-dedans. Il existait également un autre canal —
« occulte », c'est le cas de le dire — entre nous et la
magistrature catanaise. Là, je vais vous demander de me
croire et de ne pas rire. Enfin, riez si vous voulez mais en

tout cas, vous devez me croire ; ce que je vais vous raconter est vrai.

Le substitut du procureur qui s'occupait des mandats d'arrêt s'appelait Foti ; il était séparé de sa femme et avait une maîtresse. La sœur de sa maîtresse vivait avec un cousin de Giuseppe Ferrera et elle était voyante. Le juge Foti, comme beaucoup de juges, emportait du travail chez lui. Sa maîtresse regardait dans ses dossiers et elle donnait à sa sœur les noms des gens qui allaient être arrêtés. Si bien que la boule de cristal de la voyante faisait des prévisions absolument exactes sur tout ce que la police et la magistrature de Catane s'apprêtaient à faire, et sur le sort qui attendait différents mafiosi. Le bruit s'en était répandu et la clientèle de la dame augmentait. On ne trouve pas tous les jours une magicienne capable de dire à une femme : « Ton mari va être arrêté. » Même ma propre femme est allée à un certain moment chez elle pour connaître mon avenir judiciaire !

Quand la voyante a trouvé le nom de Giuseppe Ferrera parmi ceux que sa sœur lui indiquait, elle a aussitôt averti son homme, le cousin de Giuseppe Ferrera, que celui-ci était sur la liste des inculpés et allait être arrêté, et elle a demandé à sa sœur de s'arranger pour que le juge enlève son nom de la liste. Et c'est comme ça que Ferrera n'a pas été accusé de trafic de drogue, lui non plus.

Quand le parquet a lancé des mandats d'arrêt qui étaient en nombre inférieur à celui indiqué par les carabiniers, le capitaine Guarrata a été furieux. Au début, il a décidé de faire un scandale. Il voulait présenter un rapport au procureur général, qui est le supérieur direct du procureur de la République, pour dénoncer la mainmise des Costanzo sur les instances judiciaires de la ville. Mais son supérieur, le colonel Licata, lui a imposé de ne rien faire. Il y a même eu une altercation très violente entre eux, à la caserne des carabiniers.

Cet épisode des mandats d'arrêt revus et corrigés a eu lieu en 1981, mais ce n'est qu'un exemple. Avant 1981 comme après, c'est toujours de cette manière-là que les choses se passaient au tribunal de Catane. Il suffit de penser que le jour où, finalement, en 1982, l'ordre de m'arrêter a été lancé, je l'attendais déjà depuis trois mois. Trois mois que j'étais au courant, que j'attendais qu'il arrive, ce mandat d'arrêt !

Tout ce que faisaient les magistrats, on finissait toujours par le savoir. Bien souvent, on n'avait même pas besoin des Costanzo ou des autres ; il suffisait de pas grand-chose. Il suffisait de connaître un employé, un greffier, une secrétaire, un huissier pour savoir comment se poursuivait une enquête, quelle était la situation de celui-ci ou de celui-là, ou comment se développait une instruction. Un exemple : il y avait une fille qui était secrétaire ou greffière du juge Grassi, et qui achetait ses poulets et ses œufs frais chez un personnage important de la pègre catanaise de banlieue, Saro Zuccaro. Ce Zuccaro lui demandait périodiquement, comme ça : « Et le juge Grassi, il ne les a toujours pas signés ces mandats d'arrêt ? » Comme ça, tout en lui emballant une cuisse de poulet ou un morceau de dinde. On savait tout. Et quand ils ont commencé à lancer pour de bon des mandats d'arrêt, après la mort du général Dalla Chiesa[1], ils n'ont réussi à arrêter quasiment personne. Les inculpés avaient été prévenus depuis longtemps.

Notre amitié avec les Costanzo, nos relations avec eux étaient un héritage de mon oncle Luigi Saitta, qui les protégeait depuis le tout début de leur histoire, depuis les années cinquante. C'est mon oncle qui a présenté Totò

1. Auréolé de sa victoire sur les Brigades Rouges et proche de la retraite, le général des carabiniers Dalla Chiesa accepta la charge de préfet de Police à Palerme, où il arriva en avril 1982. Aimé par la population (il se rendait dans les écoles et dans les réunions syndicales pour expliquer ce qu'est la mafia) et soupçonné par les puissants de l'île de vouloir jouer les « super-flics », il fut assassiné, en compagnie de sa jeune femme, le 3 septembre 1982, par des tueurs de la mafia qui lui tendirent une embuscade en plein Palerme, sur le passage de sa petite Autobianchi. Ces deux morts firent une violente impression sur l'opinion publique et, dix jours plus tard, la loi Rognoni-La Torre sur le gel des biens et des avoirs de la mafia était votée. Le fils du général, Nando Dalla Chiesa, ex-militant de la gauche étudiante, est aujourd'hui l'un des principaux représentants du mouvement d'associations qui luttent contre la mafia. (N.d.T.)

Minore, chef de la mafia à Trapani, à Carmelo Costanzo : une amitié indissoluble, née dans les années 1956-1957, à l'occasion de certaines grosses adjudications que l'entreprise Costanzo avait obtenues du côté de Trapani. Les Costanzo, au départ, n'étaient rien de plus que des maçons, des contremaîtres devenus entrepreneurs en bâtiment grâce à l'aide d'un certain Giovanni Conti, qui n'était pas homme d'honneur mais qui avait d'excellents contacts avec les hommes politiques et en particulier avec le député Milazzo. C'est quand Milazzo est entré au gouvernement de la Région Sicile qu'ils ont vraiment démarré comme constructeurs immobiliers. Par la suite, ils ont survécu à tous les changements politiques, ils sont même devenus de plus en plus puissants. Pour tous remerciements, la plupart des biens de Giovanni Conti ont été saisis après sa mort, sous différents prétextes, justement par les frères Costanzo.

Les autres « Chevaliers du Travail » de Catane se sont servis de nous eux aussi, à différentes occasions. Gaetano Graci, au début, se faisait protéger par Francesco Madonia, qui n'intervenait que si un cas grave surgissait sur un chantier ou dans les autres activités de Graci, éparpillées dans toute la Sicile. Après la mort de Francesco Madonia, son fils Giuseppe a préféré ne pas s'attacher de trop près aux intérêts de Graci, qui a été alors approché par Nitto Santapaola et Rosario Romeo, un homme d'honneur de Catane que je considère comme pire que Judas parce qu'à mon avis, c'est lui qui a trahi mon frère.

L'entrepreneur Finocchiaro, lui, avait recours aux services d'un personnage important de la bande des Cursoti, une des composantes de la criminalité ordinaire de Catane, extérieure à Cosa Nostra. Quant au groupe des Rendo, il a toujours gardé une certaine distance avec tout notre milieu. Les contacts avec les mafiosi, c'étaient les employés de l'entreprise Rendo qui les avaient, plutôt que les Rendo eux-mêmes.

Un jour, vers le début des années soixante, Rendo est venu trouver mon oncle sur les conseils de Nino Succi — ce maire-adjoint socialiste de la ville dont j'ai parlé à propos de ma licence pour la station-service. Une bombe avait explosé dans les locaux de son entreprise et Succi avait suggéré à Rendo de prendre contact avec les Costanzo, qui étaient justement protégés par mon oncle. Un rendez-vous au siège des Costanzo a été fixé. Rendo est descendu de voiture crevant de peur. Costanzo, lui, était tout gonflé de satisfaction parce qu'avant ce jour, Rendo ne s'était jamais déplacé jusque chez lui, alors que lui, il avait dû se rendre très souvent chez Rendo. La rencontre avec mon oncle a été plutôt rassurante.

« Tranquillisez-vous, pas la peine de vous agiter pour le moment. Peut-être qu'il ne vous arrivera plus rien, lui a dit mon oncle avec un air un peu en dessous.

— Mais comment est-ce que je peux vous remercier ? Dites-moi ce que je peux faire pour vous, a répondu Rendo.

— Est-ce que vous fumez ?

— Oui, bien sûr.

— Bien. Fumez donc ces cigarettes à ma santé », a conclu mon oncle en lui tendant un paquet de *Nazionali*. Un geste de grand seigneur, de vrai mafieux. Ensuite, naturellement, l'oncle Luigi a dit à Costanzo qu'il devait faire cracher du fric à Rendo. Je ne connais pas l'importance de la somme, mais Costanzo a eu le courage de soutenir par la suite à mon oncle que c'était lui, Costanzo, qui avait payé. La bombe chez Rendo, c'est notre famille qui l'avait mise, dans le but de lui soutirer un peu de fric et de le faire plier, de l'avoir bien en main. Mais Rendo a payé et ne s'est pas laissé manœuvrer. Quant à mon oncle, avec ce geste d'offrir les cigarettes, il s'était couvert dès le départ : ça ne lui inspirait pas confiance de recevoir de l'argent d'un personnage comme celui-là.

Nous avons continué par la suite à causer pas mal de dommages chez Rendo, que ce soit pour l'obliger à se soumettre ou pour faire une faveur aux Costanzo ; mais on n'est jamais arrivés à le faire plier parce qu'il cherchait des appuis partout, même auprès de la police. Il était très fort pour tout ce qui était police et magistrats. Plus fort que tous les autres. Rendo comprenait très bien d'où venaient les hostilités, mais il ne cédait pas pour autant. Et Costanzo se rengorgeait tout ce qu'il pouvait, chaque fois qu'il apprenait les dégâts occasionnés sur les chantiers de son rival. Il aurait fait n'importe quoi pour devenir plus important que lui. Il voyait que Rendo avait toujours un pas d'avance sur lui, qu'il était toujours plus haut, plus intelligent, plus puissant que lui. Et il essayait de le dominer de la seule manière qui lui était possible : en lui faisant peur. Il se précipitait chez Pippo et lui disait : « Ah ! Tu vois comment il s'est comporté encore ! Il a fait ceci et il a fait cela... » Et allez, des bombes sur le chantier de Rendo, à Gela. « Mais tu as vu comme il est salaud ce type ! Regarde ce qu'il a fait encore... » Et des bombes sur les chantiers de Catane. Et des bombes ailleurs encore.

Dans les réunions avec les autres gros entrepreneurs, Carmelo Costanzo faisait comprendre clairement à tout le monde qu'avec lui il valait mieux ne pas plaisanter, parce qu'il avait la mafia derrière lui. Et les autres, quelquefois, faisaient un peu le gros dos, ils encaissaient le coup. Et Costanzo alors se prenait pour un lion. Mais souvent, malgré tout, ils réagissaient, parce qu'eux aussi étaient protégés, et de grandes engueulades éclataient. Costanzo, Rendo et Graci avaient constitué plusieurs consortiums pour réunir leurs forces et obtenir des marchés de dizaines et de dizaines de milliards, surtout dans la construction des digues et des aéroports. Ensuite, des conflits d'intérêts ont abouti à une violente altercation et ils ont décidé de se séparer. Ils ont divisé en trois lots les travaux qui étaient à exécuter et ils ont tiré au sort la part de chacun. Graci a hérité de la digue d'Enna et d'une compensation financière. Rendo a eu une autre digue, à construire (il me semble) dans la province d'Agrigente, et c'est Costanzo qui s'est vu attribuer les aéroports des petites îles au large de la Sicile. Ils en sont venus à s'insulter avec des mots vraiment très forts. Même nous, on était presque scandalisés de les entendre. La bagarre en est arrivée à un tel point de vulgarité — ces trois-là étaient devenus incapables de s'asseoir autour d'une table sans s'injurier — qu'il a fallu faire appel à des médiateurs. Deux de ces médiateurs étaient des avocats connus et le troisième était un homme politique important dont je ne me rappelle pas le nom.

Les « Chevaliers du Travail » de Catane n'ont jamais été victimes de la mafia, du moins tant que j'ai été là-bas. Bien sûr, il y avait une différence entre un Rendo et un Costanzo. Mais, pour l'essentiel, ils se servaient bien, les uns et les autres, de cette réputation qu'ils avaient d'entretenir des liens avec nous. Aujourd'hui, ils prétendent ne pas nous connaître.

Quand on nous a confrontés tous les deux, Gino Costanzo et moi, il a même failli nier qu'il avait été témoin à mon mariage et à celui de mon frère ! Il ne se souvenait de rien ! Alors que son frère Carmelo, lui, a au moins admis qu'il avait été escorté par nous à la fête de la Madone du Carmel. Carmelo était très pieux et chaque année, le matin du jour de sa fête, il apportait un cierge à cette Madone. Il avait fait le vœu que chaque année il apporterait un cierge plus lourd que celui de l'année précédente. Un soir où nous étions tous ensemble, Gino Costanzo a dit à son frère : « Il faut qu'on aille se coucher, Carmelino. Demain on doit se lever de bonne heure. Il faut aller porter le cierge à la Madone du Carmel. »

Il disait ça devant nous, et il l'a même répété, pour bien nous faire comprendre qu'il voulait qu'on les escorte le lendemain. Carmelo Costanzo habitait un peu en dehors de Catane, à Cibali, à côté du stade. Il partait de là-bas pieds nus, habillé en pénitent, et il marchait avec son cierge à la main jusqu'à la via Etnea, dans le centre ville, là où se tient la foire. Son frère Gino le suivait en voiture, portant des chaussures et des vêtements normaux. Alors mon frère : « Demain matin, on viendra nous aussi. — Non, non. Pas la peine. Ne vous dérangez pas », ont répondu les Costanzo, tout cérémonieux. Le lendemain matin, nous nous sommes arrangés pour nous trouver devant sa porte et nous l'avons accompagné tout le long du parcours.

Ça, c'est juste du folklore. Pour des entrepreneurs comme les frères Costanzo, et pour d'autres, avoir la mafia de son côté, ça voulait dire beaucoup plus. Ça voulait dire la certitude de pouvoir travailler tranquillement et de gagner un beau paquet, sans risquer de voir ses engins bousillés, sans ces grèves qui te bloquent un chantier à mi-chemin, sans ces demandes de pots-de-vin que même le dernier des mafieux se sent en droit de présenter à quiconque vient faire un investissement sur son territoire.

C'était ça le travail que mon oncle Luigi et mon frère avaient fait pour les Costanzo. Quand l'affaire de construction de Pippo a fait faillite, il est devenu l'homme-à-tout-faire de l'entreprise Costanzo. Il allait inspecter tous les chantiers, il se déplaçait jusqu'à Rome. Il s'occupait de tout. Il avait mis à la disposition de l'entreprise ses amitiés au Parlement régional de Sicile ; il recevait en échange un salaire d'un million de lires par mois. C'était loin d'être un salaire de mafioso mais il s'en fichait, il n'a jamais trop pensé à l'argent. C'était un sentimental. Il n'était même pas embauché officiellement par l'entreprise.

Les Costanzo lui disaient par exemple : « On doit faire un chantier à Caltanissetta. De quel côté de la ville est-ce qu'on le fait ? » Et Pippo allait là-bas, il cherchait un terrain à louer et il passait des accords avec le chef de famille du coin pour que le chantier et les machines soient protégés. Les mafiosi locaux se faisaient payer pour ce service ; quand Nitto a remplacé mon frère, après sa mort, pour la protection des Costanzo, je lui ai remis une feuille de papier sur laquelle étaient marquées les sommes payées aux différents chefs de mafia dans les zones où des chantiers étaient en cours.

Mais ça n'était pas seulement une histoire de protection. Pippo était bien accueilli partout, parce qu'il donnait du travail. Quand il arrivait dans un village ou dans une ville, tout le monde l'honorait et cherchait à le rencontrer. Parce qu'il était le représentant provincial de Cosa Nostra, bien sûr, mais aussi parce qu'il était le représentant de l'entreprise Costanzo, qui apportait du pain au peuple des hommes d'honneur. Tout ça l'a aidé dans sa carrière de mafioso ; il est devenu connu et aimé de tout le monde. Dans les années soixante-dix, la Sicile était pleine de mafiosi qui avaient acheté des camions et des engins ; il fallait bien qu'ils travaillent pour payer les traites. Quand l'entreprise Costanzo s'adjugeait un marché pour un contrat de vingt ou trente milliards, ça se transformait en trois ou quatre années de travail assuré pour tous les travailleurs au forfait. Les sous-traitances étaient attribuées lors de petites mises aux enchères locales, auxquelles participaient également des propriétaires de machines qui n'étaient pas hommes d'honneur, et qui offraient eux aussi leurs services à l'entreprise, en se présentant pour la fourniture du sable, des gravillons, des structures métalliques ou du bois de coffrage, etc. La politique de l'entreprise consistait à demander à chacun d'eux de faire une offre, mais de favoriser ensuite les mafiosi en leur communiquant les prix proposés par les autres. Les hommes d'honneur proposaient alors un chiffre légèrement inférieur aux offres les plus basses et ils remportaient comme ça toutes les sous-traitances. Ça permettait à l'entreprise de se justifier aux yeux des autres d'avoir préféré les mafiosi et en plus d'économiser pas mal d'argent !

Tout ce fric que Pippo leur a fait économiser, aux Costanzo ! « On a besoin de tel ou tel matériau. » Pippo se renseignait alors sur les prix, sur la confiance qu'on pouvait faire à tel ou tel fournisseur, et il établissait une liste de noms entre lesquels choisir. Pour la fourniture de fuel et de lubrifiants, l'entreprise Costanzo se servait chez nous, auprès de la société que nous avions constituée Pippo et moi, mais sans prix de faveur. On leur vendait, exactement au même prix que les autres, une quantité considérable de fuel pour les immeubles qui leur appartenaient.

Et tous ces ennuis dont Pippo les a sortis ! En 1973, les Costanzo étaient bien mal en point, à cause d'un chantage mis sur pied par un de leurs employés, un géomètre. Au-dessus de l'autoroute Catane-Messine, ils avaient construit un viaduc dont les piliers ne tenaient pas et menaçaient de s'enfoncer dans le sol. Ce géomètre avait été licencié et il voulait les dénoncer auprès de l'ANAS et de l'IRI[1] pour vices de construction. Il avait tout mis par écrit. Il savait que l'entreprise travaillait en utilisant des combines ; il avait dressé la liste des piliers défectueux et il menaçait d'exposer toute l'affaire à l'organisme qui avait commandé les travaux, si on ne lui donnait pas cinq cents millions. D'ailleurs, il était déjà allé tout raconter, et il était prévu d'effectuer des sondages sur les piliers pour vérifier si ses dénonciations étaient fondées. Mais le jour dit, le géomètre ne s'est pas présenté. Toute la chose avait été très bien embrouillée, les sondages ont été faits à un autre endroit, sur d'autres piliers. Mais si le géomètre n'était pas venu, c'était tout simplement parce que Pippo l'avait convoqué pour lui dire que s'il continuait à poser des problèmes, il lui aplatirait la figure.

C'est même Pippo qui s'est arrangé pour que Costanzo soit nommé Chevalier, par l'intermédiaire de son ami Lupis, un responsable social-démocrate originaire de Raguse. Carmelo Costanzo est devenu Chevalier en 1968. A cette époque-là, Lupis était sous-secrétaire, et il était très lié avec un autre sous-secrétaire qui s'appelait Evangelisti. Une somme de quatre-vingts millions a été fixée, qui est montée à cent dix millions par la suite parce qu'une petite difficulté a surgi. Pippo s'est occupé de tout. Il est allé à Rome avec l'argent et il a rencontré tout d'abord le secrétaire particulier de Lupis, Felice Ciancio, un baron déchu, qui occupait un bureau à côté de celui du député. Quand Pippo est entré avec le sac plein de billets de banque, Ciancio l'a annoncé à Lupis en disant : « Monsieur le député, Pippo est arrivé avec le courrier. — Bien. Rangez ça quelque part et faites-le entrer. » Et c'est comme ça que Costanzo a été nommé Chevalier de

---

1. Importants organismes d'État ; le premier est chargé de superviser la construction routière et autoroutière et le second, de tout ce qui a concerné, après la guerre, la reconstruction du tissu industriel et, aujourd'hui, son développement. *(N.d.T.)*

l'Industrie. Rendo lui aussi a été nommé Chevalier la même année, mais de l'Agriculture, et Costanzo a été ravi parce que ça n'était pas du tout le domaine de Rendo et que, de toute façon, c'était moins coté que l'Industrie.

Il ne faut pas s'imaginer que Nitto Santapaola aurait bénéficié de je ne sais quel traitement de faveur quand il a succédé à mon frère comme homme de confiance des Costanzo. Pour les questions d'argent, les *cavalieri* étaient plutôt durs à la détente, et ils mettaient beaucoup de mauvaise volonté à reconnaître l'importance des bénéfices qu'ils empochaient grâce à la mafia. Nitto m'a confié un jour : « Ce Carmelo Costanzo, il n'est jamais content. Totò Riina lui a fait avoir un gros marché à Palerme pour la construction d'un immeuble. Et tu sais comment il l'a remercié ? Cent millions, voilà tout ce qu'il lui a donné. Cent millions pour une affaire de plusieurs milliards ! Mais qu'est-ce qu'il s'imagine ce type ? Qu'on est cons ? Figure-toi que la première année où j'ai travaillé pour eux à la place de Pippo, il m'a donné seulement quinze millions ! Une misère ! Je n'y ai même pas touché. J'ai acheté du mousseux et de la brioche pour Noël à tous les détenus, comme Alfio Ferlito me l'avait suggéré. »

Et dire que Nitto a même commis un meurtre pour eux, les Costanzo, vers la fin des années soixante-dix ! Je ne suis pas sûr qu'ils en aient été informés avant, mais ce qui est certain, c'est qu'ils ont été bien contents quand ils l'ont appris. Les Costanzo avaient ouvert un chantier à Messine et on avait voulu les racketter : un groupe de voyous du coin, qui avaient d'ailleurs précédemment travaillé pour les Costanzo, avaient demandé de l'argent au chef du chantier et à un neveu de Nitto, qui travaillait là comme employé. Plusieurs des employés des Costanzo étaient des parents proches d'hommes d'honneur : le fils et le frère du contrebandier Francesco Mangion, par exemple.

Gino Costanzo est venu me voir pour me parler de ce problème. Je lui ai demandé s'il en avait discuté avec Nitto et il m'a répondu qu'il l'avait déjà fait. Un de ces voyous a été tué quelque temps après à Messine ; Nino Santapaola et Salvatore Tuccio ont été traduits en justice pour ce meurtre et acquittés. Nitto m'a dit par la suite que son frère Nino et Salvatore Tuccio étaient bien les auteurs du meurtre, et qu'il s'en était fallu d'un cheveu qu'ils ne soient arrêtés en flagrant délit. Cette même fois-là, Nitto m'a dit qu'il voulait aussi faire tuer Nino Bua, un mafioso de Catane qui avait été chef de chantier pour l'entreprise Costanzo : à son avis, Bua volait du fric à l'entreprise. Mais le meurtre ne s'est pas fait et, plus tard, Nitto et Bua sont même devenus d'excellents amis.

A propos de Bua, ça me rappelle un épisode concernant le *cavaliere* Graci qui illustre bien le genre de liens qu'il y avait entre la mafia et les plus gros entrepreneurs en bâtiment et travaux publics de Catane. Et les avantages que ces derniers en retiraient. Et à quel point il était dangereux de s'approcher de ces entrepreneurs sans respecter les règles non écrites de la protection mafieuse. Un jour de 1980 ou 1981, un de mes amis, Salvatore Santamaria, propriétaire d'un atelier de mécanique et qui faisait des travaux de ferronnerie pour l'entreprise Costanzo, m'a demandé de l'accompagner rendre visite à un ami à lui, Nino Bua, justement, qu'il n'avait pas vu depuis longtemps et qui habitait une villa du côté de la route de Syracuse. Moi aussi je connaissais Bua ; quand je l'ai vu, je l'ai trouvé très préoccupé, très agité. Il n'a pas pu se retenir et il m'a parlé d'une affaire qu'il n'avait aucune raison — je le lui ai fait moi-même remarquer — de me raconter.

Bua était bouleversé. Comme il avait l'intention de se mettre avec deux autres associés pour constituer une société d'études des mouvements du sol, il était allé demander à Graci de lui sous-traiter des marchés. Pour donner plus de poids à leur demande, lui et ses associés avaient affirmé avoir derrière eux Filippo Di Stefano, chef d'une des deux familles mafieuses de Favara, un bourg des environs d'Agrigente. Mais cette famille n'appartenait pas à Cosa Nostra, elle n'avait pas été reconnue officiellement. Quelque temps après cette conversation, un des

219

associés de Bua, un détenu en liberté provisoire qui s'appelait Camilleri, avait été assassiné. Bua était très inquiet ; il avait peur de finir de la même manière et il n'arrivait pas à se faire à l'idée que Camilleri avait été assassiné, lui qui n'avait rien fait de mal. La seule chose qu'il avait faite avant de mourir, ç'avait été de demander du travail à Graci.

J'ai raconté ensuite à mon cousin Marchese combien Bua avait peur et il m'a confirmé ce que le récit de Bua permettait déjà de deviner. « Ces gens sans honneur » s'étaient permis d'aller demander du travail à Graci sans avoir aucune autorisation, puisque la famille de Favara ne faisait pas partie de Cosa Nostra. D'ailleurs, même si elle en avait fait partie, cette demande aurait dû de toute façon passer d'abord par la famille catanaise compétente. C'est pourquoi Camilleri avait été tué, par « ce dingue de Franco Romeo », pendant un déplacement en voiture, dans une rue de la banlieue de Catane très fréquentée et tôt le matin qui plus est, au risque qu'un témoin assiste à la scène.

Les demandes de travail et de services ont toujours posé un problème aux Chevaliers du Travail de Catane. Ils retiraient, c'est vrai, des avantages évidents de leurs rapports avec Cosa Nostra, y compris parce que beaucoup de mafiosi travaillaient dans leurs entreprises comme sous-traitants, chauffeurs, transporteurs, ouvriers à la pièce, employés, surveillants, fournisseurs, etc., et que c'étaient des gens capables, des gens sûrs, qui ne posaient jamais de problème et faisaient bien leur travail.

Mais il y avait malgré tout une limite au nombre des services qu'ils pouvaient rendre et des sous-traitances qu'ils pouvaient attribuer. C'est pour cette raison que Gino Costanzo n'a jamais adhéré pleinement à Cosa Nostra. Pippo me disait que Gino avait les qualités nécessaires pour devenir homme d'honneur et qu'il s'était posé la question, à un moment, d'entrer ou non dans la société mais qu'il était resté finalement à l'extérieur. S'il était devenu homme d'honneur, il aurait fallu qu'il soit présenté comme tel aux autres hommes d'honneur ;

lesquels se seraient sentis autorisés à s'adresser directement à lui pour obtenir des recommandations, des commissions et des bénéfices divers. Ses refus auraient exposé Costanzo au risque d'une condamnation verbale (et d'une sanction) de la part de la famille ; il y aurait perdu toute sa tranquillité. C'était plus commode de faire faire toutes les choses déplaisantes à mon frère, à Nitto et aux autres.

Mon impression, malgré tout, c'est que Pippo et les autres, s'ils avaient dû se prononcer sur l'entrée de Gino Costanzo dans la famille, auraient eu d'autres raisons encore d'hésiter. Gino avait trop de contacts avec la préfecture, les carabiniers, les magistrats, le fisc. Ces contacts-là sont très utiles pour Cosa Nostra mais ils sont plutôt malséants, quand on est un véritable homme d'honneur.

Il n'y avait pas que les Costanzo et les autres gros entrepreneurs de Catane qui recherchaient la protection de Cosa Nostra. Presque toutes les entreprises siciliennes d'un certain poids avaient recours aux mafiosi pour pouvoir travailler tranquillement, ou pour empêcher celles du Nord de pénétrer sur leur marché. La plupart de celles-là, d'ailleurs, ont fini par quitter la Sicile : c'était trop risqué pour elles d'y travailler. Elles avaient des ennuis à n'en plus finir avec le racket, avec l'hostilité déclarée des entreprises locales ou des gens de l'administration, qui voulaient toucher eux aussi leurs pots-de-vin. Quand une grosse boîte du Nord concourait pour l'adjudication d'un marché en Sicile, elle ajoutait un « risque mafia » de dix pour cent au montant des travaux. C'est ce que faisaient en tout cas les entreprises sérieuses. Mais du coup, au moment des appels d'offres, elles ne pouvaient pas vraiment baisser leurs prix, comme elles le faisaient habituellement dans leurs zones d'implantation. Et puis, travailler en Sicile, ça voulait dire aussi pour elles de plus gros frais de transport. Pour toutes ces raisons-là, elles rataient beaucoup de marchés.

Beaucoup sont donc parties, pour des tas de raisons. Je me souviens d'une société de Florence qui a eu un gros conflit avec les Costanzo. Une plainte a même été déposée au tribunal contre Carmelo Costanzo, mais pour finir, cette boîte aussi a dû partir de Sicile.

Si bien que les entreprises locales prospéraient. Elles n'étaient pas soumises au « risque mafia », puisque la mafia était déjà à l'intérieur. Ensuite, dans les années soixante-dix, comme je l'ai dit, les Graci, les Rendo et les Costanzo ont formé un consortium pour remporter les plus gros marchés publics et lutter plus efficacement contre les entreprises du Nord. Il était beaucoup plus intéressant, à l'époque, pour les *cavalieri*, de décrocher des travaux en Sicile, y compris parce qu'il leur était très difficile de travailler dans le Nord : là-bas, les entreprises leur mettaient des bâtons dans les roues, ne serait-ce que pour leur rendre la monnaie de leur pièce et les traiter comme elles l'étaient elles-mêmes dès qu'elles se pointaient en Sicile.

Pour notre famille, les avantages que nous donnaient nos relations avec les Chevaliers du Travail étaient, tout compte fait, marginaux. Des broutilles, des miettes. Les Costanzo connaissaient nos points faibles, nos petites passions, nos petites vanités, et ils nous récompensaient de cette manière-là. Ils étaient très forts pour nous accorder des gratifications qui leur coûtaient rien ou pas grand-chose, mais qui nous en mettaient plein la vue.

Ils connaissaient notre passion pour la chasse, par exemple. La plupart des hommes d'honneur sont chasseurs. Stefano Bontade était un grand chasseur. Michele Greco également ; en plus il avait la passion des armes. Il était excellent au tir au pigeon et il possédait même un polygone de tir fréquenté par tout le gratin de Palerme. Mon très cher ami Angelo Padrenicola organisait chaque année des parties de chasse sur les bords du lac de Pergusa — en plein cœur de la Sicile, sur les pentes du mont Carangiaro — auxquelles ont participé Stefano Bontade et Gaetano Badalamenti. La plus belle réserve de chasse de toute la Sicile s'appelait « Ntrunata », dans la province d'Enna, juste à côté d'un domaine appartenant à Ciccio Mancuso, homme d'honneur de Nicosia, chez qui j'avais accompagné un type en cavale vers le début des années soixante-dix.

Costanzo savait combien nous appréciions la compagnie des gens importants, des puissants, sans parler de celle des grands pontes de la mafia. Alors ils organisaient des réunions, des banquets et des parties de chasse auxquels ils invitaient les plus grands noms de Cosa Nostra. Ou bien ils accueillaient des hommes d'honneur et des responsables des forces de l'ordre dans la résidence « La Perla Ionica », qui leur appartenait. La plupart du temps sans les faire payer, et en les traitant avec le maximum d'égards. Comme ça, ils les faisaient se rencontrer, se connaître les uns les autres. Au mariage du fils de Gino Costanzo, après la mort de mon frère, il y avait la fine fleur de la mafia sicilienne ainsi que deux ou trois officiers des carabiniers. Le capitaine Guarrata a d'ailleurs failli gâcher la fête : quand il s'est aperçu de la présence de Totò Minore et de Nitto, il a voulu intervenir, mais Gino m'a raconté qu'heureusement le colonel Licata, son supérieur, qui était là lui aussi, a tout de suite su pour le calmer.

Je me souviens d'une battue au moment de l'ouverture de la chasse, vers la fin de l'été 1979 dans une magnifique réserve que les Costanzo possédaient sur les pentes de l'Etna, entre Bronte et Maletto. Michele Greco, Totò Minore et Totò Riina, accompagné de son inséparable Giacomo Gambino, étaient venus tout exprès de Palerme et de Trapani. Il y avait aussi Nitto et d'autres mafiosi importants de Catane, dont Natale Ferrera, qui avait apporté plusieurs caisses de poissons à faire sur le gril. Les seuls non mafieux dans l'assistance, c'étaient Gino Costanzo et son secrétaire De Luca. La battue a duré toute la journée. Michele Greco est rentré à Palerme dans la soirée, pendant que nous allions tous dîner dans les bureaux de l'entreprise Costanzo, qui se trouvaient à l'intérieur du domaine Scia. Il s'est produit alors un événement imprévu qui a fait annuler tout le projet. Nitto, Totò Riina et quelques autres se sont isolés tout à coup dans les bureaux du secrétariat de l'entreprise ; ils en sont sortis une demi-heure plus tard en annonçant qu'il n'était pas possible de faire le dîner et que toute la compagnie devait se disperser sur-le-champ.

Nitto se vantait de disposer à sa guise d'une splendide réserve de chasse appartenant à Graci, qui se trouvait dans les environs de Poggiorosso, près d'Enna. Il y allait très souvent, invitant qui bon lui semblait. Il m'a dit un jour avoir même rencontré dans cette réserve un général des carabiniers. Nitto, par ailleurs, était très ami avec le gendre de Gaetano Graci et parlait souvent de lui ; un soir, vers 1979, en entrant au restaurant « La Costa azzurra » à Catane, je les ai trouvés tous les deux en train de dîner avec le député Lo Turco, du Parti social-démocrate italien, et d'autres. Ils m'ont invité à me joindre à eux et j'ai accepté.

L'arrivée en Sicile du général Dalla Chiesa a provoqué une grande nervosité parmi les Chevaliers. En mai 1982, j'étais allé dans les bureaux des Costanzo pour encaisser une facture. J'ai rencontré là un Gino Costanzo très préoccupé, qui m'a déclaré que l'arrivée de Dalla Chiesa était un vrai malheur et que ce général était un type extrêmement dangereux. Leurs affaires s'en ressentiraient lourdement. Il allait sûrement y avoir des mesures restrictives qui les contraindraient à fermer leurs chantiers et à suspendre leurs activités. « Mais qu'est-ce qu'ils font, nos Palermitains ? Ils dorment ou quoi ? Ils n'ont pas compris que la situation est grave ? » m'a-t-il dit très agité. Et le fait même qu'il se laisse aller à de telles affirmations avec moi, qui n'était désormais quasiment plus rien au sein de Cosa Nostra, donnait la mesure de son exaspération. S'il s'exprimait dans ces termes-là avec moi, Dieu sait alors ce qu'il disait au chef de la famille de Catane !

Après la mort du général Dalla Chiesa, un mandat d'arrêt a été lancé contre Nitto Santapaola, l'accusant d'avoir participé au massacre. On avait découvert que les armes qui avaient tiré ce jour-là étaient les mêmes qui avaient servi quelques mois auparavant à tuer Alfio Ferlito, le plus grand ennemi de Nitto. Mais Gino

Costanzo a dit à mon cousin que Nitto n'avait aucun souci à se faire : au moment même où le guet-apens était tendu à Dalla Chiesa, il se trouvait à « La Perla Ionica » en compagnie du colonel des carabiniers Savino. Ils étaient tous les deux les hôtes de la résidence. Le colonel y était logé gracieusement, tandis que Santapaola avait dû payer une ardoise de 90 millions : Gino Costanzo disait qu'il valait mieux avoir une preuve justifiant le séjour de Nitto dans les lieux. Mais Santapaola n'est pas venu se présenter devant les magistrats et leur fournir son alibi pour la soirée du 3 septembre. Il disait que ce n'était pas la peine, qu'il ne le ferait que s'il était arrêté. Il n'estimait pas nécessaire de compromettre une personnalité comme le colonel Savino et il pensait que de toute façon le procès se terminerait bien pour lui.

Les relations de Cosa Nostra avec les Chevaliers du Travail n'ont pas été toujours idylliques. Il y a eu des moments de friction, certains même très dangereux. Cette fréquentation étroite faisait que, nous aussi, on les connaissait bien ; et il était inévitable que l'un d'entre nous, de loin en loin, ne caresse l'idée de devenir aussi riche qu'eux, de les remplacer, ou en tout cas de leur prendre un beau paquet d'argent. « Pourquoi eux et pas moi ? Pourquoi faut-il qu'ils aient toutes ces richesses alors que moi, finalement, je suis plus puissant qu'eux, puisque je peux leur faire des choses qu'ils pourraient difficilement me faire à moi ? Et d'ailleurs, grâce à qui ils l'ont gagné, tout ce fric, grâce à qui ils continuent de le gagner ? Grâce à nous. Et on est là à se contenter des raclures, des restes de leur festin. Par conséquent, on est en droit de les obliger à nous donner la part qui nous revient. » Certains d'entre nous se sont dit ça et plus d'une fois.

N'importe quel mafioso sait parfaitement, tout compte fait, d'où lui vient son pouvoir. Les gens ont peur d'être frappés physiquement. Et personne ne veut risquer, même de loin, d'être tué. Le mafieux, lui, n'a pas peur ; il prend le risque pour lui et donc aussi pour les autres.

Je dis ça parce qu'à un moment donné, Giuseppe Di

Cristina s'était mis en tête d'enlever Gaetano Graci. Di Cristina avait parlé au téléphone avec son grand ami Totò Greco « Cicchiteddu », qui s'était sauvé au Venezuela, où les choses ne se présentaient pas très bien pour lui. Il n'avait pas une lire, « Cicchiteddu », alors que quelques mois auparavant, il était encore un des hommes les plus puissants de Palerme. Di Cristina disait qu'il avait été profondément affecté par cette conversation, que le monde était vraiment injuste et qu'il fallait faire quelque chose pour sortir Totò de la misère. Il a donc proposé à mon frère d'enlever Graci. Pippo m'a raconté qu'il ne croyait pas aux motivations altruistes de Peppe [diminutif de Giuseppe *(N.d.T.)*] Di Cristina. Il ne pouvait pas s'être converti, de but en blanc, à l'amour de son prochain ; il voulait seulement s'enrichir et faire du même coup une offense personnelle à son adversaire Francesco Madonia, le protecteur de Graci.

Pippo a rappelé à Di Cristina l'interdiction absolue de procéder à des enlèvements en Sicile, qui venait d'être décidée par la commission régionale, dont Di Cristina lui-même faisait partie. Ce dernier a répliqué qu'ils n'enfreindraient pas l'interdiction. Ils avaient l'intention de séquestrer Graci à l'extérieur de la Sicile, à Rome par exemple, où Graci, lorsqu'il s'y rendait, descendait habituellement à l'Albergo Jolly. Mon frère s'est clairement déclaré opposé à cette idée mais Di Cristina n'a pas renoncé tout de suite à son projet. Il a continué à en parler encore pendant un certain temps, et pas toujours avec les personnes les mieux appropriées. Je me souviens notamment d'une conversation à laquelle j'ai assisté, dans les bureaux de la perception de Palerme, où Di Cristina parlait justement de cette histoire avec Ignazio Salvo. Salvo n'a pas cillé : il n'avait pas pour rien la réputation de quelqu'un d'impassible et d'indéchiffrable. En réalité, en tant que membre d'un double système de pouvoir, le pouvoir mafieux et le pouvoir légal [de collecteur des impôts *(N.d.T.)*], Ignazio avait été choqué par un projet aussi subversif et en avait aussitôt informé Stefano Bontade.

Bontade a protesté vivement auprès de mon frère pour le comportement inconsidéré, et d'un goût douteux, de Di Cristina : il ne s'était même pas rendu compte qu'il était en train de parler de rapt avec un homme, Ignazio Salvo, dont la famille venait tout juste d'être victime d'un enlèvement.

18.

Les cousins Salvo étaient les hommes les plus riches de la Sicile ; ils étaient tous les deux hommes d'honneur. Ils étaient à même de donner des ordres aux ministres, mais Ignazio Salvo doit bien se repentir aujourd'hui d'être devenu homme d'honneur ; quant à Nino Salvo, il est mort, après sa condamnation au maxi-procès. Les Salvo m'avaient été présentés par Gaetano Badalamenti, qui était très fier et très jaloux de son amitié avec eux. Il avait dit à Pippo que s'il présentait les Salvo comme étant des hommes d'honneur, il se formerait toute une procession de gens pour leur demander des faveurs. La procession, à dire vrai, elle était là tout de même : leurs bureaux de perception comme leurs usines s'étaient remplis en effet d'hommes d'honneur, et de parents et d'amis d'hommes d'honneur. Je leur ai demandé un jour de donner du travail au fils du représentant de Ramacca, qui a été embauché pour cinq ou six mois dans une perception ou dans une banque de Caltagirone.

Les Salvo possédaient des propriétés, d'immenses exploitations agricoles. J'en ai visité quelques-unes. Ils en avaient une gigantesque dans les environs de Gela, entièrement en vignobles. Ils ont été les premiers à profiter des subventions de la CEE pour la restructuration du secteur viticole. A mon avis, c'est Salvo Lima[1]

1. Député au Parlement européen, il a été assassiné par la mafia en mars 1992. Il avait longtemps été maire démocrate-chrétien de Palerme (entre

qui leur avait donné l'information sur l'existence de ces subventions, mais il se peut aussi qu'ils l'aient déjà su par eux-mêmes, parce qu'ils avaient des gens qui épluchaient pour eux ce genre de chose. Toujours est-il que les autres sont arrivés après coup, l'ayant appris plus tard. Pour chaque vieux pied de vigne arraché, on recevait, mettons, cinquante mille lires. Et si on replantait à la place de jeunes pieds de vigne en auvent ou en espalier, on recevait encore cinquante mille lires. Qu'ont donc fait les Salvo ? Ils ont acheté tout un domaine qui appartenait à des moines, dans les environs de Gela. Des milliers d'hectares, qu'ils ont transformés sans débourser une seule lire, rien qu'avec l'argent des banques. Ensuite ils ont fait les démarches pour bénéficier de ces subventions de la CEE et ils ont récupéré tout le fric qu'ils avaient emprunté. L'argent, ils l'investissaient pour de bon. Ils avaient même détourné une rivière pour la faire passer dans ce grand vignoble. Et ils y avaient créé six ou sept petits lacs artificiels. Ensuite ils avaient installé des moteurs gigantesques et des pompes, qui irriguaient toute la propriété grâce à l'eau de ces petits lacs. Ces lacs, c'était vraiment du sérieux. Nino Salvo m'emmenait faire le tour des lacs en jeep et il était très fier de cette opération ; pour lui, c'était comme le couronnement de son œuvre. Et ça ne lui avait rien coûté, qui plus est. En Sicile, on dit : « Les sous font des sous et les poux font des poux[1]. »

On se connaissait très bien, Pippo, les cousins Salvo et moi. On se tutoyait ; mais c'était surtout avec Nino qu'on était intimes, un type ouvert, qui aimait bien plaisanter, tandis qu'Ignazio était un raisonneur, taciturne et réservé. A l'extérieur de Cosa Nostra, ils étaient extrêmement puissants, hors d'atteinte. Mais à l'intérieur de la société, nous étions tous égaux. Et même, nous

---

1958 et 1964) et son nom avait été cité 162 fois dans le rapport de la Commission antimafia de 1976. Il était l'homme-lige en Sicile de Giulio Andreotti, un des politiciens italiens les plus puissants. *(N.d.T.)*

1. Jeu de mots intraduisible autour de *pidocchio,* qui signifie aussi bien le « pou » que le « radin ». *(N.d.T.)*

étions en un certain sens supérieurs à eux, Pippo et moi, puisque Ignazio n'était que le vice-représentant d'une petite ville, celle de Salemi, et moi celui d'une grande ville et que Pippo, lui, était carrément le représentant provincial et le secrétaire de la « Région ». Quand on se rencontrait, en effet, ils saluaient Pippo en l'appelant, pour rire, « monsieur le Président ». Je suis allé aussi chez Nino Salvo à Palerme. C'était dans une transversale de la via Libertà, et dans le même immeuble habitait également le ministre de la Défense, le député Ruffini, un ami intime, lui aussi, des Salvo. L'escorte de Ruffini était toujours devant la porte d'entrée de l'immeuble et Nino Salvo s'amusait à râler, disant qu'il trouvait toujours les gardes du corps dans ses pattes, chaque fois qu'il rentrait chez lui.

Quand on allait lui rendre visite, pour éviter que les policiers ne nous voient, Nino nous faisait passer par l'autre entrée de l'immeuble, près du garage, là où les Salvo avaient certains petits appartements dans lesquels ils cachaient la comptabilité secrète de leur groupe. J'ai mangé un jour chez Nino, en compagnie de plusieurs autres hommes d'honneur. C'était un appartement de luxe, très raffiné. Le déjeuner a été servi par deux domestiques de couleur qui ne parlaient pas italien ; nous étions tous béats d'admiration devant une telle classe. Une autre fois, nous avons dormi, mon frère et moi, dans la villa des Salvo qui se trouvait à côté de leur hôtel, l'hôtel Zagarella, cette même villa où Tommaso Buscetta était resté caché pendant un certain temps. Elle était très luxueuse, cette villa, et elle était même très originale : les lits étaient en dessous du niveau du sol, au lieu d'être surélevés. Ou alors, peut-être que je me trompe et que c'étaient les baignoires.

Les cousins Salvo étaient importants également à cause de leurs relations politiques. Nous avons eu recours à eux vers 1976-1977 parce qu'il y avait un commissaire adjoint de la Criminalpol [la police criminelle *(N.d.T.)*] qui commençait à nous agacer beaucoup. Le Dottore Cipolla était le seul fonctionnaire de la préfecture de Catane qui faisait sérieusement une enquête à notre sujet. Il n'y avait là aucune inimitié personnelle, il faisait seulement son devoir : il était convaincu que nous appartenions à la mafia. Quand Pippo a été opéré durant sa détention, Cipolla l'a fait surveiller même à l'hôpital. Une autre fois, il a envoyé des agents me chercher à domicile, en refusant de dire à mon avocat s'il s'agissait d'un mandat d'arrêt ou d'une simple convocation à la préfecture de police. J'ai dû me cacher pendant plusieurs mois jusqu'à ce que la situation soit éclaircie. Pour Pippo et moi, continuer à mener notre vie tranquille allait devenir difficile aussi longtemps que Cipolla resterait dans le secteur. On a essayé de le faire muter, en faisant intervenir les amitiés qu'on avait à Catane, mais sans résultat. Finalement, on a décidé d'aller à Palerme et de demander aux Salvo s'ils pouvaient, eux, obtenir sa mutation.

C'était une époque très différente de maintenant. Aujourd'hui, dans des cas de ce genre, on se comporte autrement. Un enquêteur comme Cipolla, on l'élimine et c'est tout, sans perdre de temps ni d'argent en recommandations ou en mutations.

On a rencontré les Salvo dans leur bureau de la perception et on leur a expliqué le problème. Leur conclusion a été lapidaire : « Ici, c'est Salvino qu'il nous faut. » Autrement dit, Salvo Lima, le député. Un rendez-vous a été fixé au siège romain des entreprises Maniglia, une grosse boîte appartenant au constructeur Maniglia, de Palerme, qui a fait faillite par la suite. Salvo Lima est arrivé, avec ses cheveux déjà blancs et sa réputation de politicien proche des hommes d'honneur. Il nous a écoutés avec attention (Nino Salvo était là lui aussi) et nous a dit qu'il s'occuperait de tout ça auprès du ministère. Ç'a été la seule fois où je l'ai rencontré. Plus tard, les Salvo ont fait savoir à Pippo que le ministre de l'Intérieur de l'époque avait répondu à Lima de patienter encore un peu puisque Cippola allait s'en aller spontanément : il avait en effet demandé sa mutation, afin de suivre sa femme qui était enseignante.

Mais il y avait d'autres manières d'influencer la police et la magistrature. Un système qui fonctionnait très bien avec les juges, c'était la franc-maçonnerie. Nous étions particulièrement à la recherche de contacts avec la maçonnerie parce que nous savions que plusieurs magistrats en faisaient partie ; de cette manière, il était possible d'avoir des informations sur ceux de nos hommes qui étaient accusés et d'influencer les procès. A l'époque du « procès des cent quatorze », il y avait quelqu'un de très actif à ce niveau-là : Giacomo Vitale, un franc-maçon qui était le beau-frère de Stefano Bontade mais qui n'était pas homme d'honneur. Vitale se rendait souvent au palais de justice de Palerme en compagnie d'un vieux monsieur qu'il appelait l' « Oncle ». Un monsieur distingué, qui portait un chapeau et un pardessus bleu, et qui était un personnage fascinant. Vitale le traitait avec beaucoup de déférence parce que c'était un responsable important de la franc-maçonnerie et qu'il jouissait de beaucoup de crédit auprès des juges. Ils se rendaient ensemble au palais de justice, où l'Oncle avait ses entrées partout. Il parlait avec tous les magistrats, même ceux qui avaient les grades les plus élevés et il recueillait des informations sur la manière dont les choses se présentaient pour les mafiosi en instance de procès. Ça, je le sais avec certitude parce que je les ai accompagnés deux ou trois fois pour obtenir des informations sur la situation judiciaire de Pippo. J'étais là, d'ailleurs, un jour où l' « Oncle », qui sortait d'un bureau, a annoncé à Vitale que les choses commençaient à prendre une bonne tournure pour Stefano Bontade.

J'ai connu aussi le chef de la franc-maçonnerie de Catane, un commandant du génie en retraite qui a travaillé comme ingénieur dans l'entreprise de mon frère Pippo. Quand un procès important allait s'ouvrir, j'allais le trouver ; je lui demandais s'il connaissait les juges et s'il pouvait prendre contact avec eux pour recommander les gens qui nous intéressaient. Je l'ai accompagné un jour à Palerme pour parler avec un président de cour d'appel qui devait juger Filippo Marchese [1], un homme d'honneur devenu célèbre ensuite — c'était celui qui faisait disparaître dans l'acide les cadavres des gens qu'il avait tués. A l'époque, il n'était encore personne. Je m'étais recommandé du vice-représentant de sa famille, un très cher ami à moi. Le président aussi était franc-maçon. Marchese a été condamné mais il y a tout de même gagné quelque chose. Une suspension de peine, je crois.

J'ai dit un jour à cet ingénieur :

« Dites-moi, pourquoi est-ce que vous ne me faites pas entrer dans la franc-maçonnerie ?

— Mais qu'est-ce que tu racontes, Antonino !

— J'aimerais que vous m'y fassiez entrer. Je vous en prie. Je voudrais vraiment faire partie de la franc-maçonnerie. » Il était très réticent. Ma requête ne lui semblait pas très opportune. Puis il s'est décidé à me répondre par une question :

« Écoute un peu. Est-ce que tu crois que tu serais capable de tuer un homme ?

— Faites-moi entrer dans la franc-maçonnerie, on en reparlera après. »

Il ne voulait pas me dire clairement que ma demande n'était pas admissible parce que j'étais un mafioso. Et comme je m'amusais à l'asticoter, il a fini par me dire : « Écoute, les types comme toi, on n'en veut pas. Tu es bien trop dessalé pour entrer dans la franc-maçonnerie. » C'était logique qu'ils n'acceptent pas les mafieux. Ils n'étaient pas naïfs, ils savaient très bien qu'un mafieux n'aurait jamais trahi Cosa Nostra. Et qu'il ne se serait

---

1. Chef redouté de la famille de « Corso dei Mille » à Palerme, tueur sadique et pervers, il dirigeait les tortures et les exécutions dans la sinistre « Chambre de la Mort » de la piazza Sant'Erasmo, dans le quartier du vieux port. Ainsi rebaptisée par la presse, cette cabane au milieu d'un terrain vague entre des groupes d'immeubles aura vu disparaître, la plupart du temps dissous dans un bidon d'acide, les corps d'un nombre incalculable de victimes des Corléonais, durant leur guerre contre les autres clans de Cosa Nostra, entre 1981 et 1983. Son existence ne fut connue que par les révélations d'un « repenti », Vincenzo Sinagra, homme de main de Marchese qui y avait travaillé comme rabatteur et exécutant. (*N.d.T.*)

infiltré dans leur secte que pour en obtenir des bénéfices pour lui-même et pour la mafia.

Pourtant, la mafia et la franc-maçonnerie sont deux choses qui s'accordent bien. Il y a une certaine logique commune qui les rapproche. En 1977, Stefano Bontade a informé Pippo que la franc-maçonnerie avait l'intention de créer une liaison avec la mafia. Un « Dottore » de Palerme avait demandé à Cosa Nostra de faire inscrire ses « éléments » les plus remarquables dans une loge qui leur aurait été spécialement réservée, et dont l'existence serait restée ignorée des membres ordinaires de la franc-maçonnerie. Il fallait désigner un ou deux éléments par province, choisis parmi les personnalités les plus représentatives et les réunir dans cette loge. La commission régionale a discuté cette proposition et décidé de l'accepter. Stefano Bontade et Michele Greco auraient représenté Palerme, mon frère Catane, Totò Minore Trapani, et ainsi de suite. Mais il restait bien clair que leur engagement essentiel était dans la mafia. Le serment de fidélité à Cosa Nostra ne pouvait pas être remis en question. En cas de force majeure, on trahirait la maçonnerie pour la mafia, et jamais l'inverse.

Quelque temps après ces événements, est intervenue la dissolution de la famille de Catane ; et quand mon frère a demandé à Stefano Bontade ce qu'était devenue cette histoire de franc-maçonnerie, il a reçu une réponse évasive. Mais Pippo était convaincu que la chose s'était faite, et que Bontade et Michele Greco étaient entrés tous les deux dans la franc-maçonnerie.

A quel point il est utile d'avoir l'appui et de la franc-maçonnerie et de la mafia, c'est ce qu'on a vu au moment de l'affaire Sindona[1]. Sur qui Sindona s'est-il appuyé

1. L'un des plus grands scandales politico-financiers de l'après-guerre en Italie. Sindona, banquier aussi bien de la mafia que du Vatican, et considéré par la grande bourgeoisie italienne comme un génie de la finance, faisait partie de la célèbre loge maçonnique « couverte » (ignorée des francs-maçons eux-mêmes) « Propaganda Due » (P2). Propriétaire de plusieurs banques italiennes et américaines, accusé de banqueroute frauduleuse et inculpé aux États-Unis, il organisa son propre enlèvement en 1979, avec l'aide de la mafia américaine, et débarqua en Sicile dans le but d'y rassembler

quand il est venu en Sicile ? Sur nous et sur les francs-maçons, enfin, ceux qui étaient réguliers. J'ai su par Francesco Cinardo que Sindona est également passé par Caltanissetta, où il a rencontré un notaire très important, franc-maçon lui aussi.

Il n'y a personne au-dessus de Cosa Nostra. Il n'existe pas de « troisième niveau [1] » qui nous donnerait des ordres. De ça, je suis sûr. Cosa Nostra est autonome. Ce sont les mafieux, tout au plus, qui donnent des ordres aux hommes politiques même indirectement, en faisant semblant d'avoir un service à leur demander. Dans le style de Michele Greco, qui a envoyé sa bénédiction, de derrière les barreaux, aux juges du maxi-procès et à leurs familles. C'était une menace terrible qu'il lançait aux jurés et à leurs enfants, et pourtant, ça pouvait ressembler à une bénédiction [2].

Et ce sont les mafiosi qui donnent du fric. Comment est-ce que vous croyez que Pippo, dès 1962, obtenait des marchés pour son entreprise de construction ? Il les achetait, ces commandes, il les achetait en donnant cinq à dix pour cent au délégué de la Région qui décidait des attributions et cinq pour cent à Carlo Laterza, l'avocat, qui servait de médiateur. Vers la fin des années cinquante, l'entreprise Costanzo a fait campagne pour l'élection du

---

des documents et d'exercer un chantage sur de hautes personnalités italiennes (dont une liste de 500 noms et numéros de comptes bancaires secrets à l'étranger, ainsi que des relevés d'opérations « irrégulières » effectuées pour le compte de ses principaux clients). Le chantage échoua par le plus grand des hasards. Sindona, condamné à perpétuité, fut retrouvé empoisonné à la strychnine dans sa cellule, le lendemain du procès. On ignore encore ce que sont devenus les documents. (N.d.T.)

1. La presse italienne a parlé d'un « troisième niveau » pour désigner la mafia politique intervenant au niveau national, les deuxième et premier niveaux étant celui de la mafia urbaine des années soixante et celui de la vieille mafia agricole. (N.d.T.)

2. Le texte de cette « bénédiction » lancée aux jurés par Michele Greco le 11 novembre 1987, avant qu'ils ne se retirent pour délibérer, a été reproduit dès le lendemain dans toute la presse italienne : « Je vous souhaite la paix, la tranquillité d'esprit... Je fais le vœu que la paix vous accompagne pour le restant de vos jours. » Autrement dit : faites attention à ce que vous allez décider, ou vous perdrez à jamais la paix. (N.d.T.)

député Milazzo. Et elle l'a fait par l'intermédiaire d'un de ses employés, Giovanni Conti, dont la seule tâche était d'entretenir les contacts avec les hommes politiques et de leur acheter des adjudications de travaux. Graci, lui, s'appuyait sur un socialiste. Je ne sais pas s'ils étaient associés.

Il est difficile, pour les hommes politiques, de devenir hommes d'honneur. Cosa Nostra se méfie énormément d'eux, parce qu'ils ne sont pas fiables, ils ne tiennent pas leurs promesses, ils jouent toujours un double jeu. Ces gens-là n'ont pas de parole, pas de principes. Cette méfiance n'a fait qu'augmenter dans les derniers temps. Durant les années cinquante et soixante, il était plus facile pour les hommes politiques d'être admis dans la mafia. Aujourd'hui, c'est très difficile. Eux aussi, d'ailleurs, ils essaient d'éviter d'y entrer, par peur des révélations que pourraient faire les « repentis ». Le cas de l'homme d'honneur qui, à un moment donné, devient un homme politique, est une autre histoire. Il n'y a aucune interdiction ; au contraire même, c'est très bien vu par Cosa Nostra.

Bien sûr les politiciens essaient d'influencer Cosa Nostra, de l'utiliser pour leurs intérêts partisans, pour frapper leurs adversaires politiques. Il est possible que Ciancimino[1] ait effectivement influencé les Corléonais : mais c'était dans la mesure où il les informait des positions antimafia que prenaient ses camarades de parti ou les membres des autres partis, et non en donnant des ordres à quelqu'un ou imposant ses propres décisions. Ciancimino a peut-être dit : « Il y a ce député qui nous casse les pieds parce qu'il veut faire une loi contre les associations [mafieuses *(N.d.A.)*], il veut faire ceci ou cela... » Ou alors il a présenté les choses de manière à faire éliminer quelqu'un qui le gênait, en inventant des

1. Vito Ciancimino, maire démocrate-chrétien de Palerme et longtemps assesseur aux travaux publics, a dirigé la ville pendant trente ans pour le compte de la mafia (dans le rapport de la Commission antimafia de 1976, pas moins de 70 pages lui étaient consacrées). Arrêté en 1984, il est retiré de la politique. *(N.d.T.)*

mauvais coups imaginaires et en s'attribuant des mérites particuliers qu'il n'avait pas.

Quand il y avait des réunions de parti dans lesquelles on discutait de la mafia, de la ligne politique à adopter contre la mafia, c'était à qui se précipiterait ensuite pour venir tout raconter aux chefs de Cosa Nostra. Les hommes politiques proches de la mafia n'arrêtaient pas de monter les chefs de Cosa Nostra contre leurs collègues : « Tu sais ce qu'il a dit de toi, le ministre ? Ouh là là, des horreurs, vraiment ! Heureusement que j'étais là pour le calmer, ou pour détourner la conversation. » Ou bien : « Tu sais comment il parle de ta famille, ce type-là ? Ah, ça, il vous déteste. Il veut à tout prix vous faire coffrer. » Ou encore : « Faites gaffe, parce que voilà ce qu'ils veulent faire... » Et le mafioso, aussitôt, se mettait en colère : « Mais regarde-moi ce cocu ! Je vais lui faire voir, moi, à ce fils de pute ! »

Ou bien ils jouaient les victimes, comme cette brave bête de Graziano Verzotto, qui racontait à mon frère qu'il avait été convoqué à Rome par les instances dirigeantes de la démocratie chrétienne, quand il était secrétaire régional du parti en Sicile : « Ils m'ont dit que si je continue à fricoter encore avec les mafiosi, ils vont me jeter du parti et ils ne me soutiendront plus aux élections », racontait Verzotto à Pippo. « Ils m'ont imposé de ne plus fréquenter Di Cristina, Peppe Russo et les autres. Et vous savez ce que je leur ai répondu ? Je leur ai répondu : " Si vous me chassez de la démocratie chrétienne, alors je dirai partout que Rumor[1] est pédé, et que le pape aussi est pédé, etc. " »

Aucun homme politique n'a jamais fait partie de la commission régionale. Les relations entre la mafia et la politique ont toujours été très étroites, et elles le sont encore ; mais il y a une différence qui reste constamment marquée entre celui qui fait partie et celui qui ne fait pas partie de Cosa Nostra. Entre celui qui peut dire non et

1. Mariano Rumor, député démocrate-chrétien, plusieurs fois président du Conseil depuis la guerre. *(N.d.T.)*

237

celui qui est obligé de faire telle ou telle chose. Quand j'étais en Sicile, il y avait un grand nombre d'hommes politiques impliqués avec la mafia. Des députés, des adjoints, des conseillers régionaux qui recevaient un coup de main des mafieux, ou qui demandaient de gros services, des services très importants, aux hommes d'honneur. Généralement, les mafiosi les leur rendaient, ces services ; mais ils pouvaient aussi bien leur dire non sans que ça ait des conséquences. Mais quand c'étaient les mafieux qui demandaient aux hommes politiques de leur rendre un service, alors les hommes politiques n'avaient pas le choix : ils devaient faire ce qui leur était demandé. Ils ne pouvaient pas refuser, ni inventer des prétextes.

Les mafiosi se sont toujours sentis supérieurs aux politiciens, même ceux qui étaient leurs amis. Un jour, Don Paolino Bontade, le père de Stefano, a giflé un député, en public. Agatino Ferlito a donné lui aussi une gifle au député Drago, à Catane, en plein milieu d'une assemblée de la démocratie chrétienne. Drago s'était comporté d'une manière qui indispose toujours beaucoup les mafieux. Il avait minimisé l'importance de l'appui électoral d'Agatino Ferlito et de son groupe à la démocratie chrétienne, alors que tout le monde savait qu'Agatino était l'un des grands électeurs du parti à Catane, quelqu'un qui pouvait orienter des milliers de votes. La seule faute d'Agatino, ç'avait été de faire passer ses voix sur son neveu Orazio, qui était candidat au conseil municipal, et non sur les hommes de Drago.

Je connais un cas, dans les années soixante, où un chef mafieux de Palerme a obligé le Parlement régional de Sicile à ne pas voter une loi. A l'époque, il y avait quelques hommes d'honneur députés à l'assemblée régionale. Ces mafiosi-députés, à un moment donné, se sont adressés à leurs familles respectives : ils ne voulaient pas que la loi passe et ils avaient l'intention de provoquer sur cette question la chute du gouvernement régional. Mais d'autres députés, qui ne faisaient pas partie de la mafia, étaient favorables à cette même loi et avaient l'intention de la voter. Salvatore Greco a envoyé alors devant la porte de chacun de ces députés un homme à lui, qui les a empêchés de sortir de chez eux et d'aller voter. Et la loi n'a pas été approuvée.

A partir des années soixante-dix, la commission régionale [de la mafia *(N.d.T.)*] a commencé à donner des indications sur les partis qu'il fallait soutenir aux élections. C'étaient des indications, pas des ordres, parce que nòus savions déjà pour qui nous devions ou ne devions pas voter. Cosa Nostra a toujours été l'adversaire du parti communiste et des partis de gauche. Elle est opposée à toute la gauche, y compris aux socialistes de Craxi, mais pas aux sociaux-démocrates. Ceux-là, on peut voter pour eux, et nous l'avons fait des tas de fois. Les fascistes non plus ne nous plaisaient pas, même s'il y avait des députés du MSI[1] qui étaient avocats et qui défendaient des gens de Cosa Nostra. Tant que j'ai été à Catane, les instructions étaient de voter uniquement pour les partis du centre, les partis « démocratiques ». Il n'y a même pas besoin d'expliquer ça, c'est logique : Cosa Nostra s'étend en proportion du marasme. Plus le marasme est grand, plus Cosa Nostra progresse. Si un parti totalitaire arrive au pouvoir, c'en est fini de Cosa Nostra. Lesquels pouvaient être des partis totalitaires ? Les communistes, les socialistes, les fascistes. La démocratie chrétienne était un parti démocratique, vraiment démocratique. Le pouvoir, elle le partageait, on pouvait se mettre d'accord, on pouvait... magouiller beaucoup plus. C'est une orientation qui va dans le sens même de Cosa Nostra. On a toujours su qu'on n'avait rien à faire avec la gauche ni rien de commun avec les communistes.

Les hommes politiques sont toujours venus nous chercher parce qu'on pouvait disposer de beaucoup de voix, énormément de voix. Pour avoir une idée du poids de la mafia dans les élections, il suffit de prendre l'exemple de la famille de Santa Maria del Gesù, une

---

1. Le Movimento Sociale Italiano, parti néo-fasciste italien, officiellement représenté au Parlement mais relativement minoritaire (environ 6 %). *(N.d.T.)*

famille de deux cents éléments valables : une puissance terrifiante, surtout si on pense que chaque homme d'honneur dispose, entre ses amis et ses parents, d'au moins quarante à cinquante personnes. Dans la province de Palerme, il y a entre quinze cents et deux mille hommes d'honneur. Multipliez ça par cinquante et ça vous fera un beau paquet de soixante-quinze mille à cent mille voix à orienter sur les partis et sur les candidats amis.

Vers 1976, Stefano Bontade — chef de la famille de Santa Maria del Gesù — m'a parlé de Giuseppe Insalaco, l'ex-maire démocrate-chrétien de Palerme qui a été tué en janvier 1988 [1]. Stefano m'a dit qu'il avait entièrement confiance en lui et qu'il était en train de préparer sa campagne électorale. Le soutien qu'il apportait à Insalaco était ferme et convaincu, et je me souviens que Stefano, en plaisantant, m'a dit : « Nous voilà en train de faire une campagne électorale pour le fils d'un brigadier de police ! »

C'est seulement dans les derniers temps, après 1970-1975, que Cosa Nostra a commencé à comprendre l'importance d'avoir des hommes d'honneur dans le monde politique, de mandater elle-même, avec ses propres votes, ses représentants à elle. Des gens auxquels on n'a pas besoin de demander quoi que ce soit, parce qu'ils savent déjà ce qu'ils ont à faire. Des gens qui s'occupent directement des intérêts de la mafia, de la famille à laquelle ils appartiennent, et qui peuvent être candidats aux élections municipales et régionales, et même à l'Assemblée nationale. Moi, cette idée-là, je l'ai eue avant tout le monde. Vers la fin des années soixante ou le début des années soixante-dix, j'avais eu l'intention d'être candidat au conseil régional pour le Parti républicain. J'étais sûr d'être élu, parce que le PRI était un petit parti, plus facile à contrôler pour nous [2]. J'en ai même parlé à

1. Tué par la mafia, évidemment. Il avait été maire de Palerme pendant trois mois en 1984. (N.d.T.)
2. En Italie les élections se font toutes à la proportionnelle : les électeurs votent pour un des partis en présence, dans la liste duquel ils peuvent, s'ils le

mon frère, mais finalement ça ne s'est pas fait. En réalité, il n'y avait pas tellement de place en moi pour la politique. Cosa Nostra me prenait toute la tête. Je ne pensais à rien d'autre.

Cet épisode n'a rien à voir avec l'histoire des relations entre le député Gunnella et Giuseppe Di Cristina. Je veux parler du fait que Di Cristina a été engagé par l'administration des Mines de Sicile grâce à Aristide Gunnella, lequel était conseiller auprès de cet organisme, et siégeait également dans les rangs du Parti républicain. Moi, si je voulais être candidat sur les listes du PRI, c'était parce qu'il suffisait de quelques votes de « préférence » pour être élu. Les mafieux n'avaient pas de sympathie particulière pour un parti plutôt que pour un autre. Pourvu qu'ils soient du centre, tous les partis se valaient.

L'exemple de la famille Di Cristina est classique. Ils avaient été les chefs de la mafia à Riesi pendant trois générations. Le père de Giuseppe Di Cristina s'appelait Francesco : un homme d'honneur bon et généreux, aimé de tout le monde, et qui vivait selon les règles traditionnelles de Cosa Nostra. Il est mort de mort naturelle ; ses funérailles ont été imposantes et toute la ville de Riesi l'a pleuré. Giuseppe s'appelait comme son grand-père mafieux, et au début, son frère Antonio et lui soutenaient la démocratie chrétienne, ils étaient des hommes de la DC. Riesi avait été une municipalité communiste et même ultra-communiste, jusqu'à ce que les Di Cristina décident d'entrer activement dans la politique. Ils ont évincé les communistes, et Antonio, qui était très jeune, est devenu le maire démocrate-chrétien de Riesi. Par la suite, il a épousé la fille de l'ancien maire communiste. Quand le scandale a éclaté parce qu'on s'était mis à dénoncer la présence des mafiosi à l'intérieur de la démocratie chrétienne en Sicile, Giuseppe Di Cristina a été blackboulé, viré de son parti et envoyé en relégation

---

désirent, indiquer un « vote de préférence » (c'est cette dernière possibilité qui permet à la mafia, grâce à l'établissement de codes graphiques, de vérifier si les électeurs ont « bien » voté). *(N.d.T.)*

surveillée. Il a laissé tomber le député démocrate-chrétien Calogero Volpe et il s'est mis avec Gunnella. Par dépit, et aussi parce que Gunnella, c'étaient les Salvo et l'entrepreneur Maniglia qui le lui avaient présenté. Pas la peine que Gunnella vienne dire aujourd'hui que ce n'était pas vrai, et que Di Cristina n'était qu'un employé de l'administration des Mines de Sicile. Ils étaient amis, tous les deux, et Di Cristina lui a ramené trois cents ou quatre cents voix de plus, à Riesi, aux législatives de 1968.

Je ne sais pas si Gunnella est un homme d'honneur. Il ne m'a jamais été présenté comme tel. Les hommes politiques au niveau national, les parlementaires dont je sais qu'ils étaient des hommes d'honneur, c'étaient Concetto Gallo, Calogero Volpe et un autre, qui était de la province d'Agrigente. Et il y avait aussi le député Giuseppe Guttadauro, de Palerme, qui a été député monarchiste ou libéral mais qui n'a jamais été particulièrement actif à Cosa Nostra. Lui et ses frères étaient des commerçants en agrumes entrés dans la mafia à l'époque où certains le faisaient pour acquérir une position dominante et mieux protéger leur patrimoine.

Aux élections législatives, ma famille a appuyé différents candidats. Pendant longtemps, nous avons soutenu le député Lupis, le social-démocrate dont j'ai déjà parlé plusieurs fois. Après sa mort, un autre député social-démocrate, qui voulait reprendre son héritage électoral, est venu me rendre visite chez moi. Mais celui qui a repris le flambeau, c'est le secrétaire particulier de Lupis, Bonomo — celui du « bureau des passeports » de la famille — qui était également ami avec Nitto et avec les Cursoti.

Les Costanzo soutenaient et finançaient un peu tous les partis mais ils avaient un député attitré, le démocrate-chrétien Russo, que nous avons fait élire nous aussi quelquefois.

19.

Vers 1973-1974, un danger inattendu s'est profilé à l'horizon pour la famille. Toutes sortes de gens, essentiellement des commerçants du centre ville, ont commencé à venir nous voir, Pippo, Nitto, moi et les autres, pour nous demander de les protéger. Ils se faisaient beaucoup de souci parce qu'ils s'étaient mis à recevoir des menaces par téléphone : des inconnus leur demandaient le paiement du *pizzo*. Ça n'était pas des amateurs puisque, en cas de refus, les menaces se traduisaient aussitôt en faits. Certains commerçants avaient déjà subi des attentats ou des dommages avaient été causés à leur boutique ; d'autres s'étaient fait tirer dans les jambes. Ils nous demandaient tous de faire quelque chose, d'intervenir contre ces irresponsables.

Plusieurs d'entre eux allèrent trouver Nitto Santapaola, le plus connu de nous tous. Voilà quelle a été la tactique de Nitto pendant une certaine période. Il s'arrangeait pour se trouver dans les magasins aux heures où les coups de téléphone risquaient d'arriver, et c'était lui qui décrochait. Il disait qui il était, et demandait aux maîtres chanteurs de se présenter, de dire qui ils étaient, et de toute façon de venir le voir, qu'il leur donnerait satisfaction... Beaucoup disparaissaient dans le néant, ils s'évanouissaient sans laisser de trace dès qu'ils avaient entendu son nom, mais d'autres (les plus inconscients ou les plus présomptueux) se présentaient et lui disaient : « Cher Nitto, on ne savait pas que Untel t'intéressait, qu'il était sous ta protection, vraiment on voulait pas... De toute façon, vu que tu es sur l'affaire, on ne bougera plus. » Alors Nitto insistait : « Mais non, surtout pas. Ne dites pas ça. Vous avez demandé du fric ? Alors il faut que vous le ramassiez, parce que vous l'avez bien gagné. Vous avez été efficaces et courageux. Félicitations. » Il fourrait l'argent dans la poche de ces malfrats et il les congédiait sur ces bonnes paroles. Et ensuite, il les faisait tuer par son frère Nino ou bien il les tuait lui-même.

Dès le début de cet affrontement avec les groupes de la criminalité ordinaire, il y a eu une divergence entre Pippo et moi d'un côté et les Santapaola de l'autre. Ce que nous disions, nous, c'est que la force de la famille de Catane ne pouvait pas être comparée à celle des familles de Palerme. Nous n'étions pas capables de soumettre les bandes de malfrats en les terrorisant par le meurtre et par la violence. Il fallait arriver à un accord avec elles. On savait bien, Pippo et moi, que nos adversaires étaient trop nombreux. Il y avait une foule de centaines et de centaines de gamins qui avaient grandi dans les quartiers et qui avaient formé de petits gangs de dix à quinze membres chacun. Ces gangs avaient grossi peu à peu jusqu'à former des bandes puissantes et aguerries, et qui, mises toutes ensemble, étaient certainement plus fortes que nous, les mafiosi.

On était plus expérimentés, plus unis et mieux organisés, bien sûr. Mais au bout du compte, on n'était guère plus que trente-cinq hommes d'honneur contre une armée de mille à quinze cents jeunes déchaînés, capables de nous submerger rien que sous le nombre. Les Santapaola pensaient au contraire que quand on en aurait exterminé un bon paquet, quand on les aurait contrés au fur et à mesure à chacune de leurs tentatives de racket ou d'autre chose, ces voyous prendraient la poudre d'escampette et quitteraient Catane ou bien viendraient se mettre à nos ordres. Nitto et ses frères, de plus, ne croyaient pas qu'ils étaient aussi nombreux. Ils pensaient qu'on avait en face de nous deux ou trois bandes de paumés, qui auraient peur très vite et qui prendraient leurs jambes à leur cou dès qu'on leur aurait montré notre puissance de feu.

Les Santapaola avaient grandi dans le quartier de San Cristoforo et ils étaient donc convaincus de bien connaître presque tous nos adversaires. Mais la situation était très différente. Ces bandes de la pègre provenaient de tous les quartiers de la banlieue, et pas seulement de San Cristoforo. Seuls les Laudani et les Carcagnusi venaient de là. Les Cursoti, les Pillera, les Malpassoti, les Ceusi avaient leurs bases dans d'autres zones de la ville, y compris dans l'arrière-pays catanais, et certaines de ces bandes étaient même en train de s'implanter dans le nord de l'Italie. Les Cursoti, par exemple, avaient déjà des groupes à Milan et à Turin. Qui plus est, ces bandes changeaient continuellement, parce qu'elles n'arrêtaient pas d'intégrer des gens nouveaux. Aux noyaux de départ venaient s'agglomérer de nouveaux groupes, et la plupart de ceux-ci étaient constitués de visages complètement inconnus. Ce qui leur donnait un autre avantage sur nous. Eux, par contre, ils nous connaissaient. Ils savaient qui on était, parce qu'on était trois pelés et un tondu, et connus de tout le monde. Des cibles précises, avec des noms et des prénoms. Alors que nous, la plupart du temps, on ne savait même pas qui ils étaient.

Qu'il y ait un attentat contre nous, les mafiosi, et ça paraissait dans le journal ; tous les voyous pouvaient l'apprendre et commenter l'événement. Mais nous, on ne savait pas qui avait bien pu faire ça, on n'avait aucun élément solide à partir de quoi raisonner, faire des hypothèses, parce qu'on n'avait pas la liste complète de nos adversaires. On avait à combattre un ennemi qu'on ne connaissait pas. A Turin, en 1984-1986, j'ai été accusé par un certain Parisi, un malfrat ordinaire de Catane. Lui, il prétendait qu'il me connaissait ; il disait que j'étais de la mafia. Mais moi, je ne l'avais jamais vu, je n'avais pas la moindre idée de qui il était. Pourtant cet individu était un cambrioleur professionnel, un type qui avait déjà dix-sept meurtres sur le dos. Bien que j'aie vécu à Catane depuis ma naissance et que je sois devenu homme d'honneur à vingt-sept ans, je n'avais jamais entendu parler de lui et je n'avais jamais eu l'occasion de le rencontrer.

Voilà comment ces bandes fonctionnaient. Dans chaque quartier, il y avait une ou deux équipes de gamins qui volaient des voitures, ou bien des pneus ou des autoradios. Ces équipes ont grossi peu à peu et ont commencé à faire du racket, des cambriolages ou des meurtres. Peu à peu, les gamins se sont spécialisés, notamment parce que certains d'entre eux étaient très dégourdis et décidés à se faire une place. Quelques-uns, plus tard, sont même devenus hommes d'honneur. Et ils étaient très forts, question cambriolage. Ils les faisaient vraiment très bien et quand un type sait faire un cambriolage, il est tranquille, il peut tout faire. C'est plus difficile de faire un cambriolage qu'un meurtre. Entre l'entrée sur les lieux et la sortie, il s'écoule toujours au moins trois ou quatre minutes. Il faut savoir comment se déplacer, comment se comporter, être capable de se contrôler complètement pendant un temps très long. Un meurtre, ça dure quarante à cinquante secondes, une minute maximum : le temps de viser, de tirer et de s'en aller.

Beaucoup de gamins de la criminalité ordinaire de Catane étaient des cambrioleurs, capables de faire des actions même dans les banques qui avaient des gardes assermentés devant la porte. Un des gars s'arrêtait devant le garde et lui disait : « Tu as du feu ? » pendant que l'autre lui mettait un bras autour du cou et lui enlevait son pistolet.

Notre famille aurait pu faire aussi un autre genre de réponse à la menace qui venait de la pègre. Quelques-uns d'entre nous proposaient de nous étendre, de devenir nous aussi une petite armée de trois cents à quatre cents personnes, en faisant adhérer à Cosa Nostra les bandes les plus dangereuses. Comment elles avaient fait, en effet, ces bandes, pour devenir aussi grosses ? En prenant quiconque se présentait, sans filtrage, sans initiation, sans examen, sans enquête sur les familles de sang d'où les gens venaient. Qu'est-ce que ça pouvait leur faire, aux chefs des Carcagnusi ou des Cursoti, qu'un jeune voleur

246

ou un jeune casseur soit le fils ou le parent proche d'un flic, que sa mère se prostitue, ou que son père ou que son frère aient été tués pour des histoires de mafia [1] ? Ce qu'ils regardaient, eux, c'est si le type était débrouillard, agressif et s'il savait tirer. Nous, il fallait qu'on fasse pareil.

Mais c'était une idée que très peu d'entre nous avaient ; presque tous y étaient opposés. Accepter une proposition pareille, c'était faire mourir Cosa Nostra, trahir son esprit, la transformer en un ramassis de voyous des rues, sans règles ni honneur, qui s'associent en fonction des nécessités et qui retournent ensuite chacun à leurs affaires. Sans parler du danger très grand de faire entrer des salauds, des mouchards, des traîtres à la petite semaine. Ou encore des gens qui ne comprenaient pas que nous nous opposions totalement, et par principe, à l'État, à la justice, à la police. Nous, quand on nous volait quelque chose, on n'allait même pas porter plainte. Un homme d'honneur ne mettait jamais les pieds dans les locaux de la police, sauf s'il était inculpé ou arrêté. Il y a eu une longue discussion à Cosa Nostra à propos des plaintes pour vol de voiture. On a fini par décider de faire une entorse à la règle et d'autoriser les hommes d'honneur dont les voitures avaient été volées à porter plainte. Mais pas pour se faire rembourser par les compagnies d'assurances. Si on a fait cette exception, c'était pour éviter que la police ne se trompe de coupable, dans le cas où des voitures volées avaient servi pour faire des meurtres ou des cambriolages, et pour mettre un frein à ce vice des Corléonais, de monter leurs actions criminelles de manière à ce qu'elles soient imputées à d'autres.

Voilà, ça, c'est le genre de problème complètement incompréhensible pour le petit voyou de Catane, le petit casseur ou le petit maître chanteur quelconque. Je n'arrive même pas à me l'imaginer, le gamin de San

1. On ne fait jamais entrer à Cosa Nostra un homme dont un des parents proches a été tué par elle : l'obligation de dire toute la vérité au nouvel adhérent, et donc de lui livrer le nom de l'assassin, entraînerait la vengeance immédiate du nouveau mafioso. *(N.d.T.)*

Cristoforo, en train de réfléchir à tout ça, en train de résoudre des dilemmes aussi compliqués. À Cosa Nostra, les enquêtes sur les jeunes qui voulaient devenir hommes d'honneur étaient très poussées, on épluchait tout ce qui les concernait, on allait même jusqu'à contrôler la biographie de leurs parents. Si je vous disais qu'on est même allés jusqu'à reprocher à Michele et Salvatore Greco le fait que leur père, dans les années vingt ou trente, pendant un procès, avait dit au juge qu'il demandait justice pour le meurtre d'un de ses frères ! On a demandé des explications à Michele Greco, en 1975, à ce sujet-là. Un homme d'honneur ne demande justice à personne et encore moins à l'État. La justice, on doit être capable de se la faire tout seul.

Il nous était impossible d'élargir les mailles et d'admettre dans la famille des inconnus, des fils-de-personne. La Cosa Nostra de Catane avait toujours été quelque chose de très exclusif, de très secret, parce qu'elle avait toujours eu une politique de sélection très sévère, plus sévère même que celle des familles de Palerme, qui se sont énormément agrandies après les années soixante-dix. C'est si vrai, d'ailleurs, que pendant la seconde moitié des années soixante-dix, la police ne savait même pas que la mafia existait à Catane.

Mais, en attendant, ces types-là étaient chaque jour de plus en plus nombreux. La bande des Cursoti avait tellement grossi qu'elle exportait de la main-d'œuvre dans toute l'Italie. Ils s'en allaient travailler un peu partout : il y avait des types qui prenaient l'avion le matin, s'en allaient à Milan ou à Bologne, faisaient un cambriolage et revenaient le soir. De plus, la pègre avait bien moins de problèmes que nous pour se faire du fric. Les types des bandes prenaient tout ce qu'ils trouvaient. Ils travaillaient dans tous les secteurs. Non seulement ils organisaient des extorsions, mais ils s'occupaient aussi de prostitution et d'usure. Ils cambriolaient et volaient tout ce qui passait à leur portée.

On a donc décidé d'accroître notre puissance de feu et

de faire une petite dérogation à notre politique de ne pas augmenter le nombre des affiliés à la Cosa Nostra catanaise. Cinq nouveaux éléments ont été admis, choisis parmi les meilleurs représentants de la pègre de Catane. Il y avait entre autre ce Salvatore Lanzafame dont j'ai déjà parlé. Les nouveaux adeptes ont accepté la promotion qui leur était proposée, mais après avoir hésité quand même pendant un certain temps, partagés entre le désir de devenir eux aussi hommes d'honneur et la crainte que ça ne soit un piège tendu par Nitto Santapaola pour les tuer. Il a fallu l'intervention de mon frère pour les convaincre qu'il n'y avait aucune embrouille, juste la reconnaissance de leur valeur de combattants. Ce groupe de cinq est resté de toute façon toujours très méfiant à l'égard de Nitto Santapaola ; il faut dire aussi que le plus valable et le plus entreprenant des cinq, Alfio Ferlito, dès son entrée dans la famille, s'est posé en rival de Nitto. Il nous est bien vite devenu évident à tous que l'un d'eux, tôt ou tard, tuerait l'autre. Ferlito, qui plus est, dès qu'il a eu connaissance de la façon dont les différents clans se répartissaient à l'intérieur de Cosa Nostra au niveau régional, s'est rangé au côté du groupe Inzerillo-Bontade, alors que Nitto, lui, était déjà étroitement lié avec les Greco-Corléonais. Leurs correspondants respectifs à Palerme se sont mis alors — pour des raisons opposées — à pousser Ferlito et Santapaola pour que l'un des deux élimine l'autre.

Ce groupe des cinq, d'ailleurs, n'a pas été une réussite. Ils sont toujours restés un peu à part, séparés du reste de la famille, et leur présence, au lieu d'encourager la solidarité interne, n'a fait qu'accroître les motifs de discorde. Ces cinq jeunes se sont rendu compte au bout de quelque temps que, d'une certaine manière, nous les avions un peu bluffés. Du temps où ils étaient extérieurs à la famille, ils nous considéraient un peu, nous les mafiosi de Catane, comme des dieux vivants. Une fois dedans, ils se sont rendu compte qu'on était ce qu'on était : c'est-à-dire pas forcément plus intelligents que les autres. Ils ont été déçus.

Mais c'étaient des tueurs extraordinaires ! Ils avaient

tous une grande expérience dans le domaine des cambriolages et des meurtres. Ils n'avaient jamais peur, et ils étaient précis, bien préparés. On a envoyé deux de ces jeunes tuer un type qui se trouvait dans une voiture pleine de femmes. Le type avait une fille de chaque côté. Les jeunes ont arrêté la voiture et ils ont tiré calmement sur le type, sans atteindre personne d'autre. C'étaient des tueurs, ces cinq-là, c'est sûr, mais ils étaient bons, généreux. Ils ne tuaient pas par méchanceté. Ils tuaient parce qu'ils savaient qu'ils allaient mourir, qu'ils étaient destinés à mourir.

Ils étaient nés sous une mauvaise étoile, ces jeunes, et en effet, ils ont tous finis tués, d'une manière ou d'une autre. Sauf un, Turi Pillera, qui commande aujourd'hui une formation de quatre cents hommes et qui a toujours eu une chance miraculeuse. Quand il avait dix-sept ans, les Carcagnusi lui avaient tendu une embuscade mais ils ne sont pas arrivés à l'éliminer. Ils l'ont criblé de rafales de mitraillette, mais il n'est pas mort, à la différence de son père, qui était avec lui ce jour-là. Une autre fois, après son entrée à Cosa Nostra, je l'ai vu arriver chez moi, à la campagne, à côté de la maison de mon frère, un foulard autour du cou, dans sa Fiat 126 jaune, la carrosserie trouée comme une passoire. « Ils m'ont tiré dessus. Ils m'ont touché au cou. La balle est encore dedans. » J'ai regardé et me suis rendu compte qu'elle n'avait pas pénétré profondément et je l'ai extraite avec la pointe d'un couteau. Je suis allé chez le pharmacien et je l'ai soigné en lui faisant des piqûres d'antibiotiques. C'est comme ça qu'il a survécu pour la seconde fois.

Mais il faudrait regarder d'un peu plus près comment étaient composées les principales bandes. Je ne peux parler, évidemment, que de celles que je connais. Commençons par les Laudani, que je connais bien parce que leur fondateur, Sebastiano Laudani, dit « Mussu i ficurinia [1] », habitait dans mon quartier d'origine, où il

1. Littéralement « Museum de figue de Barbarie » (fruit très commun dans tout le sud de l'Italie, à la peau hérissée de piquants et qui pousse sur des sortes de grands cactus). (N.d.T.)

était gardien de chèvres. C'était un métier plutôt humble, celui de gardien de chèvres, mais ça n'était pas le dernier des métiers. Le dernier, le pire, c'était gardien de brebis. A Catane, on faisait la distinction entre gardien de brebis et gardien de chèvres. Le gardien de chèvres était supérieur au gardien de brebis, parce que ce dernier gardait ses bêtes dans la campagne et travaillait le lait pour le transformer en fromage, alors que le gardien de chèvres avait ses chèvres en ville et vendait le lait frais tous les matins, en circulant dans les rues avec ses bêtes et en s'arrêtant là où on l'appelait. Sebastiano Laudani était un de ces gardiens de chèvres des villes, et je le revois, quand j'étais petit, marchant dans la rue avec ses gosses qui trottaient derrière lui, au milieu des chèvres. Ils étaient cinq garçons qui, en grandissant, sont tous devenus des voyous. La famille Laudani avait un grand respect pour Pippo, et à un certain moment, vers les années soixante-dix, nous avions même pensé à faire un Laudani homme d'honneur. Mais ils ont déménagé ensuite dans la banlieue nord de Catane. Ils ont rompu avec nous quand Nitto a décidé qu'on devait s'imposer par la force à tout le monde, et ils ont monté deux ou trois boucheries et un petit racket de quartier. Ensuite ils ont constitué un groupe pour leur propre compte, en s'alliant avec d'autres clans des faubourgs, et ils ont développé aussi bien les extorsions que le commerce de la viande. Aujourd'hui ils contrôlent tout le négoce de viande de boucherie à Catane et un racket qui s'étend même à l'extérieur de la ville, dans certaines communes de la province.

Les Cursoti s'appelaient comme ça parce qu'ils venaient de la via Antico Corso, une rue de la banlieue de Catane ; leur chef était un certain Manfredi, un ami de Nitto Santapaola et un grand ami d'Aurelio Bonomo, le secrétaire du député Lupis. Les Cursoti étaient un groupe un peu à part, parce qu'ils augmentaient ou diminuaient selon les moments. Ceux qui faisaient partie de cette bande avaient chacun leurs propres activités, indépendamment des autres ; ils ne devenaient un véritable clan, sous le commandement d'un chef reconnu, que dans des circonstances particulières. Dans ces cas-là — par exemple quand ils avaient un gros cambriolage à faire — ils pouvaient également s'allier avec les Carcagnusi, avec les Laudani ou d'autres encore. Le cambriolage terminé, chacun retournait à ses propres affaires. On les connaissait bien les Cursoti, et on s'est toujours bien gardés de les faire devenir hommes d'honneur. Ils étaient trop brouillons, trop changeants, un peu déséquilibrés. Et d'ailleurs, ils se tuaient quelquefois entre eux. J'ai lu dans le journal que l'an passé quinze Cursoti sont morts comme ça, à cause d'un conflit interne.

Les Carcagnusi venaient de San Cristoforo et ils étaient tout aussi pauvres que les Laudani. Leur père était un ivrogne, un être inutile. C'était un minable voleur de poules. Il voulait se donner des airs de mafioso et il racontait qu'il connaissait mes oncles, mais c'était juste un rat de la campagne qui chipait du fromage, de l'huile, du blé et de temps en temps une poule pour donner à manger à ses enfants. Personne ne le respectait. Il ne comptait pas, même dans sa famille. Un de ses fils, quand il voyait son père de loin, l'appelait par son nom et lui tirait des chevrotines dans les fesses avec une carabine à air comprimé. La personne qui comptait, dans cette famille, c'était la mère. Dans plusieurs familles de la pègre de banlieue, les femmes, les mères, ont toujours beaucoup compté. Y compris parce que bien souvent elles étaient le seul parent.

La mère des Carcagnusi était voleuse elle aussi ; c'est elle qui les organisait et c'est elle qui les a dirigés sur la voie de la délinquance. Elle envoyait ses fils — trois garçons de quinze ou seize ans — et les amis de ses fils faire des vols. Ils lui rapportaient le butin et elle se chargeait de le vendre. Ou bien de le faire cuire, quand il s'agissait de poulets et de choses comestibles. Plus grands, ils ont commencé à faire de petites extorsions et à voler des choses plus importantes. L'un d'eux a monté un petit atelier où on réparait les Vespa, mais qui servait surtout de lieu de recel pour les motos volées et de point de vente pour les pièces de rechange qui provenaient de ces mêmes motos. Ensuite, ils sont passés aux Fiat 500. Ils se sont spécialisés dans le vol, le démontage et ensuite la revente, pièce par pièce, des Fiat 500. A Catane, dans les années soixante, il y avait un très gros marché de pièces de rechange volées.

Au début des années soixante-dix, les Carcagnusi étaient déjà bien présents dans la ville, et ils avaient leurs particularités. Ils ont été les premiers à tirer dans les jambes. Les premiers « gambizzatori[1] » de Catane, c'étaient eux. Ils enfilaient un passe-montagne et s'en allaient tirer sur les commerçants qui refusaient de payer le *pizzo*. Ils sont devenus de plus en plus nombreux. Vers 1970-1971, ils nous ont invités, Nitto Santapaola et moi, à venir à la campagne faire une « grande bouffe » avec eux, et ils nous ont montré à cette occasion qu'ils disposaient de plus de quarante jeunes.

C'était un banquet organisé justement pour nous faire constater à nous, les mafiosi, ce qu'ils étaient devenus. Les Carcagnusi avaient encore peur de nous. Ils nous voyaient comme un modèle à imiter, et aussi peut-être comme une cible à abattre, dans le futur. Ils s'étaient déjà beaucoup avancés en faisant une telle invitation et Franco, le frère aîné du clan, celui qui était venu nous demander de participer à la « grande bouffe », avait peur d'essuyer un refus, de se faire snober.

« Venez chez nous à la campagne, du côté de Cardinale, juste après l'entrée de l'autoroute. On s'amusera bien. Il y a toute une belle compagnie de jeunes qui ont tout préparé. Il faut pas dire non. On y tient beaucoup. On s'offensera si vous ne venez pas... »

Nitto s'est tourné vers moi et il m'a fait un clin d'œil en me disant à voix basse : « Tu veux y aller, jouer les invités d'honneur ? Tu veux y aller, à la fête des voleurs ? »

Et c'est comme ça, un peu par curiosité, un peu par

---

1. Cette pratique a été largement illustrée ensuite par les Brigades Rouges ; contrairement à ce qu'on pourrait croire, les blessures causées par le tir dans les jambes sont extrêmement douloureuses. *(N.d.T.)*

pitié, qu'on y est allés. La « grande bouffe » avait lieu dans une propriété un peu isolée ; c'était un truc comme ça, à la bonne franquette. Sur le terre-plein devant la ferme, arrivaient à toute vitesse, les uns après les autres, des gamins dans les dix-huit, vingt ans qui conduisaient des cyclomoteurs, des Vespa. Il y avait une radio qui gueulait à plein volume, des tonneaux de vin, et un feu allumé, où ils faisaient griller des poulets. Tout le monde riait et plaisantait, beaucoup étaient assis par terre, ils mangeaient avec leurs mains directement dans les assiettes, sans couverts, et de temps en temps il y en avait un qui tirait un coup de fusil ou de pistolet contre un arbre en face, de l'autre côté de l'entrée de la ferme.

Nitto et moi, on s'est regardés et on s'est fait en souriant un signe de connivence, comme pour nous confirmer l'un à l'autre qu'on pensait la même chose. C'était vraiment la fête des voleurs. Tout ce qui nous entourait, tout ce dont on était en train de se servir, rien de tout ça n'appartenait aux Carcagnusi. Les Vespa étaient volées, les poulets étaient volés, le vin était volé, la radio venait tout juste d'être volée, les pistolets et les fusils étaient volés eux aussi. Même la ferme où on se trouvait n'appartenait pas aux Carcagnusi. On était là en cachette, parce que le gardien de la propriété était l'ami des Carcagnusi et leur avait permis de faire la fête en l'absence du propriétaire. Tout ça ressemblait à une scène d'un de ces vieux films avec des gitans qui font de grandes bouffes et qui dansent devant le feu. Sauf que là il y a des femmes qui dansent et qu'ici il n'y en avait pas. Il n'y avait que des hommes. Après le repas, ils se sont tous mis à tirer. Ils ont placé une boîte de conserve qui devait leur servir de cible et ils ont commencé un concours pour voir qui tirait le mieux. C'étaient de très mauvais tireurs, ils ne savaient pas manier une arme à feu. Nitto et moi, on a refusé de tirer et on est partis aussitôt après.

J'ai revu Franco, le chef de la bande, quelques mois plus tard. Il était en cavale et il avait demandé à nous voir de toute urgence, Nitto et moi. On l'a trouvé en train de pleurer à gros sanglots. Il nous a dit que son père venait de mourir et que lui et sa famille n'avaient pas d'argent pour payer l'enterrement. J'ai tout de suite pensé que ça n'était pas pour la mort de son père qu'il pleurait ; tous autant qu'ils étaient, ils s'en étaient toujours plutôt fichus, de lui. Il pleurait à cause des gens, à cause de la honte de ne pas pouvoir faire l'enterrement dignement, comme il aurait fallu. Et je me suis dit aussi qu'il était en train de nous faire une entourloupe, que l'argent pour l'enterrement, il l'avait. Il était simplement en train d'essayer de nous taper quelques lires. Quoi qu'il en soit, on lui a donné cent mille lires chacun, pour l'assister dans sa fuite.

La logique de Nitto, c'était la suivante : « Combien on en a tué jusqu'à maintenant ? Bon. Alors, à présent, il faut tuer aussi leurs fils, sinon c'est les fils qui nous tueront. » Même si les fils ne nous avaient rien fait, il fallait qu'on trouve un prétexte, une excuse quelconque, et les tuer. Comme si ç'avait été des poulets, et pas des êtres humains avec un nom, une famille, et une maison où ils rentrent le soir dormir. C'est comme ça que des dizaines de personnes ont perdu la vie.

Dans une famille de la mafia, tout le monde doit être capable de faire un meurtre. Les soldats obéissent volontiers à l'ordre de tuer ; commettre un assassinat accroît leur réputation, accélère leur carrière. Même si la cruauté dans l'exécution d'un meurtre n'entraîne pas d'approbation particulière de la part de Cosa Nostra, un homme qui n'est pas impressionné par le sang, qui réussit à rester calme et froid au moment où il ôte la vie à quelqu'un est tenu en haute considération.

Il reste tout de même que certains aiment tuer, d'autres non. Il y a des gens malades, qui éprouvent du plaisir à tuer, comme ce Francesco La Rocca qui, à chaque fois qu'il supprimait quelqu'un, se transformait en une vraie bête sauvage. Après le meurtre, il se déchaînait. Il se mettait à donner des coups de pied au mort et à crier comme un animal. Il se défoulait comme ça. D'ailleurs, La Rocca était à moitié une bête, en fait. Il avait vécu pendant des années dans les bois, il était garde forestier. Il préférait étrangler les gens, pour ne pas faire de bruit, mais aussi parce que c'est plus bestial, avec la victime qui se débat et qui mord et qui prend une expression terrible.

J'ai entendu dire que tous ceux qui commettent un meurtre accumulent une quantité énorme de rage, de tension, dont ils doivent ensuite se débarrasser. Pendant ces moments-là, ils ne pensent pas, tout est effacé. D'après moi, il y a quelque chose qui se déclenche en eux. Quelque chose qui donne libre cours à la brutalité, à la bestialité qui est en chacun de nous et que nous maîtrisons dans nos actions normales. C'est quelque chose qu'eux-mêmes sont incapables d'expliquer, mais c'est comme ça que ça se passe. Et au bout d'un certain temps, on commence à aimer le meurtre, ça devient comme un vice, une maladie.

Nino Santapaola, le frère de Nitto, est l'homme le plus cruel que j'aie jamais connu. Hitler a commis moins de meurtres que lui. Nino avait besoin de tuer. Quand il y avait quelqu'un à tuer, il était le premier volontaire et il fallait qu'il y aille tout de suite. Certains disaient que Nino était fou. A mon avis, il ne l'était pas. Nino Santapaola ne devenait fou que quand il ne tuait pas. Il y avait quelque chose de plus fort que lui, qui le poussait. Quand je lis dans les romans que l'assassin ressent ce besoin, ou qu'il est poussé à revenir sur les lieux du crime, moi, j'y crois. Parce que, aussitôt, je pense à Nino Santapaola, qui avait besoin de tuer, à tout prix, quelle que soit la victime, même s'il trouvait ensuite mille prétextes pour justifier ses mauvaises actions, ses actions criminelles, qui étaient d'ailleurs désapprouvées par son frère Salvatore et même par Nitto. Nitto l'envoyait de temps en temps supprimer quelqu'un mais il n'aimait pas ses outrances, et il les lui a quelquefois durement reprochées. Nino Santapaola a une cicatrice sous la lèvre inférieure depuis le jour où Nitto lui a lancé un cendrier à la figure, pendant une discussion au sujet des ennuis que Nino lui causait.

Tous les samedis soir, ce dingue sortait de chez lui et

partait en chasse. Son amusement, c'était de chercher des gens à massacrer, et il prenait le premier qu'il trouvait sous la main. Souvent, Alfio Amato, un autre qui souffrait de la même maladie, l'accompagnait. Et certains de ses neveux venaient aussi avec lui, des gamins de dix-huit à vingt ans auxquels Nino apprenait à donner la mort. Les parents faisaient semblant de protester pour ces pauvres gosses qui apprenaient à faire de vilaines choses mais en fait ils étaient fiers, et les gamins aussi.

Tous les samedis, c'était la même histoire. Pendant la semaine, Nino se mettait en tête de descendre telle ou telle personne et s'informait sur les endroits où cette personne risquait de traîner le soir. Quand le samedi arrivait, Nino trouvait quelqu'un pour l'accompagner et ils volaient une voiture qu'ils garaient à proximité de l'endroit fréquenté par la victime. Ils se cachaient et ils attendaient jusqu'à ce que la cible apparaisse et entre dans le champ de tir. Alors ils lui tiraient dessus et ils prenaient la fuite avec la voiture, dont ils se débarrassaient aussitôt après n'importe où. Si on va consulter la liste des meurtres qui ont été commis à Catane vers 1976-1977, on verra que beaucoup d'entre eux se sont passés un samedi. Le dimanche matin, chez moi, on ouvrait le journal et on disait : « Le dingue a encore travaillé hier. » Certaines des personnes assassinées étaient des gens que nous connaissions. Ma femme était très contrariée chaque fois qu'elle lisait la nouvelle que l'un d'eux était mort. C'est comme ça qu'elle a commencé à penser que la situation devenait insoutenable, et qu'elle a fini par me pousser vers la décision que j'ai prise par la suite [1].

Le conflit entre notre famille et la criminalité ordinaire a été une véritable manne pour Nino Santapaola. A Catane, à cette époque-là, il suffisait de pas grand-chose pour mourir. Comme pour ce garçon boucher qui se trouvait en compagnie de deux hommes de la pègre, un soir de 1975. Nino Santapaola et Alfio Amato sont passés devant un bar et ils ont vu les deux types. Ils ont couru

1. Sa décision de collaborer avec la justice. *(N.d.T.)*

chez eux prendre leurs armes et comme, à leur retour, les deux malfrats n'étaient plus là, ils ont tiré sur ce pauvre garçon boucher et c'est lui qu'ils ont refroidi.

On dit que la mafia a un code de justice. Mais qu'est-ce que c'est qu'un code qui prévoit la peine de mort quelle que soit la faute ? Même pour de petits vices, un peu tordus, comme celui du beau-frère de Nicola Maugeri, un voyeur mis en pièces à coups de couteau par Nino et ses acolytes, du côté de Boschetto di Catania, là où se retrouvent les couples d'amoureux. Peppe Orazio, lui, était un mécanicien qui avait eu une altercation avec Nino Santapaola : il a été « justicié » à l'intérieur de son atelier par un commando, toujours composé des mêmes tueurs, qui sont arrivés sur les lieux en Fiat 600. La vie de Turi Fabiano, un petit contrebandier, a été tranchée net par Nino Santapaola et d'autres, en face d'un bar, tout à côté de la résidence du préfet de Catane. Le policier de garde devant la villa du préfet s'est caché derrière une voiture pour éviter d'être atteint par les balles. A la même époque a été tué un type surnommé « Cola dei cani ». [Nicola des chiens *(N.d.T.)*)], dont la faute avait été d'être trop proche des Carcagnusi. « Cola dei cani » a été invité par Nino Santapaola et par Alfio Boccacini à venir manger avec eux à la rôtisserie « La Capricciosa », qui appartenait à Salvatore Santapaola. Après lui avoir offert le repas, ils l'ont emmené dans les environs de Lentini, ils l'ont étranglé avec un fil de fer et ils l'ont jeté dans un puits. Dans la via Laucatia, ils ont tué un vendeur de fruits et légumes, qui a tenté d'échapper à son destin en lançant des cageots pleins contre ses assassins. Il leur lançait des cageots, et les autres, Nino Santapaola en tête, lui tiraient dessus.

Un type de la pègre avait eu la stupidité de dire du mal de Salvatore Tuccio, un des « camarades de chasse » de Nino. Cet homme avait dit qu'il couperait la tête de Tuccio et qu'il irait la mettre devant la Villa Bellini[1]. Mais c'est Nino Santapaola qui l'a tué et qui lui a coupé la tête,

---

1. Grand jardin public dans le centre de Catane. *(N.d.T.)*

et qui l'a posée au pied du monument à Garibaldi, dans la via Etnea.

Nitto, lui aussi, avait sa part de meurtres. Il en a commis un grand nombre. La différence avec son frère Nino, c'était que lui ne tuait pas parce qu'il était malade ou pour s'amuser : il éliminait tous ceux qui étaient contre lui, tous ceux qui le dérangeaient, quelle que soit la raison. Il était très maniaque là-dessus.

Je me souviens d'un double meurtre que Nitto a commis le 5 février 1975. Ce jour-là, en passant devant un bar de la rocade du bord de mer, il a aperçu deux racketteurs de sa connaissance qui avaient essayé de faire cracher une entreprise protégée par lui. Il a arrêté sa voiture et il a dit aux deux types qui l'accompagnaient de l'attendre dehors et de le suivre ensuite : il s'arrangerait pour se faire emmener en voiture par les racketteurs et il les tuerait pendant le trajet. Et c'est ce qu'il a fait, en les frappant à la tête depuis la banquette arrière. Ce soir-là, il y avait une réception chez moi. C'était la fête de la patronne de Catane, sainte Agathe, et nous avions invité les familles de nos frères, et aussi la famille de Nitto, lequel est arrivé tout essoufflé et s'est aussitôt enfermé dans une autre pièce avec mon frère. Pippo est sorti de la chambre et m'a demandé d'accompagner Nitto sur la piazza Verga. Je ne savais rien de ce qui venait de se passer et j'ai refusé ; je ne pouvais pas abandonner comme ça mes invités. Nitto est parti tout seul, pas content, à pied, malgré la pluie battante. Par la suite, Pippo m'a raconté ce meurtre ; mais ne m'a pas expliqué pour quelles raisons Nitto devait se rendre immédiatement sur cette place.

Pippo et moi, nous n'étions pas au courant, pour la plupart, des meurtres commis par les frères Santapaola. Tout ce que je dis ici se base sur des choses que je n'ai apprises qu'après coup, quand les événements s'étaient déjà produits. Les Santapaola tenaient la famille dans l'ignorance de leurs décisions. Il n'y avait aucune délibération au niveau des organes directeurs. Les assassinats des petits voyous de Catane étaient décidés et exécutés par des gens qui se sentaient plus forts que nous ; notre faute a été d'avoir toléré ça sans protester énergiquement, sans essayer d'imposer un autre type de comportement. Mais Pippo et moi, on ne pouvait pas faire autrement : on n'avait pas à notre disposition un groupe de fidèles prêts à faire tout ce qu'on leur aurait ordonné. Nous, on respectait les règles de la famille, alors que les Santapaola créaient autour d'eux une cour de gens qui n'avaient de comptes à rendre qu'à eux seuls. Nitto, en particulier, avait beaucoup de jeunes qui le suivaient. Il avait établi des liens très étroits avec Giuseppe Pulvirenti, un membre de notre famille qui disposait carrément d'une quarantaine d'éléments très valables, lesquels, sans être des hommes d'honneur, étaient complètement à la disposition de Nitto.

Pippo et moi, on se croyait encore forts, et tout ça parce que votre serviteur était le vice-représentant de la famille et Pippo le représentant de la province. Mais on n'était en réalité que des généraux sans armée, à la merci des autres clans qui divisaient la famille. Pippo Calderone était le responsable le plus important de la famille de Catane mais, à un moment donné, sa force s'est mise à dépendre beaucoup plus des puissants appuis qu'il avait à Palerme que de son « patrimoine » local. Le jour où les Palermitains l'ont abandonné, ç'a été un jeu d'enfant de le tuer.

Quand Pippo a été élu chef de la commission régionale, il a demandé à avoir sous son commandement direct une équipe de cinquante hommes d'honneur, qu'il aurait choisis, à raison de deux ou trois chaque fois, dans chacune des familles. Mais ils lui ont tous répondu d'une seule voix : « Mais non, non et non, ça ne peut pas se faire ! Tu plaisantes ? Tu veux te constituer une véritable armée uniquement à tes ordres ! C'est trop dangereux pour nous. » Et finalement, à mon avis, si on regarde comment les choses se sont passées, c'est exactement ce qu'ont fait les Corléonais et Michele Greco après l'élimination de Pippo et la dégénérescence de Cosa Nostra

20.

Il faudrait que je poursuive maintenant en racontant la suite de cette histoire de la famille de Catane et de Cosa Nostra. Mais je ne me sens pas le courage de continuer à passer sous silence des événements très graves dont j'ai été personnellement responsable et dont je n'ai pas parlé pendant les premiers mois de ma confession. Si je n'ai pas parlé de ces événements-là, ce n'est pas par peur du châtiment, c'est parce que j'en avais honte et que j'en ai encore aujourd'hui profondément honte. Mais ma dignité intérieure exige que je dise à présent tout ce que je sais. J'ai besoin de faire la preuve, non aux autres mais à moi-même, que j'ai reconnu mes erreurs.

Je suis croyant et je sentais que je ne pourrais pas m'approcher des saints sacrements si je n'avais pas payé ma dette envers la justice des hommes, avant même d'affronter la justice divine. Je suis responsable de sept meurtres. En dehors de ma responsabilité pénale, je me sens moralement coupable de tous ces crimes, même si j'ai beaucoup fait pour éviter que les plus infamants d'entre eux ne soient exécutés. Je ne demande pardon à personne, parce que je ne mérite le pardon de personne. J'espère seulement qu'après ce que je vais dire, tout le monde comprendra enfin qui sont, en réalité, les soi-disant hommes d'honneur et de quels méfaits ils sont capables.

Le premier assassinat auquel j'ai participé a été celui de « Saro u bau », Saro Grosso, un homme d'honneur de la famille de Catane qui avait essayé, avec quatre autres hommes d'honneur, de mettre sur pied une petite conjuration pour bouleverser l'équilibre de la famille et s'emparer du pouvoir, en éliminant mon frère, Nitto et moi. Ils avaient constitué un petit groupe qui devait nous attaquer à coups de grenades. Mais un des conspirateurs, Nino Condorelli, le chauffeur d'un des frères Costanzo, a reculé à un moment donné devant l'audace de ce projet et il est allé prendre conseil auprès de son père, un vieil homme d'honneur qui lui a dit : « Ce plan-là ne peut pas fonctionner. Cours tout de suite tout raconter aux Calderone, sinon tu es mort ! »

Condorelli est venu alors me voir à la station-service mais il ne m'a pas trouvé ; j'étais parti à la chasse. Il m'a attendu sur place, bien qu'à cette époque il ait été en cavale, et à mon retour je l'ai trouvé en larmes. Je lui ai demandé pourquoi il pleurait. Il m'a répondu qu'il avait beaucoup de peine parce qu'il s'apprêtait à trahir des amis et qu'il avait peur, aussi, de notre châtiment. Je lui ai dit de se tranquilliser de ce côté-là, mais de ne pas oublier de m'informer de tout ce que feraient ses acolytes. Les conjurés ont bien vite abandonné leur plan et ils ont essayé de se réhabiliter à nos yeux, tout en restant très préoccupés des éventuelles mesures de rétorsion que nous risquions de prendre contre eux. « Saro u bau » s'est enfui à Milan sous prétexte qu'il devait « aller gagner sa croûte » ; puis il est revenu en disant qu'il n'avait pas trouvé de travail. Pendant ce temps-là, les autres restaient sur leurs gardes, espérant qu'avec le temps leur infidélité serait oubliée. Nitto continuait, de fait, à réfléchir à la punition à leur infliger, une punition dure, exemplaire.

L'occasion s'est présentée le jour où Giuseppe Madonia, de retour de Milan, nous a dit que Saro Grasso avait échappé de justesse à une tentative de lynchage, parce qu'il avait embêté une petite fille dans un cinéma là-bas. Ça nous a laissés perplexes. Madonia avait la réputation de quelqu'un qui grossissait les choses et il était capable de transformer un racontar en un événement qu'il avait vu de ses propres yeux, au point qu'à Catane on l'appelait

« Piddu chiacchiera[1] ». Mais là, l'information nous a été confirmée par une autre personne et Nitto s'est empressé de saisir la balle au bond : il fallait exécuter le châtiment que les règles de Cosa Nostra prévoient pour une faute de ce genre. Je m'y suis opposé et j'ai dit à Nitto de laisser tomber. Il m'a accusé de prendre la défense de ce salaud de « Saro u bau », et j'ai dû m'incliner.

Le piège pour éliminer Saro était le piège habituel. Il fallait s'arranger pour impliquer dans l'opération quelqu'un en qui il avait confiance, de manière à ce qu'il n'ait aucun soupçon et que l'assassinat soit plus facile. Nitto a contacté deux de ses ex-compagnons du complot et il leur a révélé notre intention de faire disparaître Saro Grasso. Salvatore Guarnera et Salvatore Marchese, mon cousin, se sont empressés de trahir leur ami et se sont associés à nous. C'est eux qui sont allés chercher la victime chez elle et qui ont participé à toute cette infâme histoire. Le prétexte que nous avions trouvé était qu'on avait besoin de volontaires pour un travail qui nous avait été commandé : il s'agissait d'aller faire du sabotage dans une propriété agricole. Pour deux ou trois millions de lires, il fallait tuer des vaches, dévaster des cultures et mettre le feu à des bâtiments. En réalité, on devait se rendre dans la propriété d'un homme d'honneur de nos amis, Ciccio Cinardo, représentant de Mazzarino, et une fois là-bas, éliminer Grasso.

La présence de ses amis a rassuré Grasso, qui est arrivé avec eux en voiture sur les lieux du « travail » ; Nitto, Cinardo et moi, on est arrivés plus tard. On a arrêté les voitures en bas d'une petite draille qui montait jusqu'à une baraque. Là, d'autres complices se sont joints à nous, parmi lesquels un gardien de brebis de San Cono et Francesco La Rocca, le tueur dont j'ai déjà parlé. Grasso a grimpé le long de la draille avec ses amis, La Rocca, Nitto et les autres. Moi je suis resté en bas avec Cinardo. Quelques minutes plus tard, le cri désespéré de Saro

1. « Piddu-les-potins », ou « Radio-Piddu » ; sur Giuseppe Madonia, voir chap. 8, note 2, p. 116. *(N.d.T.)*

Grasso juste avant qu'on l'étrangle, puis les coups sourds de La Rocca qui s'acharnait sur son cadavre, nous ont apporté le signal que cette terrible journée était achevée.

Le second crime de sang auquel j'ai participé activement concerne le meurtre de deux membres de la bande des Cursoti. L'un était surnommé « Marietto » et l'autre « le Savant ». Nous étions convaincus que ces deux-là avaient reçu l'ordre de tuer Salvatore Lanzafame qui, à l'époque, était déjà devenu l'un des nôtres, et l'idée était de les prendre de vitesse. Le jour où ils essaieraient de tuer Lanzafame, nous aurions organisé les choses de manière à les éliminer, eux.

Un jour, en effet, les deux types se sont présentés chez Lanzafame, où ils ont trouvé sa mère, qui leur a dit qu'il serait certainement là le lendemain. On a donc préparé notre plan et le lendemain, « Marietto » et « le Savant » ont été accueillis par Lanzafame et Turi Palermo. Rassurés de les trouver désarmés et tout à fait cordiaux à leur égard, les deux Cursoti sont tombés dans le piège et ont accepté d'aller avec eux prendre un café au motel qui se trouve au début de l'autoroute pour Palerme. Pour les tranquilliser encore plus, Lanzafame et Palermo ont proposé de prendre la voiture de « Marietto », qui s'est mis au volant. La dernière chose que les deux Cursoti auraient pu imaginer, c'était qu'ils partaient pour leur dernier voyage. Rien de plus normal pour un groupe de mafiosi ou de gangsters que de monter dans une voiture et de se balader un peu à travers la ville, en discutant de tout et de rien et en s'arrêtant de temps en temps dans un bar, dans un magasin ou dans une boîte. On a toujours aimé ça, se balader en voiture.

Turi Palermo s'est assis à côté de « Marietto », tandis que Lanzafame et « le Savant » s'installaient derrière. Et ils se sont mis à parler d'armes, de celles qui étaient des pistolets et de celles qui n'en étaient pas. Alors Lanzafame a demandé à « Marietto » :

« Je sais que tu as un beau pistolet. Pourquoi est-ce que tu ne m'en fais pas cadeau ?

— Je t'en ferai un plus tard, de cadeau. Plus tard je t'en

ferai cadeau, de mon pistolet », a répondu patiemment
« Marietto », de manière sibylline, parce que l'idée s'était
déjà formée dans son esprit de tuer Lanzafame et Palermo
dès qu'ils descendraient de voiture, quand ils arriveraient
à l'autoroute. Tout compte fait, est-ce que ça n'était pas
pour ça qu'ils étaient allés chez Lanzafame ?

Turi Palermo a sorti discrètement son propre pistolet
et il l'a montré à « Marietto », en disant :

« Tu vois, c'est un pistolet comme celui-là que tu dois
lui offrir.

— Non ! Comme celui-là ! Comme celui-là ! » a crié
tout à coup Lanzafame, et de la banquette arrière, il a tiré
dans la tête du conducteur et s'est retourné aussitôt après
vers « le Savant » : « Bouge pas ou je te tue ! J'ai rien
contre toi. Si tu bouges pas, il t'arrivera rien ! » Entre-
temps, Turi Palermo avait réussi à stopper la voiture sur
le bas-côté. Il est descendu, il a poussé le mort sur le siège
du passager et il a fait demi-tour en revenant vers nous,
qui l'attendions dans une autre voiture à cinq cents
mètres de là. Quand la voiture s'est arrêtée, « le Savant »
est descendu, et il s'est mis à courir vers moi, il s'est serré
contre moi, en disant : « Nino, Nino, moi je veux rester
avec vous ! Prenez-moi avec vous, je ferai tout ce que
vous voulez ! » Il était défiguré par la peur. On aurait dit
un animal traqué et blessé.

Je lui ai répondu : « Oui, oui. Calme-toi. Tu resteras
avec nous. Sois tranquille. Ne pense à rien. » Et je lui ai
fait signe de monter dans notre voiture, où il y avait déjà
Lanzafame et trois autres personnes. On a pris alors la
direction de Gela, de la propriété de Mazzarino, et Turi
Palermo nous suivait au volant de la Fiat 126, avec le
mort à côté de lui. Il n'était pas vraiment dans la meilleure
des situations. On circulait sur une route nationale, en
plein jour, avec un cadavre sur le siège avant. Pour éviter
d'attirer l'attention des camionneurs qu'il doublait, Turi
Palermo faisait semblant de transporter une personne qui
aurait eu un malaise et il lui recouvrait le visage avec sa
main.

Pendant le trajet, les occupants de l'autre voiture, que

je conduisais moi-même, ont convaincu « le Savant » de leur remettre son pistolet. Ensuite nous nous sommes arrêtés dans la fameuse propriété de Francesco Cinardo, en attendant que le soir tombe. On a fini par arriver dans un endroit qui faisait partie du territoire de Riesi. On n'a pas averti Di Cristina de notre présence : étant donné les rapports d'amitié qui existaient entre mon frère et lui, ça n'était pas nécessaire. On a pris une petite route non goudronnée, qu'on a suivie au pas, tous phares éteints. La route escaladait les pentes d'une vallée et je me souviens d'avoir vu, dans l'obscurité, tout en bas, des projecteurs allumés : c'étaient les lumières d'un chantier de l'entreprise Rendo. Il y avait un grand silence et on pouvait entendre les bruits qui provenaient des bergeries toute proches. Notre sinistre cortège s'est arrêté dans la cour intérieure d'une ferme. Le cadavre de « Marietto » a été jeté dans un puits tout près de là, pendant que Lanzafame et d'autres étranglaient « le Savant ». Il a continué à réagir jusqu'au dernier moment, criant, comme s'il avait perdu la raison : « C'est moi qui vous étrangle. C'est moi qui suis en train de vous étouffer ! » Alors Lanzafame a commencé à le bourrer de coups, à l'insulter et à le frapper, jusqu'au moment où il l'a vu sans vie. Le cadavre du « Savant » a été jeté dans le même puits où avait déjà été jeté celui de son ami, et ses vêtements et ses papiers ont été brûlés

Ce que j'ai éprouvé dans ces moments-là ? Rien. Mon âme n'était pas là. Ma conscience n'existait pas. C'était comme si le fait d'avoir fait mourir des êtres humains n'avait pas eu lieu. Je m'étais juste un peu fâché quand j'avais vu mes amis les assassins frapper les victimes à coups de poing et à coups de pied au moment où ils les massacraient. Les remords sont venus après, peu à peu, et j'ai commencé à me sentir mal à l'aise.

Mais l'épisode des quatre gamins, c'est une tout autre affaire. C'est quelque chose qui m'a complètement bouleversé tout de suite, dès le premier moment. C'est la chose la plus sale de ma vie. Et c'est la chose la plus honteuse que la mafia ait jamais faite depuis l'année 1600, quand elle est née, et jusqu'à aujourd'hui. Je suis resté deux jours et une nuit à discuter, à dire non, à passer mon temps à répéter : « Non, non. Renvoyons-les chez eux. Renvoyons-les chez eux. » Mais il n'y a rien eu à faire. Les mafiosi, les défenseurs des faibles, ont voulu les supprimer. Et moi, j'ai obéi.

Tout a commencé un matin de 1976, vers cinq heures et demie. Ciccio Cinardo, mon *compare*[1], m'a téléphoné pour me dire que je devais venir reprendre un dépôt, une somme d'argent que je lui avais donnée. Je me suis dit : « Mais il est complètement fou ! Il m'appelle à cinq heures du matin pour me parler d'argent ? » Perplexe, je lui ai répondu :

« Mais qu'est-ce que vous voulez, *compare* Ciccio ? De quel dépôt vous parlez ? » Mais il insistait :

« Non, *compare*. Non et non. Votre dépôt, je n'en veux pas, il ne me plaît pas du tout. Venez le reprendre. » Et il a raccroché.

Je me suis habillé en pensant que Ciccio Cinardo avait complètement déjanté. Mais ça m'avait tout de même un peu inquiété et j'ai décidé d'en parler tout de suite avec Pippo, qui habitait sur le même palier que moi. Il dormait encore mais il s'est levé et on a pris un café ensemble.

« Ciccio n'est pas fou. S'il a parlé comme ça, c'est qu'il avait une raison. Il voulait peut-être dire autre chose. Ou peut-être qu'un ennui est arrivé. Voilà ce qu'on va faire. Toi, tu descends dans le bureau. Moi, je te rejoindrai dans pas longtemps, dès que je serai habillé », a dit Pippo. J'ai préféré attendre mon frère et on est descendus ensemble. Devant la porte du bureau, on a trouvé Nitto Santapaola qui nous attendait. Il était venu pour nous expliquer ce qui s'était passé et parce que lui aussi, sans doute, avait

---

1. Le terme de *compare,* qui désigne ici le « témoin de mariage » (cf. début du chap. 10), correspond aussi en Sicile à une notion beaucoup plus large, recouvrant des liens d'amitié ou même de simple camaraderie ; on se dit *compare* ou *commare* comme on se disait autrefois, dans la France rurale, « compère » ou « commère ». Ciccio est le diminutif de Francesco. *(N.d.T.)*

reçu un coup de téléphone de Cinardo. La veille, son frère Nino et d'autres hommes de la famille avaient séquestré quatre voleurs à la tire et les avaient enfermés dans une étable de San Cristoforo. Ensuite, la même nuit, ils les avaient emmenés dans la propriété de Cinardo, à Mazzarino, parce qu'ils voulaient les tuer tout de suite. Les petits voyous étaient là-bas, sous la surveillance de Pietro Paternò, le gardien de brebis de San Cono qui nous aidait à étrangler nos victimes et à faire disparaître leurs cadavres. Mais le problème était que Ciccio Cinardo refusait catégoriquement de les garder dans sa propriété et sur son territoire. C'était pour cette raison-là qu'il nous avait téléphoné.

Pippo a fait des reproches à Santapaola : « Évidemment que Cinardo a réagi comme ça. C'est logique. Tu fais toujours pareil : boom, boom, boom, et après tu vas demander la permission. Tu t'en fiches complètement des règles, et *compare* Cinardo en a eu marre de ton insolence. Qu'est-ce qu'il faut que je te dise ? Va voir Cinardo, allez tous les deux à Mazzarino et discutez de l'affaire. Moi je ne peux pas bouger d'ici, je suis sous surveillance spéciale. »

Nitto m'a demandé de l'accompagner. Dès que j'ai vu *compare* Ciccio, j'ai compris qu'il avait dû se passer quelque chose de très sérieux. Cinardo était complètement altéré, furieux : « Emmène-les tout de suite loin d'ici. Je ne veux en voir aucun. Je ne veux rien savoir de cette maudite histoire. »

Ensuite, comme il avait remarqué que je le regardais, un peu étonné de la véhémence de sa réaction, il s'est adressé à moi : « Pourquoi faites-vous cette tête-là, *compare* Nino ? Vous faites semblant de ne pas savoir que c'est de quatre gosses qu'il s'agit ? » Nitto s'est interposé et a essayé de nier, mais quand il a vu qu'à partir de ce moment-là, je refusais catégoriquement d'intervenir dans l'élimination des quatre gosses et que je refusais même d'aller les voir, il nous a dit de l'attendre. Il voulait repartir à Catane et parler à nouveau de tout ça avec mon frère. Il est revenu dans la soirée pour nous dire que la question avait été discutée à fond et qu'on pouvait tuer les gamins. Ils étaient coupables d'avoir volé sa mère et de l'avoir bousculée ; d'ailleurs, elle était tombée et elle s'était cassé le bras.

Je connaissais ce genre de situation et je savais combien il était facile de se tromper dans l'identification des responsables, et combien ça pouvait entraîner de quiproquos. San Cristoforo était plein de gosses qui volaient, qui cambriolaient, qui cassaient les vitres des maisons, qui se plaçaient à côté de l'entrée de la poste pour attendre les pauvres retraités à la sortie et leur arracher les quatre sous qu'ils venaient de retirer. On avait vu aussi des cas de petits vieux qui avaient été jetés à terre et à qui ces vols à l'arraché avaient occasionné des fractures et des blessures. Mais ces petits voyous étaient comme les abeilles. Il y en avait de véritables essaims dans les rues. Est-ce que vraiment c'étaient ces gamins-là qui avaient fait le coup ? Et est-ce qu'ils s'étaient rendu compte qu'ils étaient en train de voler la mère des Santapaola ? Savaient-ils seulement ce qu'ils faisaient ? Et même s'ils l'avaient su, est-ce que c'était un motif suffisant pour les tuer ? Est-ce qu'on tue comme ça un gosse de treize ans ?

Ciccio Cinardo est resté ferme sur ses positions : « Si vous voulez me virer de Cosa Nostra, faites-le. Allez-y, faites ce que vous voulez. Mais moi, je ne reviendrai pas sur ce que j'ai décidé. » Nitto m'a regardé et m'a demandé :

« Toi non plus, tu ne veux pas le faire, pas vrai ? Tu refuses de donner un coup de main et de punir ces petits salauds ?

— Non. Je te l'ai déjà dit. Pour moi, tu devrais les remettre en liberté.

— Bon, eh bien, je m'en fous, a répliqué Nitto. J'irai peut-être contre tout le monde, mais je le ferai quand même. Et voilà comment je vais procéder. A côté de l'endroit où ils sont enfermés, il y a un abreuvoir. Cette nuit, je les emmène là-bas et je les égorge tous. Après, je leur jetterai dessus des colliers et des babioles en or, comme ça on pensera que c'étaient des petits voleurs qui ont été attrapés et punis par quelqu'un.

— Alors tu t'es vraiment fixé là-dessus, qu'il fallait que tu les tues. Mais si tu les emmènes jusqu'à l'abreuvoir, tu cours un gros risque. Ils ne sont peut-être pas grands mais ils sont quatre ; il y en a un qui peut se sauver. Et quelqu'un peut aussi te voir pendant que tu les emmènes ou pendant que tu les égorges. » Je lui ai dit ça sur un ton conciliant, parce que je voulais gagner du temps et réfléchir à quelque chose pour sauver la vie des gosses.

« Je m'en fous du risque. Ils doivent mourir. Je les tuerai à n'importe quel prix.

— Attends au moins qu'on ait entendu l'opinion de Di Cristina. On est sur son territoire et on doit lui demander l'autorisation. »

Pendant qu'on discutait comme ça, Salvatore Santapaola, qui était gérant de « La Capricciosa », la rôtisserie de la piazza San Cristoforo, s'est écarté du groupe. Il est monté dans une voiture et s'est éloigné. Dans son coffre, il avait des faitouts remplis de *pasta al forno*, de viande grillée et d'autres choses à manger. Il les a transportés jusqu'à l'étable de la ferme de Cinardo, où les gosses étaient enfermés. Quand la porte de l'étable s'est ouverte et que les gosses ont vu Salvatore Santapaola portant ces faitouts, leurs visages se sont illuminés. Ils avaient été embarqués par des gens inconnus et hostiles, transportés dans un endroit qu'ils ne connaissaient pas mais qui était certainement isolé, éloigné de tout, et ils étaient restés là, abandonnés pendant deux jours, sans rien à manger. Ils avaient éclaté plusieurs fois en sanglots et ils étaient complètement angoissés et terrorisés.

« L'" oncle " Turi[1] ! L'" oncle " Turi de " La Capricciosa " », se sont mis à crier ces pauvres petits, rassurés tout à coup, comme s'ils avaient vu leur père. Enfin un visage connu, quelqu'un qui leur amenait même à man-

---

1. Diminutif de Salvatore. *(N.d.T.)*

ger ! Alors ça voulait dire qu'ils n'étaient pas perdus, qu'ils allaient être sauvés !

Mais Turi Santapaola est revenu nous trouver et nous a lâché tout à trac : « On ne peut plus rien faire. Ils m'ont reconnu. Ça veut dire qu'il faut absolument les tuer. »

Vous voyez à quel point ces gens sont mauvais ! Turi Santapaola n'était pas allé voir les gosses parce qu'il voulait leur donner à manger mais uniquement pour créer une situation irréversible qui nous obligerait à les supprimer.

Je suis devenu furieux et j'ai répondu à Santapaola : « Mais quel besoin tu avais de rentrer dans l'étable et de les laisser te reconnaître ?

— Il fallait bien leur apporter à manger. Ils n'avaient pas mangé depuis deux jours.

— Mais puisque de toute façon tu avais l'intention de les tuer, qu'est-ce que ça pouvait faire, qu'ils aient mangé ou non ? »

Personne n'a répondu. J'ai fait encore une tentative et j'ai suggéré : « Écoutez. Mettons cent mille lires dans la poche de chacun de ces mômes. On leur dira qu'on les a enlevés parce qu'on avait besoin d'aide pour le débarquement d'une cargaison de cigarettes mais que le bateau n'est pas arrivé et que la chose ne s'est pas faite. Et on les laissera rentrer chez eux. Puisqu'ils savent qui on est, ils ne vont pas nous créer d'ennuis. C'est juste des gosses de douze ou treize ans.

— Non. Il faut les tuer. » Nitto et les autres étaient inébranlables.

A mon avis à moi, le fait qu'ils aient manqué de respect envers leur mère n'était pas la vraie raison de l'acharnement des Santapaola contre ces gosses qu'ils avaient séquestrés. Il y avait un ressentiment accumulé, une envie de se défouler, de s'imposer ; et ç'avait quelque chose à voir avec la réputation plutôt précaire de la famille Santapaola dans le quartier San Cristoforo. Tous les membres de cette famille, en effet, n'étaient pas aussi craints et aussi considérés que Nitto. Certains étaient des personnages plutôt minables, sans aucun relief, et qui étaient la risée de tout le monde. Turi Santapaola, en particulier, était un grand sujet de moqueries pour les jeunes du quartier parce qu'il était vulgaire, sale, godiche. Turi avait cinquante ans, c'était un mafioso et pourtant il se permettait de roter et de péter en public ! Et après ça, il aurait voulu qu'on l'honore et qu'on le respecte. Mais les jeunes de San Cristoforo, eux, le traitaient pour ce qu'il était ; ils le ridiculisaient en permanence, en lui renvoyant ses pets et en lançant dans sa rôtisserie des pétards et des boules puantes.

Nitto se rendait bien compte de ce qui n'allait pas chez son frère et ses autres parents mais ça ne faisait qu'accroître son hypersensibilité à toute offense contre le nom de sa famille. Seul un de ses oncles maternels avait été un homme d'honneur digne de ce nom. Mais il était mort jeune et les frères Santapaola avaient grandi à l'ombre de sa réputation. Leur père, lui, était une nullité que tout le monde appelait « la poubelle ». Ils étaient très pauvres, eux aussi, au point que Nitto avait même été envoyé pendant quelque temps au séminaire pour pouvoir faire ses études.

Pour toutes ces raisons-là, l'enlèvement des gamins était en fait une chose organisée depuis longtemps ; le vol dont la mère avait été victime n'était que le prétexte utilisé par les frères de Nitto — et surtout par Turi — pour faire jouer chez lui le ressort qui lui permettrait de se venger de San Cristoforo.

Mon opposition à la suppression des otages a eu pour conséquence qu'on est allés demander l'autorisation à Giuseppe Di Cristina, puisque le coin où on était se trouvait sous sa juridiction. C'est Pippo qui m'avait recommandé de demander aux Santapaola l'assentiment de Di Cristina avant d'exécuter les gosses. Je me suis donc rendu à Riesi avec Cinardo et j'y ai trouvé Di Cristina en compagnie de Luigi Annaloro, chef de canton de Riesi, que Cinardo avait déjà prévenu et qui était même allé jusqu'à l'étable pour se rendre compte de la situation. Annaloro a déclaré fermement, lui aussi, qu'il était opposé à l'assassinat de ces gosses ; et il a dit à Di

Cristina que l'un d'eux avait tout juste douze ans, le même âge que le petit garçon de Di Cristina.

Mais ce dernier, ayant entendu les raisons des uns et des autres, donna son accord définitif à l'exécution. Il n'y avait plus rien à faire. Une fois prononcé le verdict de Di Cristina, qui était le représentant provincial, toute tentative de dissuasion aurait été inutile.

Je ne voulais pas, moi. Je ne voulais pas le faire, vous devez me croire. Je ne dis pas ça pour me justifier, parce qu'en fait je suis plus coupable que les autres. Mais je vous assure que je ne voulais pas.

Le soir tombait, et quelqu'un a téléphoné à Catane pour faire venir d'autres hommes d'honneur qui donneraient un coup de main au massacre. Je n'oublierai jamais cette caravane de quatre voitures qui est arrivée, à la nuit noire, et s'est arrêtée devant l'étable pour y prendre les gosses. On en a fait asseoir deux dans la voiture que je conduisais. Il y en avait un qui était si petit qu'assis sur la banquette arrière, il disparaissait presque. Leur vie s'est achevée à côté de ce même puits dans lequel avaient déjà été jetés les cadavres de « Marietto », du « Savant » et de « Saro u bau ». Ils ont été étranglés, et mon cousin Marchese m'a dit que ç'avait été tellement horrible pour lui d'exécuter cet ordre qu'il ne s'était pas senti le courage de serrer complètement la corde autour du cou d'un des quatre gosses, et que celui-là avait donc été jeté vivant dans le puits.

Pendant l'exécution, je suis resté dans la voiture à attendre, les vitres fermées, pour ne rien entendre. Un de mes collègues assassins s'est approché de la portière, tout excité, et m'a crié : « Tu viens pas, *compare* ? Tu viens pas voir ? »

Est-ce que quelqu'un peut me dire, maintenant, s'il peut y avoir encore des juges pour nous ? Ou si ça ne serait pas plus juste, plus louable, que quelqu'un me tire dessus et m'abatte, dès que je sortirai de cette pièce ? Comment pouvais-je rester encore dans cette congrégation maudite ? Et pourtant j'y suis resté plusieurs années encore. Avec cette blessure en moi, avec ce poids à porter, qui est toujours là et qui y restera toujours. Voilà pourquoi j'ai honte, chaque fois que j'entre dans une église. Pourquoi je n'arrive pas à relever les yeux. Ça n'est pas du cinéma, ce que je raconte là.

L'exécution des quatre gamins a été brièvement discutée lors de la séance suivante de la commission régionale. Stefano Bontade nous a reproché à nous tous, les Catanais, mais surtout à Nitto et à son groupe, la disproportion entre ce dont les victimes étaient accusées et le châtiment qui leur avait été infligé. Il n'a pas manqué de faire remarquer que ceux qui avaient été supprimés étaient très jeunes, presque des enfants. Nitto a esquissé une vague défense en disant que ces gosses étaient de la racaille et que, d'ailleurs, ils étaient quasiment adultes. Aucun des autres membres de la commission n'a eu une seule parole de blâme. Tout ça n'était, au fond, qu'un point d'administration courante, qui ne valait pas qu'on fasse beaucoup de bruit, et on est passés à autre chose. Par ailleurs, ni la presse ni la police ne s'étaient guère souciées de la disparition des quatre gamins. On avait pensé à l'histoire habituelle des jeunes voyous qui quittent le domicile et ne donnent plus de nouvelles. De plus, ils venaient de familles très humbles, et l'affaire a bien vite été oubliée [1].

---

1. On a découvert récemment (septembre 1992), à Gela, sur le « territoire », cette fois, de Giuseppe Madonia, plusieurs fosses communes contenant les cadavres de très jeunes gens, petits voyous ayant eu l'audace de concurrencer Cosa Nostra. (N.d.T.)

21.

La tactique des Santapaola consistant à exterminer la
criminalité ordinaire a fini par provoquer la révolte
des bandes de la pègre catanaise contre nous ; elles se sont
coalisées pour mieux nous combattre. Les petites équipes
de quartier étaient devenues entre-temps de véritables
petites armées, dont certaines atteignaient les trois cents
ou quatre cents hommes. Ç'a été le début d'une guerre
dans les règles. Vers la fin de 1976, il est apparu
clairement qu'ils avaient le dessus et qu'il était préférable
pour nous de nous éloigner un peu et de relâcher la
pression. On s'est tous sauvés de Catane : Pippo, moi, les
Santapaola et les autres.

Pour ma part, j'avais une raison de plus de m'en aller.
La police avait commencé à s'intéresser à moi et ne cessait
de venir me rendre visite, sous différents prétextes. En
réalité, c'était l'inspecteur Cipolla qui me voulait. Il avait
la conviction que j'étais mafioso et qu'il y avait la mafia à
Catane. Alors que les autres responsables de la police et
des carabiniers, et même les magistrats, étaient d'avis
contraire. Cipolla voulait me faire retirer mon permis de
port d'arme, et d'ailleurs, il s'est arrangé pour ne pas me
le faire renouveler ; j'avais pourtant une bonne raison,
étant donné les sommes importantes en liquide que je
devais transporter, à cause de la station-service.

Je suis donc parti à Palerme, où mon ami Salvatore
Rinella avait mis à ma disposition une villa au bord de la
mer ; quelque temps après, ma femme et mes enfants

m'ont rejoint. Nous avons passé Noël et le Jour de l'an 1976 chez Stefano Bontade. C'était beau, c'était vraiment très beau. On était plein de familles réunies, rien que des familles d'hommes d'honneur très proches les uns des autres : plus de cinquante personnes, et tout un tas de gosses qui jouaient et qui couraient partout. Pippo était venu exprès, avec sa femme et ses enfants, et il y avait aussi la sœur et le frère de Stefano avec leurs familles, et Mimmo Teresi et « Pinzetta » avec sa femme (« Pinzetta », c'est Totuccio Federico, celui qui, plus tard, a disparu). Et il y avait d'autres amis encore, et des parents de Stefano qui habitaient à Santa Maria del Gesù. Toute une compagnie insouciante, pleine de vie et de gaieté.

La maison de Stefano était une villa avec un immense salon en sous-sol, et une cuisine avec un four, et une longue table en acajou sur laquelle on mangeait, on jouait aux cartes et on plaisantait pendant toute la nuit. Un des jeux préférés s'appelait « l'assiette ». On constituait un pot de deux cents à trois cent mille lires, à raison de dix mille lires par personne ; ensuite, chacun disait un chiffre. Si la carte qui sortait était inférieure au six, on avait perdu ; si elle était supérieure, on se servait dans l'assiette. Si c'était l'as qui sortait, on payait le double, si c'était le roi, on empochait le double. Même les femmes et les enfants y jouaient. Il y avait beaucoup de suspense quand quelqu'un faisait une grosse mise et une explosion de commentaires et d'éclats de rire au moment où on retournait la carte. Quelquefois, il y avait une « assiette » de dix ou vingt millions parce qu'il ne sortait que de mauvaises cartes ; mais ceux qui jouaient gros n'étaient pas nombreux. Stefano Bontade misait de grosses sommes, il n'avait pas peur de prendre des risques et s'il perdait dix millions d'un coup, il les récupérait tôt ou tard en continuant à parier gros. Les gains n'étaient jamais énormes ; à la fin, les comptes se rééquilibraient. Moi, je ne misais que vingt ou trente mille lires à chaque fois, ça m'était égal de gagner ou de perdre. Ce que j'aimais, c'était l'ambiance de ce jeu, le charme particulier qui se créait dans le cercle des joueurs.

A minuit, on s'asseyait autour de la table et on dégustait les plats préparés par certains des invités. C'étaient les hommes qui faisaient la cuisine, comme le veut la tradition dans les banquets d'hommes d'honneur. Certains étaient d'excellents cuisiniers, mais le plus grand de tous, c'était Giambattista Pullarà, qui était capable de préparer des mets cuits au four vraiment exquis : de l'agneau, du chevreau, du mouton, des gâteaux, etc. On se régalait sans se préoccuper de rien et on riait jusqu'au lendemain matin. Personne ne pensait ni au danger ni à la mort.

Au printemps 1977, on est allés à Naples pour une autre fête. Ciro Mazzarella avait demandé à Pippo d'être le parrain de confirmation d'un de ses fils. A Catane, la guerre continuait à faire rage et pour nous, il valait mieux rester encore éloignés et nous faire oublier. Les Napolitains étaient vraiment les gens rêvés pour ça. Nous autres, les Siciliens, on est arrivés à bord de deux voitures rutilantes, de grand luxe, avec nos familles au complet. La Mercedes avait été offerte à mon frère par Ciro Mazzarella lui-même, qui venait tout juste de faire une escroquerie énorme, de l'ordre de quatre milliards, aux dépens des entreprises qui fabriquent les cigarettes. Oui, les grosses sociétés, celles qui ont leurs noms marqués sur les paquets. Ces gens-là étaient furieux. Ils avaient déjà envoyé un groupe de voyous pour tuer Mazzarella. Mais il avait été plus malin qu'eux et les avait pris de vitesse, en les faisant éliminer par ses hommes. Cette escroquerie, quoi qu'il en soit, avait suscité un fort mécontentement chez les autres hommes d'honneur, parce que ces sociétés ne voulaient plus rien vendre aux Italiens, ce qui causait du tort à tout le monde. Ils voulaient que Mazzarella les dédommage. Comme mon frère était le chef de la commission, c'était d'abord à lui que revenait la tâche de régler ce problème. Et c'est ce qui avait occasionné cet accès de générosité, cette Mercedes offerte en cadeau de la part de Ciro Mazzarella !

La fête a été quelque chose d'énorme. Il y avait plus de quatre cents invités. Giuseppe Di Cristina et mon *compare* Francesco Cinardo étaient venus eux aussi de Sicile. La famille de Naples était presque au complet. Il n'y manquait que les Nuvoletta et Michele Zaza[1], mais Salvatore Zaza, le frère de Michele était là. L'après-midi a eu lieu la cérémonie à l'église, après quoi on est tous allés dans un grand restaurant sur le Pausilippe, où on est restés presque jusqu'au lendemain midi. On mangeait à n'en plus pouvoir, et on écoutait de la musique. On ne dansait pas. On ne faisait que manger et écouter les chanteurs et les orchestres qui se succédaient. Il y avait les meilleurs chanteurs napolitains : Anna Luce, Peppino di Capri, Mario Merola, et d'autres encore. Chacun d'eux entrait dans la salle, saluait les invités et était longuement applaudi. Ensuite, ils se produisaient une heure ou deux et ils s'en allaient. Alors on faisait une pause, on mangeait des sorbets et des gâteaux, quelques heures passaient encore et puis ça recommençait.

Nous aussi, les Siciliens, on aimait s'amuser comme ça. On n'allait pas jusqu'aux exagérations des Napolitains mais on a tout de même organisé nous aussi de très grandes fêtes. Je me souviens de la fête pour le baptême du fils de Stefano Bontade, ou pour celui de la fille de son frère Giovanni. Là aussi, Mario Merola et Peppino di Capri étaient venus. Les chanteurs napolitains se déplaçaient spécialement pour les fêtes des chefs de Cosa Nostra, les fêtes des Inzerillo, des Bontade et des autres. Au baptême du petit Bontade, il y avait également Franco Franchi[2], qui était un ami intime de Mario Merola. Franchi et Merola nous jouaient tous les deux le « sketch du sapeur » : Franchi faisait le rôle de la mère, il se mettait un châle sur la tête, et Merola s'agenouillait à ses pieds. On riait à s'en crever la panse.

Quand la méga-fête des Napolitains a été terminée, on

1. Condamné au maxi-procès de Palerme, il fut arrêté en 1989 par la police française pour contrebande de cigarettes, à Marseille. Il est sans doute à l'origine de la seule tentative connue à ce jour d'implantation de Cosa Nostra en France : l'achat, en 1991, du casino de Menton, bloqué, heureusement par le ministère de l'Intérieur français.
2. Cf. chap. 10, note 1, p. 127. *(N.d.T.)*

n'a pas réussi à repartir en Sicile. Mazzarella a tellement insisté pour qu'on reste encore quelques jours qu'il a fini par nous persuader. Il nous a emmenés, Pippo et moi, dans le quartier de Barra, à Naples, où il nous a fait rencontrer un camorriste important, un constructeur immobilier, qui ne faisait pas partie de la famille. Ce dernier nous a invités à dîner dans une *osteria* [une auberge *(N.d.T.)*], qui en fait n'était pas du tout une *osteria* mais un établissement de grand luxe, et il nous a demandé, lui aussi, de nous arrêter encore quelque temps à Naples.

« Moi aussi, je leur ai demandé de rester, mais ils ne veulent rien savoir, a dit Ciro Mazzarella.

— Et comment est-ce qu'on ferait pour rester ? C'est trop compliqué. On est là avec nos familles, avec nos enfants... Il faudrait qu'on trouve un logement...

— Ça, ça n'est pas un problème. J'ai une villa à Ischia, elle est à votre disposition. Vous pouvez y rester autant de temps que vous voulez. Cette fois, vous n'avez plus aucune excuse. »

Pippo et moi, on s'est regardés et on a décidé de rester. Le lendemain, on a déménagé avec nos familles dans cette villa, où on a habité pendant presque trois mois. C'était une grande construction à trois étages. Le rez-de-chaussée était entièrement à nous et les autres étages étaient occupés par la famille de l'entrepreneur camorriste, qui s'était transférée là pour l'été. Pippo faisait les allers et retours avec Catane, où les affrontements avec la pègre avaient atteint une grande violence, et moi, je restais là, à Lacco Ameno di Ischia, à faire des mots croisés, à me promener et à faire les boutiques ; personne ne me laissait jamais payer, par respect pour notre hôte, qui s'appelait « O Schiavone », Umberto Schiavone. Quelle belle vie ! Ce qu'on s'amusait bien ! Mais le « Gazzettino della Sicilia », le bulletin d'informations à la radio, nous apportait chaque après-midi de mauvaises nouvelles...

Pendant notre séjour à Ischia, il s'est passé deux choses qui m'ont pas mal troublé. L'une d'elles annonçait en fait les événements qui allaient bientôt bouleverser Cosa Nostra et toute mon existence.

Le premier épisode peut paraître insignifiant et, en effet, il l'est, ou plutôt, il l'aurait été si la situation avait été normale. Un jour, je me trouvais avec Pippo sur la véranda de la ville, quand Ciro Mazzarella nous a dit que Michele Zaza et Mario Merola étaient à l'hôtel Regina, à Lacco Ameno, et qu'ils étaient en train de jouer de grosses sommes aux cartes. Mon frère a continué la conversation, mais moi, j'étais intrigué et j'ai voulu aller voir la partie. A la fin de celle-ci, Zaza m'a accompagné jusqu'à la villa pour dire bonjour à Pippo, lequel l'a accueilli par un grand sermon, lui reprochant ce vice du jeu, déplorant qu'il mise des sommes aussi élevées et l'avertissant de ne pas suivre l'exemple de ce « drogué » qu'était son *compare* Alfredo Bono, le grand trafiquant qui vivait à Milan.

Zaza n'a rien répliqué. Il a encaissé le coup, murmuré quelques paroles d'excuse, et il est parti. Moi, j'étais mal à l'aise et j'ai aussitôt fait remarquer à Pippo qu'il n'avait pas été prudent de sa part, malgré sa charge de chef de la commission, d'avoir des paroles aussi graves à l'égard de Bono, auquel Zaza allait certainement rapporter ce qu'il avait dit de lui. Mon frère a répliqué que cette manie des jeux de hasard n'était pas convenable pour un homme d'honneur. Quoi qu'il en soit, cet épisode m'a laissé une vague sensation de malaise, comme si quelque chose de menaçant était en train de se mettre en branle contre nous.

Le second épisode a été beaucoup plus significatif. Quand Gerlando Alberti a quitté le lieu où il était en relégation surveillée pour venir à Naples, un banquet a été organisé au restaurant « Il Cafone » pour fêter son arrivée. J'étais alors à Lacco Ameno et je me suis rendu à Naples pour prendre part à ce dîner, auquel étaient présents également plusieurs hommes d'honneur siciliens. Je me suis assis à côté de Ciro Mazzarella et, après les toasts, Pippo Ferrera, un des « Cavadduzzu », qui était à Naples pour des histoires de contrebande, a procédé au partage et à la distribution des parts de gâteau à toute l'assistance. Quand il est arrivé devant moi, il a négligé ostensiblement de me servir et il est passé à mon voisin. Ciro Mazzarella s'est aussitôt insurgé et a reproché vertement à Ferrera cette offense, et son impolitesse à mon égard. Ferrera s'est excusé de mauvais gré, en avançant un mauvais prétexte, à savoir qu'il était persuadé que j'avais déjà été servi.

Cette affaire m'a paru grave, parce que j'étais à l'époque le vice-représentant de la famille de Catane et que Ferrera s'était permis un geste de mépris, alors qu'il y avait là des personnes étrangères à la famille[1]. Je n'ai pas cessé de penser et de repenser à cette histoire et, finalement, une fois rentré à Catane, j'ai fait part à Pippo de ma préoccupation. Il a été d'accord avec moi sur le fait qu'un danger nous menaçait. Entre-temps, à Naples profitant d'une occasion intéressante, j'avais acheté une voiture blindée.

1. Giuseppe (Pippo) Ferrera appartenait lui aussi à la famille de Catane. (N.d.T.)

22.

L e 18 août 1977, mon fils a eu deux ans. A ce moment-là, on était encore à Lacco Ameno. Et quelques jours seulement après notre retour en Sicile, le colonel des carabiniers Giuseppe Russo[1] a été assassiné sur le territoire des Corléonais. Pour mon frère, ç'a été une vraie douche froide. Un haut responsable des forces de l'ordre avait été tué sans qu'il n'en sache rien, lui, le secrétaire en titre de la commission régionale. Il était impossible d'imaginer qu'un colonel des carabiniers avait pu être tué par un quelconque gardien de brebis : cette exécution portait clairement la signature de Cosa Nostra et, de plus, elle avait eu lieu dans la juridiction des Corléonais. Pourtant, rien, ni dans les jours ni dans les semaines précédents, n'avait annoncé une action pareille ; aucun bruit, aucun racontar, aucune allusion qui aurait pu laisser prévoir un événement aussi grave que celui-là. Pippo a compris tout de suite que son autorité avait reçu un coup mortel, et avec elle, tout le travail de reconstitution de Cosa Nostra qu'il avait entrepris trois années auparavant. A quoi servait la commission inter-provinciale, à quoi servaient les statuts, si rien n'avait

1. Le colonel Russo (cf. chap. 9, p. 123) fut le premier d'une longue série de victimes de la mafia choisies parmi les hauts responsables des institutions : policiers, magistrats, hommes politiques. Ce sont les *cadaveri eccellenti*, qu'on appelle en français les « cadavres exquis » — traduction assez impropre, puisque ces morts n'ont pas grand-chose à voir avec le surréalisme, mais qui a le mérite d'être percutante. *(N.d.T.)*

changé ? Si les décisions les plus importantes continuaient d'être prises par telle ou telle famille, isolément, ou par telle ou telle clique interne, sans que personne soit mis au courant ?

Aussitôt, comme il fallait s'y attendre, de très nombreuses protestations se sont élevées de tous les coins de l'île. Ç'a été une levée de boucliers générale. Tout le monde disait que les Palermitains, une fois de plus, avaient outrepassé leurs droits. Après le massacre de viale Lazio, ils avaient fait semblant d'accepter une gestion plus « démocratique » de Cosa Nostra ; mais c'était uniquement pour avoir le temps de se réorganiser et de se renforcer, avant de revenir à leur ancien vice, celui de tout faire seuls, de ne s'occuper que de leurs propres intérêts, sans tenir aucun compte des torts qu'ils causaient aux autres. Oui, des torts très graves. Qu'est-ce que ça pouvait leur faire, aux Corléonais ou aux Greco, si le lendemain de l'assassinat d'une haute autorité de l'État, la police, dans toute la Sicile, se mettait à arrêter les hommes d'honneur et à les envoyer en relégation ? Des gens qui ne savaient rien, des gens qui étaient sortis de chez eux le matin pour tomber sur un barrage routier, des gens qu'on était venu arrêter à domicile sans qu'ils aient eu le temps de se mettre en sécurité, de prendre leurs précautions, de se préparer des alibis pour le jour de l'assassinat.

De nombreux chefs de mafia sont arrivés alors chez Pippo, furieux de ce grave manquement aux règles et très inquiets des conséquences pour eux tous de ce geste inattendu. « Nous devons absolument être mis au courant avant que certaines choses soient faites, objectaient-ils. On en a le droit. Étant donné que tous ensemble, on a créé cette commission, il faut qu'on en discute tous ensemble. On peut décider tout ce qu'on veut, mais il faut absolument qu'on soit tous prévenus quand on risque une arrestation, ou un procès, ou une mesure de relégation. Et si quelqu'un se permet d'agir de son propre chef, sans avertir personne, alors celui-là doit payer. Il faut établir le principe que celui qui fait une faute sur ce point-là doit immédiatement le payer. »

Giuseppe Di Cristina est venu, lui aussi, accompagné de Francesco Cinardo. La première question qu'il a posée à Pippo a été celle-là : « *Compare*, comment une chose pareille a-t-elle pu arriver ? Qui a décidé ça ? » Mon frère lui a répondu qu'il n'en savait rien mais qu'à son avis, il fallait demander tout de suite des explications aux hommes de Palerme et convoquer une réunion de la commission régionale. Di Cristina l'a assuré de son soutien pour la convocation de cette réunion. Cinardo et moi, on a donc été envoyés chez Michele Greco avec mandat de l'avertir de la date et du lieu de la rencontre, et de nous fournir toutes les informations utiles sur l'élimination du colonel Russo.

On s'est donc rendus tous les deux au domaine de Favarella et Michele Greco nous a offert un café dans le salon, où il y avait une petite table basse recouverte de pièces de vingt centimes. Je parle de cette table parce que c'est elle que j'ai décrite par la suite au juge, quand il a fallu que je prouve que Greco mentait quand il prétendait ne jamais m'avoir rencontré.

« C'est Pippo et Giuseppe Di Cristina qui nous envoient. Ils veulent savoir ce que c'est que cette histoire du colonel Russo.

— Qui sait... C'était peut-être bien un coup d'éclat. Un truc fait par des types qu'on ne connaît pas, des gens " marqués ", des fumiers. »

Il était évident qu'il ne nous disait pas tout. On l'a informé que la réunion se tiendrait à Falconara, dans la propriété d'Antonio Ferro et on est repartis. Di Cristina et mon frère se sont alors mis d'accord sur une ligne commune. Di Cristina demanderait officiellement une explication sur ce qui s'était passé ; mon frère, lui, n'interviendrait qu'ensuite.

Mais le jour fixé pour la réunion, Di Cristina est arrivé en retard. C'est Pippo qui a dû prendre la parole à sa place. Michele Greco a répliqué : « J'ai demandé des informations à Totuccio Riina, puisque le meurtre s'est produit dans le canton de Corleone, et il m'a répondu que pour tuer un " sbire ", on n'a pas besoin de demander l'autorisation avant. » C'était une réponse inutile, évasive, presque provocatrice. Mais personne n'a protesté. Seul Di Cristina — arrivé trois heures plus tard parce que, selon ses dires, sa ville [Riesi *(N.d.T.)*] était entourée de barrages routiers installés par les carabiniers — a voulu insister mais d'une manière confidentielle, en prenant Michele Greco à part, une fois la réunion terminée : il lui a demandé alors de lui révéler la raison pour laquelle ce colonel avait été tué. Greco lui a répondu que cet officier avait torturé Franco Scrima, un homme d'honneur de Palerme, pendant sa garde à vue ; il lui avait tordu les testicules. Et il avait même commencé à enquêter sur les auteurs de l'enlèvement de Luigi Corleo, le beau-père de Nino Salvo [1]. Di Cristina l'a accusé à ce moment-là de se laisser manœuvrer comme un pantin par Totò Riina. Michele Greco n'a pas réagi. Il est resté silencieux, puis il est parti.

Quelques jours plus tard, deux hommes ont perdu la vie à Riesi, dans un attentat dont le véritable objectif était Giuseppe Di Cristina. Voilà comment les choses se sont passées. Tous les matins, Di Cristina allait travailler à la Sochimisi — la société administrant les mines de Sicile où le député Gunnella lui avait trouvé un poste. Il s'y rendait en compagnie de quelques collègues de travail à lui, qui passaient le prendre en voiture. Mais le jour de l'attentat, Di Cristina n'est pas allé à la Sochimisi parce qu'il avait rendez-vous avec Pippo, mon *compare* Cinardo et moi. Nous étions là tous les trois, dans la villa de Di Cristina, quand ses deux collègues sont passés ; il leur a répondu qu'il n'irait pas travailler, ou bien qu'il arriverait par ses propres moyens un peu plus tard. Je me souviens bien d'un des deux employés, celui qui était au volant : il avait un béret sur la tête et il ressemblait énormément à Di Cristina. Une demi-heure plus tard, quelqu'un est venu nous dire : « Ils ont tué les deux types qui devaient t'accompagner. Ils ont provoqué une espèce d'accident et ils les ont tués tous les deux. »

1. Cf. chap. 1, note 2, p. 26. *(N.d.T.)*

Di Cristina a réagi aussitôt en organisant une réunion avec les Palermitains, en faisant dire à Michele Greco que sa participation était indispensable. La rencontre a eu lieu à Riesi, dans la grande propriété des cousins Salvo ; Di Cristina ne voulait pas quitter son territoire, pour des raisons de sécurité. Plusieurs responsables importants sont venus, dont Stefano Bontade. Mais Greco ne s'est pas déplacé. L'attentat était encore « chaud », il aurait été imprudent de sa part de s'aventurer jusqu'à Caltanissetta. Bontade a dit : « Michele Greco n'a pas pu venir et il m'a chargé de participer à la réunion à sa place. »

La séance a été ouverte par l'intervention de Di Cristina :

« J'ai demandé la convocation de cette réunion, et j'ai demandé à Michele Greco de venir, parce que je voulais lui dire qu'ici c'est un mort qui vous parle. Je vous parle, mais je suis mort. Je devrais être mort. Et à présent, je veux savoir comment il se fait qu'on m'ait tiré dessus. Pourquoi est-ce qu'on m'a tiré dessus ? Pourquoi est-ce qu'on veut me tuer ? Quelqu'un peut m'expliquer pourquoi je suis condamné à mort ?

— Michele Greco est venu me voir, a répondu Stefano Bontade. Il m'a demandé pourquoi tu avais convoqué cette réunion et il m'a dit qu'il ne sait rien de cet attentat, que c'est peut-être les Cursoti qui ont organisé tout ça. C'est peut-être eux qui en ont après toi. »

Si jamais nous avions eu besoin d'une preuve de la responsabilité de Michele Greco dans l'attentat contre Di Cristina, cette justification imbécile en était bien une. Les Cursoti étaient de Catane : ils n'avaient rien à voir avec Caltanissetta ni avec Riesi. Ils étaient en guerre contre nous, pas contre Di Cristina qui ne les connaissait même pas. Ils n'étaient d'ailleurs pas hommes d'honneur et ne pouvaient donc pas être impliqués, même indirectement, dans nos conflits internes. L'hypothèse lancée par Michele Greco avait donc une autre signification. Et tous ceux qui étaient là ont compris que c'était une provocation, un défi à peine masqué.

Pendant ce temps-là, à l'intérieur de la famille de

Catane, les relations se détérioraient de plus en plus. Ça devenait très préoccupant. Nitto était plus fort de jour en jour, il se rapprochait chaque fois un peu plus des Corléonais et des Greco. La guerre contre la criminalité ordinaire se poursuivait, même si les choses avaient commencé à aller un peu mieux pour nous depuis notre retour de Naples : le front commun de nos adversaires n'était plus aussi solide qu'avant. Certains groupes comme les Malpassoti et les Cursoti s'étaient dissociés de l'alliance contre la mafia et nous étaient moins hostiles. D'un autre côté, l'entrée du groupe des cinq dans la famille posait un gros problème . Alfio Ferlito n'acceptait pas l'autorité de Nitto Santapaola ; il était très susceptible et n'arrêtait pas de se disputer avec lui, et avec les autres membres de la famille, d'ailleurs, pour les motifs les plus futiles.

C'est Ferlito, justement, qui a fourni un des prétextes ayant entraîné l'éclatement de la famille. Nino Santapaola, Ferlito, Romeo et Alfio Boccacini, se trouvaient à Sant'Agata Li Battiati pour une de leurs habituelles missions de mort. Ils étaient armés d'une carabine, de plusieurs pistolets et de fusils-mitrailleurs. Pendant qu'ils attendaient l'homme à abattre, Ferlito s'est endormi. A l'arrivée de la future victime, il s'est réveillé en sursaut et, d'instinct, a lâché une rafale de mitraillette qui a atteint la cible mais a frappé Boccacini au passage. Avant de mourir, la victime a réussi à répondre aux coups de feu, atteignant à son tour Alfio Ferlito. Les deux tueurs qui restaient ont transporté leurs deux blessés à Catane ; ils voulaient demander de l'aide à Pippo et des instructions. Mon frère ne pouvait pas sortir de chez lui la nuit, à cause des mesures spéciales de surveillance auxquelles il était soumis ; il leur a donc répondu par l'interphone qu'il ne pouvait rien faire. Et que de toute façon, vu qu'ils étaient tous les deux dans un état grave, il leur conseillait de les emmener à l'hôpital. C'était la seule chose à faire, en effet. Nous n'avions que très peu de médecins de confiance et les deux blessés ne pouvaient être soignés qu'à l'hôpital, puisque leur vie ne tenait plus qu'à un fil.

Boccacini est mort d'ailleurs une semaine plus tard ; un éclat lui avait transpercé la moelle épinière. Ferlito, lui, est parvenu à s'enfuir de l'hôpital avec l'aide de Nitto Santapaola ; il a survécu. Je me rappelle très bien cet épisode parce que ce jour-là je me trouvais à Palerme — en remplacement de Pippo, immobilisé à Catane par les mesures spéciales de surveillance — au mariage de la fille de Salvatore Greco, « le Sénateur », avec un homme d'honneur, Giovanni Scaduto. Une cérémonie magnifique, où tous les plus hauts responsables de Cosa Nostra étaient présents (à l'exception, bien sûr, de ceux qui avaient été arrêtés et de ceux qui étaient en cavale) côtoyant la « bonne société » de Palerme, cette société élégante qui nous a toujours admirés et protégés.

Cette histoire a provoqué chez Ferlito et dans le groupe des cinq un grand ressentiment à l'égard de mon frère, qui a été accusé de s'être désintéressé du sort de deux soldats blessés pendant une action de guerre. Nitto a jeté de l'huile sur le feu, déclarant qu'en effet la mesure, à présent, était comble : la famille de Catane était ingouvernable et il fallait envisager une explication générale devant la commission régionale. C'était une demande peu orthodoxe et Pippo en est resté plutôt perplexe. En quoi la « Région » pouvait-elle être concernée par les querelles à l'intérieur de la famille de Catane ? Est-ce qu'Alfio Ferlito se rendait compte que Nitto ne l'appuyait que par opportunisme, uniquement pour faire des histoires, pour provoquer la rupture avec nous ?

Mais Giuseppe Di Cristina a convaincu Pippo de ne pas s'opposer à cette requête parce que lui aussi avait une demande à faire à la commission, qui était tout autant irrégulière, sinon plus. Il voulait qu'à cette réunion de la commission la famille de Catane soit présente au grand complet, du premier homme d'honneur jusqu'au dernier. En effet, il avait mené une enquête très poussée sur l'attentat contre lui, interrogeant différents témoins, parmi lesquels des paysans ; ces derniers lui avaient dit qu'un des deux tueurs avait été blessé à l'épaule au moment du choc contre la voiture des victimes. Une blessure tellement sérieuse que seul l'autre tueur avait été en mesure de tirer. Et comme Di Cristina soupçonnait qu'un membre de la famille de Catane avait prêté main-forte à Michele Greco pour l'exécution de ce plan, il voulait vérifier si parmi les hommes d'honneur de notre famille il ne s'en présenterait pas un qui porterait des signes de blessures, ou de fracture au bras ou à l'épaule. Pippo a donc donné son accord et fixé la réunion à Bagheria, dans la villa du prince Vanni Calvello, un homme d'honneur de la famille d'Alia, associé en affaires avec le fils de Michele Greco. Alexandre Vanni Calvello, qui possède un palais à Palerme, est celui-là même chez qui la reine d'Angleterre était descendue pendant son dernier voyage en Italie, en 1984, quelques semaines avant que le prince ne soit arrêté.

J'ai dormi moi aussi deux ou trois fois dans cette villa de Bagheria où a eu lieu la réunion conjointe de la famille de Catane et de la commission régionale. Le prince était chargé de la sécurité : il nous recevait à l'entrée de la villa et fouillait chacun de nous, comme c'est l'habitude dans les réunions de la mafia. Di Cristina observait avec beaucoup d'attention les participants au fur et à mesure de leur arrivée ; et quand il a vu Nicola Maugeri avec un bras dans le plâtre, il lui a demandé sèchement :

« Comment tu t'es fait ça ? — Ah ! Je suis tombé dans l'escalier. » Pippo s'est approché de Di Cristina et lui a fait un geste très discret pour l'inviter à garder son calme ; il y aurait tout le temps pour trouver une occasion meilleure de creuser la question. L'idéal aurait été d'amener sur place les témoins du guet-apens pour les confronter avec le suspect mais ces témoins étaient des gens ordinaires, qui ne pouvaient donc pas être admis à participer à une réunion d'hommes d'honneur.

La réunion s'est ouverte sur toute une kyrielle d'accusations lancées contre nous, les Calderone. Mon frère a été accusé par Alfio Ferlito de ne pas s'être occupé de le faire soigner clandestinement après le meurtre de Sant' Agata Li Battiati et de l'avoir exposé, en l'obligeant à se faire hospitaliser, à de graves poursuites pénales. Nitto m'a reproché de n'avoir pas voulu l'accompagner piazza Verga l'année précédente, le soir de la fête de sainte Agathe, le jour où il avait tué les deux racketteurs ; et il a affirmé que je n'assumais pas mes responsabilités quand la famille avait des problèmes, que je m'esquivais chaque fois qu'il fallait prendre les armes. J'ai répliqué que quand les actions de guerre en question consistaient en fait à égorger des gamins, c'était préférable.

« Bon. Puisque c'est vraiment impossible de discuter, je ne veux plus rester dans la famille, a poursuivi Nitto. Je veux être libre. La famille ne fonctionne plus et je ne me sens plus concerné par aucune de ses décisions. »

Michele Greco est intervenu à ce moment-là : « Écoutez-moi tous. Est-ce qu'on va pas arrêter, une fois pour toutes, avec ces querelles ? On va creuser un grand trou et on va enterrer toutes les discordes. Essayons d'oublier, et sortons d'ici en nous serrant tous les main et en nous renouvelant les uns aux autres notre confiance. » Nitto et Alfio Ferlito ont secoué la tête pour montrer qu'ils n'étaient pas d'accord. Michele Greco a saisi alors la balle au bond : « Alors vous savez ce que je vous dis ? Puisqu'il n'y a aucune possibilité pour que vous vous mettiez d'accord, la seule chose à faire, c'est de dissoudre la famille. On va instaurer une régence à trois, jusqu'à ce que vous vous décidiez à régler tous vos problèmes. Le jour où vous aurez fait la paix, on reconstituera la famille. »

Je me suis rendu compte alors que tout ça n'était qu'une comédie, une mise en scène, convenue d'avance entre Greco et Nitto Santapaola, dans le but d'arriver justement à ça : à cette déformation tellement théâtrale des règles de Cosa Nostra. Une famille ne peut être dissoute que par les autorités supérieures directes, autrement dit par le chef de canton ou par le représentant provincial. C'est une évidence, il n'y a pas à chercher plus loin. Michele Greco n'était rien, sous cet angle-là, par rapport à la famille de Catane. Il n'avait aucun pouvoir sur nous puisqu'il était le représentant d'une autre province. Le chef de la province de Catane, c'était mon frère, qui était également le secrétaire de la commission régionale. La décision de dissoudre notre famille, il était par conséquent le seul à pouvoir la prendre, puisque nous n'avions pas de chef de canton[1]. Le rôle de Michele Greco dans cette réunion aurait dû être celui d'un pacificateur, d'un médiateur, pas celui de quelqu'un qui aurait eu des droits et des pouvoirs sur notre famille.

Nitto a changé de ton et donné son consentement à la décision prise abusivement par Greco, tout en affirmant (avec beaucoup d'hypocrisie) qu'il ne souhaitait être nommé à aucun poste de responsabilité. Pippo et Stefano Bontade se sont conformés à leur tour à la position que Nitto avait prise, ce qui m'a fait trembler de rage. Ils n'avaient rien compris, ces deux grands chefs, ils ne voyaient pas vers quoi tout ça allait nous entraîner : vers la déchéance automatique, pour mon frère, de toutes les charges qu'il détenait jusque-là, à commencer par celle de représentant régional.

Et c'est bien ce qui s'est passé. Le prestige de Pippo a commencé à décroître et, en même temps que le sien, celui du vice-représentant de la province, Calogero Conti.

J'ai protesté par la suite auprès de Stefano Bontade. Je lui ai demandé comment il avait bien pu se laisser abuser par la supercherie de Michele Greco, en lui répétant une fois encore que seul Pippo, en tant que représentant provincial, avait la possibilité de dissoudre la famille. Il m'a répondu qu'il n'y avait pas eu de supercherie puisque c'était précisément le comportement de Pippo qui avait été mis en cause et que, par conséquent, il aurait été incorrect qu'il soit lui-même son propre juge.

Quoi qu'il en soit, un conseil de régence a été nommé, formé de mon frère, de Nitto et du vieux Adelino Florio. Nitto a continué à jouer la comédie en faisant semblant de ne pas vouloir accepter cette charge. Il a été décidé qu'en attendant le renouvellement de la direction provin-

1. Il aurait fallu pour cela qu'il y ait trois ou quatre familles à Catane. *(N.d.T.)*

ciale, ce serait Giovannino Mongiovì, chef de la province limitrophe d'Enna, qui serait chargé des relations avec la commission régionale.

Le 21 janvier 1978, j'ai été arrêté. Je rentrais sur Catane, je revenais de la maison de campagne de Monterosso Etneo, où j'avais hébergé pendant quelques jours un type en cavale, un jeune de Palerme, qui était venu à Catane avec mon cousin Marchese. Je le ramenais en ville pour essayer de lui trouver un refuge auprès des gens de la famille et lui donner quelque chose à faire. A quelques kilomètres du bourg où, bien des années auparavant, Luciano Liggio, avec notre aide, s'était caché, on a croisé une Alfa Romeo Giulia avec une grande antenne à l'arrière. Le garçon assis à côté de moi l'a regardée et m'a dit : « C'est pas des " sbires " ceux-là ? — C'est une Giulia jaune. Si c'est des " sbires ", alors c'est les Douanes. » J'ai regardé dans le rétroviseur et j'ai vu que l'Alfa Romeo avait fait demi-tour et nous suivait, tout en gardant ses distances.

A l'entrée du village suivant, j'ai donné un brusque coup de volant et on a pris une petite route de campagne qui nous aurait emmenés de l'autre côté du bourg, en évitant le centre. Mais je me suis retrouvé tout à coup avec l'Alfa Romeo jaune devant moi, en travers de la route. J'ai freiné aussitôt et j'ai vu les portières de l'Alfa s'ouvrir, et deux hommes armés de mitraillettes et de pistolets en descendre, qui se sont mis immédiatement à tirer sur nous. Le pare-brise de ma voiture est devenu opaque sous les balles, qui ont frappé aussi les vitres latérales et les flancs de la carrosserie. Mais aucune des vitres ne s'est cassée et on s'en est sortis indemnes, grâce au blindage de la voiture qui était vraiment efficace.

Les deux types ont crié : « Les mains en l'air ! »

Je ne croyais pas que c'était la police. Je pensais à une mise en scène montée par quelqu'un qui voulait nous tuer. Mon compagnon et moi, on est sortis de la voiture et quand ils nous ont ordonné de nous coucher par terre sur le dos et les bras écartés, on leur a obéi. Ils nous ont donné des coups de pied dans les côtes, ils nous ont fouillés et nous ont demandé de décliner notre identité. Quand j'ai dit comment je m'appelais, ils m'ont répondu : « Ah, Calderone ! Très bien. C'est la fin pour toi. T'es mort. » Ensuite, ils ont trouvé un pistolet sur le jeune type en cavale et ils se sont mis à crier : « Il y en a un qui est armé ! Il y en a un qui est armé ! » Ils ont bloqué la route, ils ont contacté leur chef par radio et ils ont continué à nous frapper. J'en ai déduit que c'étaient des carabiniers parce qu'ils ont discuté avec le capitaine Licata, l'officier dont j'ai déjà parlé et qui a été arrêté par la suite, alors qu'il était devenu colonel, par les juges de Turin. Un peu plus tard sont arrivées d'autres voitures de policiers et de carabiniers, qui nous ont escortés jusqu'au siège du haut commandement de Catane. Là, évidemment, ils m'ont demandé qui était le type qui était avec moi dans la voiture. J'ai répondu aussi sec :

« Je ne le connais pas.

— Comment ça, vous ne le connaissez pas ?

— Je l'ai pris en stop cinq minutes avant qu'on m'arrête. »

Ensuite ils m'ont demandé des explications sur les draps et la valise qui étaient dans ma voiture. « Je vends des huiles et des lubrifiants, et je visite tous les chantiers de la Sicile. Quand il fait nuit, j'étends mon drap là où je me trouve et je me couche dessus. » J'ai improvisé ma défense dans cet esprit-là, en attendant l'arrivée de mon avocat. Comme ils me demandaient pourquoi j'avais une voiture blindée, j'ai répondu que j'avais peur, et que j'avais décidé de m'en acheter une le jour où j'avais lu dans le journal : « Par crainte des enlèvements, un gros commerçant s'achète une voiture blindée. »

Ils m'ont emmené à la prison où j'ai reçu la visite de l'officier commandant la brigade d'intervention. L'officier m'a demandé de bien vouloir excuser ses hommes : ils m'avaient arrêté parce qu'ils ne m'avaient pas reconnu ; et ils s'étaient assez mal comportés. Il m'a expliqué aussi que s'ils avaient tiré à vue, c'était parce qu'ils avaient reçu le signalement d'une voiture identique à la mienne transportant des armes, à bord de laquelle se trouvait un type en cavale. En effet, Turi Palermo et moi, on avait acheté tous les deux à Naples deux voitures blindées identiques, et les derniers numéros des plaques se suivaient. Et justement, Turi Palermo, à ce moment-là, était en fuite.

Une fois de plus, nos ennemis de la pègre avaient frappé, en utilisant le vieux système du coup de fil anonyme à la police. Mais quand la nouvelle s'est répandue qu'avec Antonino Calderone, on avait arrêté un dangereux responsable de la mafia palermitaine, ils ont pris peur. Bon nombre d'entre eux en ont déduit qu'il y avait dans le coin des gens de Palerme qui étaient venus nous prêter mainforte dans notre guerre contre eux. Certains chefs des Carcagnusi, des Cursoti et d'autres groupes ont tenté alors un rapprochement avec Nitto et avec d'autres responsables de la famille, et une paix provisoire s'est installée. Dire que le jeune de Palerme n'était en cavale que parce qu'il ne voulait pas faire son service militaire et qu'il n'était même pas homme d'honneur !

Je suis resté en prison quarante jours, par mesure de faveur ; et au jugement, j'ai été acquitté. Je voudrais préciser que le président du tribunal était le Dottore Inserra, un homme sévère et intègre, et qu'aucune pression n'a été exercée sur lui de la part de la famille ; de toute façon, c'était quelqu'un d'impossible à « approcher ».

Pendant que j'étais en prison, Salvatore Greco « Cicchiteddu », qui venait de rentrer du Venezuela, est arrivé à Catane. Une réunion avait été organisée pour discuter d'un autre problème, surgi entre-temps : le conflit entre Francesco Madonia et Giuseppe Di Cristina pour la direction de Cosa Nostra dans la province de Caltanissetta. Dans des circonstances normales, on aurait traité ce genre de question au niveau local, sans faire intervenir des responsables extérieurs à la famille. Mais la fracture entre les Greco-Corléonais et le reste de Cosa Nostra était devenue telle que n'importe quel problème un peu important devenait une occasion d'affrontement entre les deux clans. Francesco Madonia, en effet, était soutenu par les Corléonais. Pour la partie adverse, en plus de Giuseppe Di Cristina, participaient à cette réunion de Catane, Gaetano Badalamenti, mon frère Pippo et Salvatore Inzerillo, ainsi que deux chefs de la mafia palermitain qui avaient beaucoup d'influence : Tommaso Buscetta et Salvatore Greco ; ils ne s'étaient pas nettement rangés à nos côtés mais étaient favorables à nos positions. Salvatore Greco avait un grand ascendant aussi bien sur Pippo que sur Giuseppe Di Cristina.

La rencontre, absolument secrète, a eu lieu dans les bureaux de l'entreprise Costanzo. Pippo ne m'en a rien dit : à l'époque, il ne m'informait plus que vaguement de ce qu'il faisait parce qu'il avait peur que je lui fasse des reproches. Je ne voyais pas d'un bon œil son amitié avec Di Cristina, qui essayait d'exploiter la générosité de mon frère pour résoudre des problèmes qu'il aurait dû affronter tout seul. C'est mon cousin Salvatore Marchese, qui s'occupait de la surveillance à l'extérieur de la pièce où s'est tenue la rencontre, qui m'a tout raconté.

Salvatore Greco « Cicchiteddu » a écouté les doléances sur le comportement des Palermitains et de Francesco Madonia, jugé complice de son cousin Michele Greco dans l'attentat organisé quelques mois auparavant contre Di Cristina ; mais il a repoussé la proposition de tuer Madonia. Au moment de dire au revoir à Di Cristina, « Cicchiteddu » lui a conseillé de se démettre de toutes ses charges à l'intérieur de Cosa Nostra et de venir avec lui au Venezuela pendant un certain temps. Dès son retour en Amérique latine, Salvatore Greco est mort, de mort naturelle, et à mon avis, ça n'est pas un hasard si Madonia a été tué après seulement que « Cicchiteddu » passe dans un monde meilleur.

Pour Di Cristina, l'élimination de cet homme, qui était son plus farouche opposant à l'intérieur de Cosa Nostra, était devenue une véritable idée fixe. Il n'arrêtait pas d'en parler à mon frère, en essayant de l'entraîner dans les plans qu'il montait continuellement pour atteindre son adversaire. Un de ces plans avait pour cible le fils de Francesco, Giuseppe Madonia[1]. Di Cristina a essayé de monter toute une « tragédie[2] », en racontant que ce dernier avait désobéi à un ordre de Stefano Bontade : il s'agissait d'une punition à donner à Gaetano Grado, un homme d'honneur résidant à Milan, qui avait commis une infidélité. Di Cristina a convaincu Pippo de l'accompagner chez Bontade pour l'informer de cette infraction grave. Stefano Bontade est entré dans une colère noire : il n'avait jamais rien demandé de semblable à Madonia. Et il n'a pas du tout apprécié que Di Cristina se mêle de ce qu'il considérait comme ses affaires réservées. Mais Di Cristina a persévéré dans son mensonge, et il est allé trouver le père de Giuseppe Madonia pour lui dire que Bontade était furieux, à cause de la légèreté dont son fils avait fait preuve à son égard. Il s'est même débrouillé, ce qui était vraiment méchant, pour impliquer mon frère dans l'histoire, en racontant à Francesco Madonia que c'était Pippo qui avait accusé son fils devant Bontade.

Il était très clair pour moi que mon frère était en train de courir à sa perte, poussé par Di Cristina. J'ai essayé de mille manières de le convaincre de ne pas participer aux projets insensés dont Di Cristina n'arrêtait pas de lui faire part ; je suis même allé jusqu'à le menacer de quitter Catane s'il donnait son accord à l'élimination de Francesco Madonia sur notre territoire. Mais il n'y a rien eu à faire. Un jour de printemps de cette malheureuse année 1978, je me trouvais chez la belle-sœur de Pippo quand j'ai vu arriver Turi Pillera complètement bouleversé, les vêtements tachés de sang. Pillera s'est enfermé dans une pièce pour discuter avec mon frère. Aussitôt après, Pippo m'a révélé que Francesco Madonia avait été tué, et par Pillera en personne, assisté d'un homme d'honneur de Riesi qui vivait à Rome, un bijoutier. Madonia avait été

1. Cf. chap. 8, note 2, p. 116. *(N.d.T.)*
2. Dans la mafia, celui qui ment aux autres hommes d'honneur est appelé « tragediaturi » (le porteur de tragédie). *(N.d.T.)*

éliminé par le plus classique des stratagèmes mafieux : il avait été convoqué par Di Cristina à une réunion dans la ferme d'Antonio Ferro, à Falconara, et tué dans les environs.

La réponse des Corléonais ne s'est pas fait attendre. Quelques semaines plus tard, mon frère se trouvait à Palerme avec Franco Romeo, un homme d'honneur de Catane. Il était descendu dans un appartement de la via Leonardo da Vinci mis à la disposition de la famille de Catane par Piazza, l'entrepreneur en bâtiment de Palerme, très lié à Salvatore Inzerillo. J'ignore les raisons du voyage de Pippo à Palerme : après l'assassinat de Francesco Madonia, nos relations étaient devenues encore plus tendues. Pippo sortait de chez lui seul. Et le soir, nos familles ne se réunissaient plus pour dîner ensemble.

J'avais habité dans cet appartement de la via Leonardo da Vinci lors de mon long séjour à Palerme, l'année précédente. Alfio Ferlito s'y cachait à présent, en cavale après s'être enfui de l'hôpital. Giuseppe Di Cristina y descendait lui aussi, chaque fois qu'il avait à se rendre dans la capitale de la Sicile. Franco Romeo se trouvait à Palerme parce que Giuseppe Di Cristina, connaissant sa compétence dans le maniement du chalumeau, avait organisé pour lui un cambriolage à la Banque de Sicile et à la Caisse d'épargne avec la complicité d'un homme d'honneur de Sambuca, qui était le caissier de la banque. Donc, le matin du 30 mai 1978, Di Cristina est sorti de l'appartement avec Franco Romeo, tandis que Pippo et Alfio Ferlito restaient à l'intérieur. A un moment donné, ils ont entendu tous les deux des détonations et, en regardant par les fenêtres du premier étage, ils ont vu deux hommes tirant sur Di Cristina et celui-ci, agenouillé — parce qu'il était blessé ou pour éviter les balles —, qui ripostait à coups de revolver et atteignait un de ses assaillants à la jambe. Effrayés par sa réaction, ils s'apprêtaient à quitter la place, quand ils ont compris que l'arme de Di Cristina s'était enrayée. Ils sont revenus alors sur leurs pas et ils l'ont achevé de plusieurs coups de feu tirés de près. Pendant ce temps-là, Franco Romeo, qui était indemne, avait réussi à remonter dans l'appartement et, bouleversé, s'était mis à vomir partout. J'ai toujours gardé des soupçons en ce qui le concerne mais Pippo disait qu'il avait eu bien trop peur pour pouvoir avoir été impliqué dans ce meurtre.

Ce jour-là, j'étais à Mazzarino, invité par mon *compare* Cinardo, chez qui je m'étais rendu avec le beau-frère d'un homme de la famille, qui me servait de chauffeur depuis qu'on m'avait retiré mon permis. On a reçu un coup de téléphone d'un mafioso de Riesi qui nous a informés de la mort de Di Cristina. On a allumé la radio et la nouvelle a été confirmée. J'ai commencé à me sentir alors très inquiet, parce que je savais que Pippo était à Palerme avec Di Cristina ; j'avais peur qu'il lui soit arrivé quelque chose, parce que la radio avait parlé de plusieurs personnes blessées au moment de l'affrontement J'ai téléphoné à Catane et j'ai demandé à mon cousin Marchese de venir tout de suite me chercher pour m'emmener à Palerme. Évidemment, mon cousin en a informé aussitôt Nitto Santapaola, qui m'a appelé pour me dire qu'il me déconseillait de me précipiter à Palerme. J'ai répliqué que c'était de mon frère qu'il s'agissait, et que je n'avais aucune intention d'accepter les conseils de qui que ce soit.

J'ai téléphoné à Gaetano Fiore, le gérant du « Baby Luna », une boîte de nuit fréquentée par l'état-major de la mafia de Palerme, mais il n'était pas là. J'ai appelé alors Giovanni Bontade, qui m'a rassuré sur le sort de Pippo et m'a dit qu'il se trouvait maintenant avec les autres à Magliocco, sur les terres des Bontade. Je suis arrivé là-bas dans la soirée et j'y ai remarqué une grande animation. Il y avait un grand nombre d'Inzerillo, plusieurs hommes des Bontade, Alfio Ferlito, Rosario Di Maggio et beaucoup d'autres. Ce soir-là, Ferlito et moi, on a dormi dans une maison de campagne qui appartenait à Nino Sorci, pendant que Pippo passait la nuit à Magliocco. Le lendemain, Michele Greco est arrivé et s'est réuni avec Stefano Bontade, Salvatore Inzerillo et Rosario Di

Maggio. Ni Pippo ni Ferlito n'ont été invités à ce conciliabule ; pour Ferlito, c'était naturel, mais ça ne l'était pas du tout pour mon frère, et Ferlito n'a pas manqué de le lui faire remarquer. L'après-midi, il y a eu la réunion de la commission provinciale de Palerme ; elle s'est tenue, comme d'habitude, dans le domaine de Favarella. Stefano Bontade était furieux de l'assassinat de Di Cristina, et Salvatore Inzerillo l'etait encore plus, parce que le meurtre avait été commis sur son territoire et à son insu : il voulait savoir à tout prix, le malheureux[1], qui avaient été les assassins. Gaetano Baladamenti n'est pas venu à cette réunion et son absence a été déplorée. Quelqu'un a dit qu'il s'était caché à la campagne, entouré de ses hommes les plus sûrs, parce que lui aussi avait peur d'être tué. J'ai su plus tard que si Di Cristina avait été éliminé, c'était aussi parce qu'on avait découvert qu'il était devenu un indic des carabiniers[2].

Après l'assassinat de Di Cristina, pendant un moment, tout a eu l'air de s'apaiser. Une régence a été nommée pour la province de Caltanissetta, composée de Giuseppe Madonia, Francesco Cinardo et un certain Peppe Nasca. Les familles paraissaient occupées à travailler tranquillement dans le trafic de drogue. Mais, pour nous, les Calderone, la situation à Catane n'offrait rien de bon. Nitto Santapaola devenait chaque jour plus fort, plus riche, plus arrogant. Il continuait à commettre une multitude de meurtres chez les voyous de la pègre, nos adversaires, afin de se ménager une position de suprématie sur tout le monde, quand la guerre serait terminée et que la famille aurait retrouvé son équilibre.
Mon frère essayait de résoudre avant tout le problème des relations à l'intérieur de la famille. Il avait vécu la dissolution de celle-ci comme une véritable défaite, une honte personnelle. Il convoquait réunion sur réunion,

1. Ceux-là mêmes, bien sûr, qui allaient l'assassiner quelques années plus tard. (N.d.T.)
2. Di Cristina, se sentant menacé, avait en effet fait des révélations aux carabiniers... qui ne l'avaient pas cru. (N.d.T.)

prêchant la paix et la concorde : « Évitons de nous disputer continuellement. Si vraiment il est impossible de retravailler ensemble, faisons deux familles séparées. Catane est une grande ville, une très grande ville, et nous sommes trois pelés et un tondu. Il y a de la place pour tout le monde. Partageons la ville en deux. La partie au nord de via Etnea, par exemple, peut revenir aux Santapaola. La partie sud reviendrait à nous. C'est complètement imbécile de lutter les uns contre les autres comme ça. »

Mais Nitto n'a jamais voulu accepter cette solution. A son avis, il fallait qu'il continue à n'y avoir qu'une seule famille. De cette manière-là, il aurait pu avoir le pas sur tout le monde, il aurait pu rester seul à la commander. Si on s'était séparés en deux familles, chacune se serait occupée de ses propres affaires et il n'y aurait eu ni vainqueurs ni vaincus. Mon frère aurait été réélu représentant provincial et on serait revenus à la situation antérieure, à l'ancien ordre de la mafia ; et tout le travail entrepris pour démolir Pippo, Di Cristina, Badalamenti et les autres aurait été perdu.

La grande erreur de Pippo et de Stefano Bontade a été d'avoir trop confiance dans leurs propres forces. Pippo pensait que Nitto n'oserait jamais aller au-delà d'une certaine limite. Stefano n'arrêtait pas de dire que contre lui, les Inzerillo et les autres, les Corléonais, ne pourraient jamais rien faire. Il se sentait en sécurité et il faisait grand étalage de ses deux cents hommes. Mais pendant qu'il se gargarisait de sa puissance, ses adversaires semaient petit à petit la mauvaise graine à l'intérieur de sa famille et des autres familles de Cosa Nostra. Cette mauvaise graine poussait silencieusement, et les murs de l'édifice s'effritaient jour après jour. Les soldats, les chefs de dizaine, les vice-représentants remarquaient le pouvoir croissant des Corléonais, ils faisaient leurs comptes, et c'est de ce côté-là qu'ils se tournaient. Pullarà, par exemple, un homme de Stefano Bontade, a fini par passer du côté des Corléonais. Et avec lui de nombreux autres lieutenants qui jusque-là avaient été fidèles et loyaux envers leur chef. Les ordres de Cosa Nostra, le lien au chef de la famille, rien de tout cela ne comptait plus face à la loi suprême de la mafia : la loi du plus fort.

Pippo a espéré jusqu'au dernier moment qu'il pourrait faire entendre raison à Nitto. Mais c'était aussi parce qu'une rupture définitive aurait signifié la fin d'une très profonde amitié. Il y avait entre eux deux quinze ans de différence. Mon frère avait vu grandir Nitto, c'était lui qui l'avait fait ce qu'il était. Il était incapable de penser que Nitto pouvait envisager de le tuer. Ils se disputaient, c'est certain ; ils s'en disaient de toutes les couleurs. Mais à la base de leur relation, il y avait cette vieille et profonde amitié. Pippo ne m'a jamais parlé, même par hypothèse, de tuer Nitto. S'il l'avait voulu, il aurait pu le faire tuer à n'importe quel moment par ses amis de Palerme. Mais c'est une chose qui ne lui est jamais passée par la tête.

Nitto avait été au baptême de ma fille. Et mon frère avait été au baptême de deux de ses fils. Trois mois après l'arrestation de Pippo, en 1971, un de ses fils et une de mes filles étaient nés au même moment. En 1972, Nitto à son tour avait eu une fille. Eh bien, Nitto avait tenu à ce que tout le monde attende la libération de Pippo, l'été 1973, pour baptiser les trois enfants. Ma fille marchait déjà depuis longtemps. Mais Nitto voulait que ce soit l' « oncle » Pippo qui soit le parrain de sa fille.

En 1969-1970, la famille de Catane avait deux chefs de dizaine solides et expérimentés. Contre l'avis de tout le monde, Pippo les avait démis de leur fonction pour nommer à leur place un seul et unique chef de dizaine : son pupille Nitto Santapaola. Il ne se passait pas de dimanche sans que nos trois familles se réunissent pour manger ensemble ; nos femmes étaient très amies et nos enfants étaient camarades de jeux ; on allait souvent les uns chez les autres, même sans prévenir.

Le calme de l' « après-Di Cristina » n'a pas duré bien longtemps. Deux mois plus tard, à peine, en juillet 1978, mon frère se trouvait à la campagne chez sa belle-mère. Il a remarqué, un matin, deux hommes des Madonia qui circulaient en voiture dans les environs et qui ont disparu dès qu'ils se sont aperçus que Pippo les avait repérés. Plus tard, Pippo et sa femme ont pris la Mini Minor blindée que Turi Palermo leur avait laissée après son arrestation et sont allés dans un supermarché faire des courses. Au retour, ils ont rentré l'auto dans le garage et, au moment où ils soulevaient le siège avant pour décharger les sacs des courses, Pippo a trouvé un paquet bizarre posé à l'arrière sur le sol. A côté, il y avait une boîte. Il m'a fait venir et on en a conclu que c'était de la dynamite. Cette fois-là, on a été d'accord tous les deux pour penser que ce cadeau ne pouvait venir que de Nitto. Nos relations s'étaient détériorées peu à peu : on ne se fréquentait plus et son alliance avec les Greco-Corléonais était maintenant de notoriété publique.

Pippo lui a téléphoné aussitôt pour tester sa réaction. Nitto a répondu calmement, comme s'il était déjà au courant, ou plutôt même, comme s'il voulait faire comprendre qu'il était déjà au courant. Pippo a été furieux. Il a beaucoup souffert de ça. Le peu d'amitié qui restait entre eux s'est évaporé en un instant. Mais il y avait plus : dans le monde biaisé et déformé de Cosa Nostra, un comportement de ce genre équivalait à une reconnaissance de sa propre responsabilité et à une menace. Nitto a ajouté qu'il était préférable qu'ils se rencontrent tout de suite parce qu'il avait une idée pour résoudre le problème de ces explosifs dans la voiture. Il fallait désamorcer l'engin : si on faisait sauter la voiture, la police analyserait les décombres et remonterait facilement jusqu'à Turi Palermo.

Avant d'avoir recours à l'assistance de Nitto, mon frère a eu l'idée de prévenir Carmelo de Luca, le secrétaire des Costanzo, qui a téléphoné devant lui à un colonel des carabiniers ami pour lui demander d'intervenir et de désamorcer la bombe. Le colonel a répliqué que, dans la mesure où la présence d'un artificier était indispensable, il ne pouvait se déplacer qu'à titre officiel, c'est-à-dire sur une plainte déposée par Pippo. Mais il était absolument hors de question qu'un ponte de Cosa Nostra comme

Pippo viole une de ses règles les plus impératives, en allant à la caserne des carabiniers porter plainte comme n'importe quel homme de la rue. On a fait intervenir alors Pietro Rampulla, un homme d'honneur de la famille de Mistretta et par ailleurs terroriste de droite, qui s'y connaissait donc en explosifs. Rampulla s'est aperçu qu'il avait affaire à un engin actionné par télécommande et il l'a désamorcé si rapidement que ça nous a donné pas mal de soupçons, à Pippo et moi. La facilité avec laquelle il avait manipulé ce paquet signifiait que, très probablement, c'était lui-même qui l'avait fabriqué. Pippo s'est souvenu aussi que, quelque temps auparavant, il avait confié les clés du garage à Franco Romeo, lui offrant par là même l'occasion d'en faire un double.

Quelques jours après cet attentat, nous nous sommes rendus, Pippo et moi, à Trabia, dans les environs de Palerme, pour discuter avec Stefano Bontade, Gaetano Badalamenti et Rosario Riccobono. On leur a exposé les faits et je n'ai pas pu m'empêcher de piquer une colère contre eux, contre ces grands mafiosi de Palerme, parce qu'ils ne se rendaient même pas compte de la stratégie des Corléonais, qui étaient en train de faire place nette tout autour — à Catane, à Caltanissetta, à Agrigente — pour mieux se concentrer ensuite sur l'attaque de la capitale, de Palerme. Pour l'instant, c'est nous qui étions concernés. Mais combien de temps croyaient-ils qu'il allait se passer, avant que leur tour arrive ? Les Palermitains m'écoutaient en silence. Après une pause embarrassée, Rosario Riccobono a ajouté : « Nous ne pouvons pas intervenir ouvertement en votre faveur en ce moment. Il faut qu'on reste prudents, il ne faut pas se découvrir. On ne peut pas encore tomber le masque. Si on le fait, ils vont se déchaîner complètement. »

Pippo s'est montré alors très irrité contre moi. Il m'a reproché durement de dépeindre la situation de Catane comme si elle était compromise, comme si nous étions les plus faibles et que nous avions déjà perdu. J'étais en train de lui donner une très mauvaise image face à ses pairs. Il m'a ordonné, dorénavant, de me taire. Je me suis senti humilié et j'ai quitté la réunion. Au moment où je partais, j'ai vu Gaetano Badalamenti assis sous la véranda de la maison, un peu à part. Pendant tout ce temps, il n'avait rien dit, et quand j'ai fermé la porte, j'ai vu qu'il regardait Pippo avec ironie, en chantonnant une rengaine très à la mode à l'époque : « Spa-ra Gonza-les. Spa-ra per-chè al-tri-men-ti gli al-tri spa-ra-no te ! » [« Tire, petit Gonzales. Tire, parce que sinon, c'est les autres qui tireront sur toi ! » *(N.d.T.)*].

L'étau se resserrait. J'avais compris que nous allions mourir. Et je disais à mon frère : « Mais quand est-ce qu'on va se tirer d'ici ? Combien de temps tu vas vouloir rester encore dans cet enfer, où tu ne peux plus faire confiance à personne ? Pour quelle raison est-ce qu'on devrait se laisser tuer ? » Le groupe de nos adversaires ne cachait plus ses intentions ; Francesco Mangion me l'a dit d'ailleurs clairement, quelques jours après l'attentat manqué : il valait mieux que Pippo sorte de la mêlée et renonce à toutes les charges qu'il détenait dans Cosa Nostra.

Mangion m'a même suggéré un expédient qui aurait pu permettre à mon frère de quitter la scène honorablement. A cette époque-là, Pippo se cachait des autorités. Il avait écopé d'une mesure de relégation surveillée, mais la sentence avait été annulée en appel pour vice de forme, et Pippo craignait de se voir notifier une « mesure de surveillance spéciale ». Au lieu d'essayer d'y échapper, il fallait au contraire qu'il sollicite cette mesure : il aurait trouvé comme ça une justification valable pour se retirer de la course. Mangion m'a dit qu'on avait d'ailleurs à la préfecture de police un fonctionnaire auquel il était possible de s'adresser et qui s'occuperait de monter toute l'opération. C'était un commissaire-adjoint que je connaissais bien (j'avais même été invité chez lui) et qui se prêterait volontiers à ce projet.

Mais Pippo n'a pas voulu entendre raison. Il était comme hypnotisé par sa propre mort. Vers la fin du mois de juillet, je suis parti en vacances avec ma famille à Gioiosa Marina, dans les environs de Tarente ; tous les deux jours, je parlais au téléphone avec mon frère. Au mois d'août, Pippo, pour des raisons de sécurité, s'est transféré dans la résidence des Costanzo, à « La Perla Ionica », emmenant avec lui Turi Lanzafame comme garde du corps. Il ne sortait jamais de la résidence, où il avait à sa disposition un petit salon dans lequel il recevait les hommes d'honneur qui venaient le voir. Un jour, Pippo m'a téléphoné, tout content, pour me dire : « Finalement, après tous ces malheurs, il est arrivé une bonne chose. Tu sais ce qu'on a fait ? On a reconstitué la famille ! » Il m'a fait comprendre qu'il avait été élu représentant, que Nitto était vice-représentant, Condorelli conseiller, et Lanzafame et Salvatore Tuccio chefs de dizaine, tandis que Salvatore Ferrera était le nouveau représentant provincial.

« Je crois que ça y est. On a reformé la famille. On a fini de se bagarrer et de se ronger les sangs ! » répétait Pippo, complètement confiant. Et il ne se rendait pas compte qu'ils se moquaient de lui, qu'ils n'avaient inventé toute cette mise en scène de la reconstitution de la famille que pour le rassurer, pour pouvoir le tuer plus facilement ; Pippo, en effet, ne sortait plus de la résidence Costanzo autrement qu'armé, avec son escorte et sa voiture blindée.

Dans les derniers jours du mois d'août, ma femme est rentrée à Catane pour reprendre son service à l'université. J'avais l'intention de la rejoindre quelques jours plus tard, en profitant du fait que mes deux cousins, qui étaient en vacances avec nous, repartaient en voiture. Mais un matin, elle m'a téléphoné : « Nino, j'ai quelque chose à te dire. Je ne sais pas comment te le dire. Ton frère est blessé, il va mal. Il a été touché à un bras ou à une jambe. Mais ça n'est pas grave. »

Je me suis demandé aussitôt comment j'allais faire pour descendre à Catane. J'étais seul, avec deux enfants, et je n'avais ni voiture ni permis de conduire. Mes cousins étaient rentrés provisoirement en Sicile pour une partie de chasse. J'ai dit à ma femme qu'on se retéléphonerait plus tard et j'ai couru jusqu'à une épicerie où il y avait un téléphone public : de là, je pouvais parler sans craindre d'être écouté. En chemin, j'ai rencontré mes cousins qui avaient fait demi-tour et qui venaient me raconter comment les choses s'étaient passées. On avait tiré sur Pippo la veille au soir, au moment où il se rendait à un rendez-vous à Aci Castello. Avec lui, il y avait Lanzafame, qui avait été légèrement blessé à la tête ; Pippo, lui, avait été touché à l'estomac. Ils ne savaient pas dans quel état mon frère se trouvait. Pippo avait été hospitalisé dans une clinique privée dont le propriétaire était un professeur de médecine apparenté aux Costanzo.

J'ai téléphoné à ces derniers, qui m'ont dit qu'après les premiers soins dans cette clinique, Pippo avait été transféré ailleurs. Mais qu'il était allé là-bas en marchant sur ses deux jambes et que, par conséquent, ça n'était pas grave. Il avait demandé à Lanzafame de l'accompagner en voiture jusqu'à la clinique et de courir aussitôt se planquer.

J'ai décidé de ne pas quitter les Pouilles et j'ai suivi par téléphone l'hospitalisation de Pippo. Les médecins me disaient que son état s'améliorait. Notre avocat m'a rapporté qu'on avait essayé de l'interroger mais qu'il avait refusé de parler, en prétextant l'opération qu'il avait eue à la gorge. Il était possible qu'un mandat d'arrêt soit en préparation, pour refus de collaborer. J'ai décidé alors de convoquer Ferlito, ou un autre de nos hommes les plus sûrs, et de descendre à Catane pour faire sortir mon frère de l'hôpital. Mais trois jours après son hospitalisation, Pippo est mort.

Turi Lanzafame m'a raconté par la suite toute l'histoire : « Voilà, " oncle " Nino, on était tous réunis à " La Perla Ionica ", puisqu'on avait reconstitué la famille. Il y avait aussi Nitto. A la fin, il ne restait plus qu'à examiner la question des hommes de Madonia que Pippo avait vus rôder autour de la maison, juste avant l'attentat. On devait aller chez Salvatore Ferrera, le nouveau chef de la province, pour y rencontrer les Madonia et éclaircir officiellement cette histoire. Le rendez-vous, c'était Nitto qui devait le prendre, et nous, on devait attendre qu'il nous appelle. Nitto a téléphoné pour nous dire qu'on devait venir à Aci Castello, chez Ferrera, vers six ou sept heures, le même soir. On est donc sortis, tranquilles et rassurés. On n'était même pas armés. Quand on a pris la déviation de la route principale, au passage à niveau, juste à côté d'Aci Castello, c'est là qu'ils nous ont tendu une embuscade. »

23.

Je suis resté une quinzaine de jours éloigné de la Sicile et, comme j'étais sans un rond, j'ai téléphoné à Pasquale Costanzo pour lui exposer le problème. On s'est rencontrés quelques jours plus tard à Rome, dans les bureaux de son entreprise, et Costanzo m'a donné deux millions de lires. Je suis rentré ensuite à Catane avec Salvatore Marchese, après avoir reçu toutes les assurances possibles, de la part de Francesco Cinardo, quant à ma sécurité. Arrivé sur place, j'y ai trouvé une agitation intense, aussi bien dans la famille qu'à l'extérieur, bien qu'une vingtaine de jours se soient déjà écoulés depuis l'assassinat de Pippo. Le groupe des cinq (qui s'était réduit entre-temps à trois, à cause des meurtres) voulait quitter la famille ; ils disaient qu'il était impossible de continuer dans ces conditions, que les règles étaient constamment détournées. Comme il n'y avait pas de preuves solides contre les Santapaola, on ne pouvait même pas les accuser ouvertement devant les organes directeurs de Cosa Nostra. La seule chose à faire, c'était de serrer les dents et d'encaisser le coup. Ou bien de se préparer à fuir.

Le premier que je suis allé voir, accompagné par mon cousin Marchese, a été Nitto. Il s'est montré très affecté par la disparition de mon frère ; il m'a déclaré que lui non plus, il n'arrivait pas à s'expliquer qui avait bien pu le tuer et pourquoi. Cinardo m'a informé de l'arrivée dans les parages de Stefano Bontade, qui voulait me rencontrer.

Comme il avait peur de s'aventurer en ville, rendez-vous a été pris dans la banlieue, non loin d'un élevage de chiens tenu par un certain Pippo Aiello. Là, Bontade m'a dit qu'il était effondré de ce qui s'était passé ; il ne savait rien et il était en train de chercher des éléments qui permettraient de dénoncer les auteurs. Il m'a demandé quelles étaient mes intentions dans l'immédiat. Me venger sans attendre ? Organiser un plan de représailles contre ceux que je tenais pour responsables de l'embuscade ? Je lui ai répondu de me laisser tranquille. Je n'avais personne à qui m'en prendre, et personne ne m'aurait suivi ; j'étais fatigué, je me retrouvais maintenant avec sept enfants à charge (mes trois enfants, plus les quatre de Pippo). Ma seule intention pour l'avenir était de m'occuper d'eux. Stefano m'a serré dans ses bras et m'a donné dix millions de lires en devises italiennes et en dollars. Il m'a dit que c'était de l'argent qui appartenait à Pippo, sans rien préciser de plus. Mais je savais de quoi il s'agissait : cet argent provenait de la participation de mon frère aux activités de contrebande et au trafic de la drogue.

C'est trois mois plus tard, d'ailleurs, à l'occasion d'une seconde remise d'argent, que j'ai pu comprendre, au-delà des motifs réels que je connaissais bien, ce qui avait été inventé pour justifier le meurtre de mon frère en fonction des prétendues « règles » de Cosa Nostra. En janvier 1979, Nitto m'a averti que Salvatore Inzerillo devait me remettre une somme qui revenait à mon frère. Comme Nitto se rendait justement à Palerme voir Michele Greco, il m'a invité à faire le voyage avec lui. Là-bas, Inzerillo m'a donné deux chèques déjà signés de dix millions de lires chacun et trente millions en liquide. Sur le chemin du retour, après avoir pris Francesco Cinardo au passage, on s'est arrêtés à Canicattì, non loin de la maison d'Antonio Ferro, le représentant de la province d'Agrigente. On y est restés environ une heure. Et votre serviteur a été immédiatement exclu de la compagnie : ils sont allés dans une autre pièce et se sont mis à comploter avec animation. J'ai remarqué d'ailleurs ce jour-là qu'Antonio Ferro qui, avant la mort de Pippo, me tutoyait, était maintenant passé au vous, m'obligeant donc à faire de même avec lui. Par contre, alors qu'avant Nitto vouvoyait Ferro et que celui-ci le tutoyait, tous les deux se disaient maintenant tu. Pendant notre retour vers Catane, Nitto m'a demandé si je savais quelque chose à propos de l'attentat manqué contre Di Cristina et de son assassinat, ainsi que sur l'assassinat de Francesco Madonia. A son avis à lui, Nitto, tout ça n'avait pas pu être fait par des « ploucs » quelconques, autrement dit par des voyous du coin, étrangers à Cosa Nostra. Il m'a fait comprendre qu'il était persuadé, du moins en ce qui concernait l'assassinat de Francesco Madonia, qu'un homme d'honneur de Catane envoyé par mon frère y était impliqué.

Sa conviction était fondée, en effet. Mais je me suis bien gardé de le lui dire. Nitto ne me posait ces questions que pour me faire comprendre que tuer Pippo avait été une chose juste. Mon frère avait gravement violé les « règles », en collaborant à l'assassinat de quelqu'un sur le territoire de quelqu'un d'autre, et sans aucune autorisation. Madonia, en effet, avait été éliminé à Falconara sans qu'Antonio Ferro, chef de la province d'Agrigente, en ait été informé.

J'ai pensé aussitôt : « Pas mal joué ! » Nitto était en train de répéter, comme un bon élève, la leçon que les Corléonais lui avaient apprise : tuer ses adversaires l'un après l'autre, dès que l'occasion se présente. Et ne le faire qu'en restant absolument correct sur le plan « formel ». Autrement dit, de façon que même les amis les plus proches de la victime ne puissent pas réagir sans se retrouver du côté des fautifs. Di Cristina avait été tué parce que, malheureusement, il était devenu un indic des carabiniers (peu importait qu'à l'époque de l'attentat, rien de ce genre n'ait pu lui être reproché et que ses contacts avec les carabiniers aient été la conséquence et non pas la cause de sa condamnation à mort !). Quant à Pippo, il s'était condamné lui-même dès l'instant où il avait commencé à comploter avec Di Cristina pour tuer Francesco Madonia à l'insu de tous et sur le territoire d'un autre (peu importait que les Greco-Corléonais

310

commettent tous leurs meurtres de la même manière, sur les territoires des autres !). Et ce dégénéré de Nitto, cet individu impitoyable et féroce, voulait me convaincre à présent que c'était pour le bien de tous et même, pourquoi pas ? à contrecœur, qu'ils avaient tué mon frère !

Au moment de notre rencontre, Stefano Bontade m'avait également annoncé la décision de la commission régionale de Cosa Nostra de convoquer une réunion pour saluer dignement la mémoire de mon frère ; toute la famille de Catane y était invitée. La réunion avait été fixée pour la semaine suivante à San Nicola L'Arena, un bourg de l'arrière-pays palermitain dans lequel Tommaso Spadaro, le contrebandier du port de Palerme, possédait une villa. Les participants devaient se retrouver avant dans un château où le prince Vanni Calvello possédait un night-club en association avec Franco Di Carlo, le chef de la famille d'Altofonte, qui résidait en Angleterre et a été impliqué ensuite dans l'assassinat de Calvi[1]. Il fallait garer les voitures sur l'esplanade devant le château et attendre l'arrivée d'autres hommes d'honneur, chargés de servir de guides jusqu'au lieu de la rencontre. C'est Di Carlo en personne qui s'est présenté ; il nous a accompagnés en voiture, lui et un homme de la famille de Corso dei Mille surnommé « Boia cani[2] », que je soupçonne d'avoir pris une part active dans l'assassinat de Pippo.

Quelques mois plus tard, en effet, je suis allé le voir avec mon cousin Marchese à Palerme ; comme il n'était pas là, on a demandé à son père (homme d'honneur lui aussi) où son fils pouvait bien être. Le père est devenu blanc et nous a répondu qu'il n'en savait rien. « Boia cani » faisait partie de ce groupe important d'hommes d'honneur que Michele Greco avait obtenu de rassembler, en empruntant des éléments à différentes familles, et qui agissait directement sous ses ordres. « Boia cani »

1. Directeur du Banco Ambrosiano et banquier du Vatican, Roberto Calvi était recherché dans le cadre de l'affaire Sindona (cf. chap. 18, note 1, p. 234) quand on l'a retrouvé pendu sous un pont de Londres. *(N.d.T.)*
2. Littéralement « Bourreau de chiens ». *(N.d.T.)*

venait souvent à Catane. Et un jour — pendant un repas où il avait essayé de se mettre en valeur en racontant des anecdotes qui montraient ses illustres fréquentations dans la ville — il s'est trahi : devant moi, il a commencé à parler d'Aci Castello, d'une manière qui prouvait sa parfaite connaissance de l'endroit où Pippo avait été tué. Nitto Santapaola l'a foudroyé du regard pour l'empêcher de continuer, et la conversation s'est arrêtée, dans le silence et l'embarras général.

Pour en revenir à la réunion de la commission, elle s'est ouverte par un bref discours de Salvatore Riina, qui a déclaré exprimer par ses paroles les sentiments de tous. Il a évoqué la figure de mon frère, sa réputation d'homme d'honneur magnanime et généreux, son œuvre en faveur du rétablissement de l'ordre et de la concorde à l'intérieur de Cosa Nostra. Pippo avait été un grand homme parce qu'il avait unifié Cosa Nostra. Tous les ennuis étaient venus en fait de Di Cristina : Pippo avait cru, c'est vrai, ce que Di Cristina lui avait raconté, mais c'était en toute bonne foi ; on ne pouvait pas l'accuser pour ça. A présent, il fallait enterrer toutes les discordes et toutes les animosités, et ne plus se vouloir que du bien. Je regardais Riina s'animer pendant son discours et je me suis aperçu alors que j'étais devenu étranger à ce monde, que je le regardais avec un œil détaché, le cœur froid, comme si la douleur avait installé une vitre de glace entre eux et moi.

Il était difficile de dire si Riina jouait la comédie ou non, si ses belles et nobles paroles étaient dictées par une affliction sincère devant la mort d'une personne de valeur, ou par la satisfaction abjecte du triomphateur qui vient d'éliminer un ennemi dangereux et qui tire vanité des grandes qualités de sa victime, parce qu'elles accroissent le prestige de l'exploit qu'il vient d'accomplir. Je ne me suis pas arrêté longtemps sur cette pensée. Il était inutile de chercher à disséquer tout ça, à comprendre, à démêler le pour et le contre. C'est toujours la même chose à Cosa Nostra : tout a toujours plusieurs significations.

Mes réflexions ont été interrompues parce que quelqu'un qui était assis à côté de moi a éclaté tout à coup en sanglots. Je me suis retourné et j'ai vu pleurer Giovanni Mongiovì, un homme d'honneur très proche de mon frère. Je le revois arrivant chez nous avant chaque Noël, avec ses cadeaux et ses vœux sincères. J'ai essayé de le réconforter. Puis je me suis aperçu que le ton et les propos de la réunion changeaient rapidement : on passait à la discussion d'autres questions. Après la réunion, j'ai été invité à déjeuner chez Michele Greco. L'assemblée s'était séparée sans que personne m'explique pour quelle raison mon frère avait été tué. On me faisait là une invitation claire à ne pas faire trop d'histoires et à accepter la nouvelle réalité telle qu'elle se présentait dorénavant.

Pendant les mois qui ont suivi, durant toute l'année 1979, je n'ai pas cessé de réfléchir à ce que je pouvais faire. Il était évident que Pippo avait été assassiné par les Santapaola et par leurs alliés de Palerme. Mais je n'avais pas de preuve contre eux : aucune preuve, ni réelle ni fabriquée, comme celles que les Corléonais ont l'habitude d'inventer pour justifier leurs turpitudes. Je n'avais pas derrière moi des jeunes prêts à tout. Dans le reste de la Sicile, nos amis avaient été tués ou n'avaient pas le courage de réagir. Et après la disparition de Pippo, mes rapports avec les Costanzo avaient changé, eux aussi ; ils étaient même devenus complètement inexistants. Les Costanzo étaient du côté de Nitto : j'avais de plus en plus de difficultés même à être simplement reçu chez eux. Notre « antichambre » réservée aux gens venus demander des services s'était vidée comme par enchantement. Personne ne venait plus cultiver les faveurs d'un mafioso en disgrâce. J'étais un « ex », un survivant, quelqu'un d'inutile, contraint de vivre avec les assassins de l'être qu'il aimait le plus au monde, et qui étaient ses futurs bourreaux.

Bien sûr, j'aurais pu tuer Nitto Santapaola, en lui tirant dessus, à vue, à la première occasion où je l'aurais trouvé devant moi. Mais ils m'auraient tué aussitôt après et personne ne m'aurait vengé. Ma femme et mes enfants m'auraient maudit et auraient eu honte de moi. C'est alors que je me suis dit que je devais quitter Cosa Nostra, tout abandonner. Nitto est venu me voir pour m'informer qu'il y aurait une réunion pour répartir, une fois de plus, les charges à l'intérieur de la famille. Je lui ai répondu :

« Écoute, tu veux me faire plaisir ? Tu es en train de me dire qu'il faut que je sois là quand vous referez la famille. Mais je ne veux plus y être, moi, dans la famille. Laissez-moi tranquille. Laissez-moi libre. Je veux uniquement profiter de mes enfants maintenant. Je ne veux plus entendre parler de Cosa Nostra.

— Mais qu'est-ce que tu racontes, Nino ? Tu sais bien que ça n'est pas possible ! Ce que je peux t'assurer, c'est que si tu as besoin de quelque chose, tu n'auras pas à passer par ton chef de dizaine, tu pourras t'adresser directement à moi. Mais t'en aller de la famille, il n'en est pas question. »

Il ne me permettait pas de m'en aller. C'était logique. En dehors du fait qu'à Cosa Nostra les démissions sont impossibles, Nitto avait absolument besoin de pouvoir continuer à me surveiller ; je savais trop de choses. Il était indispensable que je reste dans la famille, même si tout le monde savait que j'avais compris qui avait commandité le meurtre de Pippo. Ou bien Nitto me tuait, ou bien il me gardait dans la famille : il n'avait pas d'alternative.

Mais ma position aux côtés des Santapaola et des autres, était devenue on ne peut plus difficile à maintenir : puisqu'il nous fallait accepter tous les deux cette forme de convivialité forcée, il lui était impossible de me cacher les informations concernant la vie et les activités de la famille. Il essayait bien de me tenir à l'écart, étant donné qu'il n'avait plus confiance en moi, et de m'impliquer le moins possible dans les entreprises et les complots les plus secrets de la famille ; mais il ne pouvait pas éviter que j'aie connaissance de beaucoup de choses compromettantes.

Pendant l'année 1979, j'ai reçu encore deux ou trois

dividendes sur la somme due à mon frère pour sa participation aux affaires de drogue et de contrebande de la famille. Le dernier versement m'a été fait par Francesco Cinardo pour le compte de Stefano Bontade, vers la fin de cette année-là. Ça tournait autour de trente mille dollars. Cinardo m'a dit qu'il aurait dû y avoir beaucoup plus mais que la confiscation d'une valise contenant cinq cent mille dollars à l'aéroport de Punta Raisi, à Palerme, avait diminué la rentabilité de l'entreprise. Quoi qu'il en soit, aux dires de mes chers compagnons, le versement de cet argent était une manifestation de leur respect à l'égard de mon frère et de leur loyauté envers moi. Mais le jour où j'ai demandé pourquoi je ne participais pas à ces nouvelles affaires à la place de Pippo, ils m'ont répondu que l'association avec les Napolitains pour la contrebande avait pris fin et qu'il y avait des difficultés même avec la drogue ; et ils ont évoqué toute une série d'autres prétextes pour justifier mon exclusion de ce secteur-là également. En additionnant tous ces versements, j'avais reçu environ cent dix millions de lires en liquide et en chèques, qui soldaient définitivement la participation de la famille Calderone aux affaires les plus rentables de Cosa Nostra. En essayant d'imaginer comment Pippo se serait comporté dans la même situation, j'ai reversé une partie de cet argent aux hommes d'honneur les plus nécessiteux de la famille de Catane.

Pour les sommes de même provenance qui revenaient à Di Cristina, par contre, je dois dire que ça ne s'est pas passé du tout de la même manière : sa famille n'a rien reçu, parce que Di Cristina avait commis l'infamie de parler aux carabiniers. L'argent qui lui revenait a été partagé en deux et remis aux deux chefs de canton de la province de Caltanissetta pour qu'ils les redistribuent entre les différentes familles. C'est à cette occasion-là, d'ailleurs, que mon *compare* Cinardo a commis une grave erreur. L'autre chef de canton était Giuseppe Madonia ; après avoir invité Cinardo à remettre l'argent aux familles relevant de sa juridiction, Madonia a poussé ensuite Francesco La Rocca, un homme des Corléonais, à demander à Cinardo de lui rendre compte des sommes qu'il avait distribuées. La comparaison entre la somme distribuée par Cinardo et celle distribuée par Madonia a montré que Cinardo, contrairement à ce dernier, en avait conservé une partie pour lui-même. Comme à leur habitude, les Corléonais ont été implacables : Cinardo, accusé publiquement devant la commission, a été dégradé de ses fonctions de chef de canton et même expulsé de sa famille, malgré l'intervention de Stefano Bontade en sa faveur.

La période entre l'assassinat de Pippo, en septembre 1978, et ma fuite en France, en février 1983, a été la pire de toute mon existence. Presque quatre ans et demi pendant lesquels j'ai végété, me cachant et vivant complètement coupé de tous. J'étais devenu amer ; j'avais peur ; je n'étais plus qu'une larve. J'avais été exclu de la plupart des activités illicites les plus lucratives, si bien que je me suis lancé de nouveau dans les affaires légales. J'ai monté une société de construction immobilière en association avec un type de Messine et avec mon cousin Marchese, en réservant un tiers des bénéfices à la famille de mon frère. Je me suis donné beaucoup de mal pour obtenir des sous-traitances auprès de nos amis dans les différentes entreprises et administrations locales. Et puis il m'est venu une idée qui était vraiment intéressante. Je voulais mettre sur pied, avec mon cousin Marchese et un autre homme d'honneur, une société de distribution de bière, eau minérale, apéritifs et boissons gazeuses. Il aurait suffi d'aller trouver les gérants des bars de la ville et de leur dire tout simplement : « C'est quoi, ce qu'on consomme chez vous ? De la bière ? Des sirops ? Des jus de fruits ? Bon. Vous allez prendre nos marques. Au même prix que les autres, bien sûr. C'est pas du tout un racket qu'on fait là. » Ç'aurait été un sacré exploit : on aurait gagné plein d'argent sans se mettre dans les problèmes ni faire de mal à personne. Mais je ne suis pas arrivé à la constituer, cette boîte. Un des associés s'est retiré ; il a commencé à avoir des doutes, à trouver des prétextes pour ne pas s'engager tout de suite, etc. Jusqu'au moment où j'en ai eu marre et où j'ai cessé d'avoir ce projet à cœur. Aujourd'hui, quand je lis dans le journal que Carlo Campanella, à Catane, a fait la même chose avec le café et que d'autres ont fait pareil avec d'autres marchandises, ça me fait presque un coup de sang.

En 1980, il est devenu évident que pour les Santapaola, après l'élimination de mon frère, l'étape suivante serait la destruction d'Alfio Ferlito et de son groupe. Les conflits entre Nitto et Ferlito venaient d'une lutte pour la suprématie à l'intérieur de Cosa Nostra et de leur concurrence dans le secteur du commerce illicite. Ce conflit d'intérêts avait commencé bien des années avant, à l'époque de la contrebande de cigarettes, quand Ferlito était arrivé à détenir une part importante du marché et à devenir, de ce fait, un concurrent dangereux pour l'équipe dirigée par Nitto et Mangion. L'arrivée de Ferlito dans la vente en gros de cigarettes sur la zone de Catane avait fait monter l'offre et dégringoler les prix, causant du tort à tous les vendeurs de la place. C'est pour cette raison aussi que Nitto, au départ, s'était opposé à l'entrée d'Alfio Ferlito dans la famille, et il ne s'était pas trompé. Ferlito était à peine homme d'honneur, en effet, qu'il s'associait dans la contrebande et le trafic de drogue avec certains membres du clan Santapaola, et notamment avec Pippo Ferrera qui, bien qu'étant le cousin de Nitto, ne pouvait pas souffrir ce dernier. Il y a eu aussitôt un conflit pour la répartition d'un arrivage énorme de haschisch.

L'affrontement entre les deux groupes a duré presque trois ans, faisant une quarantaine de morts. Il y a eu plusieurs phases, et quelques tentatives de pacification; mais ça s'est terminé par l'assassinat d'Alfio Ferlito, le 16 juin 1982, dans cet affreux massacre sur le périphérique de Palerme.

Dès le début de cette nouvelle guerre, je suis resté à l'écart, je me suis retiré de la course. Je n'ai pas bougé de chez moi et je ne suis plus sorti, sauf pour les réunions de la famille, auxquelles je participais comme une ombre, en disant toujours oui. J'étais obligé d'y prendre part, à ces réunions : si je n'y étais pas allé, étant donné les liens qu'il y avait eu autrefois entre Ferlito et mon frère, les Santapaola auraient interprété mon absence comme un signe d'éloignement, ou de trahison à leur égard. Mais j'étais en danger même en y allant ; c'est en allant aux rendez-vous qu'on se fait tuer.

Pendant l'année 1981, la guerre à l'intérieur de la famille s'est étroitement mêlée à celle qui avait commencé la même année à Palerme. L'assassinat de Stefano Bontade, à la fin du mois d'avril, a obligé tout le monde à prendre conscience que la fracture ne se refermerait que le jour où l'une des deux parties aurait fait plier l'autre par les armes. Après cet assassinat, Ferlito et les siens se sont empressés de s'attaquer à Nitto : ils ont tenté de le tuer à l'intérieur de sa concession Renault mais ils ont manqué leur cible et ils ont essuyé de dures représailles. Vingt jours après la mort de Bontade, les Corléonais ont frappé un autre coup décisif en éliminant le second grand leader de leurs adversaires : Salvatore Inzerillo. La justification avancée dans son cas était que, de concert avec Bontade, il avait escroqué vingt milliards au consortium que les familles de Palerme avaient monté pour faire le commerce de la drogue sur une grande échelle.

A Catane, les conséquences de ces événements ont été immédiates. Le pouvoir absolu des Santapaola s'est encore accru, parallèlement à mon angoisse sur mon propre sort à venir. Ma vie n'était plus la même. Je changeais souvent d'endroit pour dormir et je ne tenais plus que grâce au Valium. Je n'arrivais plus à m'endormir sans en prendre. Quand j'étais chez moi, je débranchais le téléphone. Je ne voulais pas qu'ils m'appellent pour me demander d'aller exécuter un ordre, du genre cacher un type en cavale ou participer à une attaque à main armée. De moi-même, je m'excluais des activités de la famille ; ma position devenait donc de plus en plus dangereuse. Quand on se tient à l'écart, on ne reçoit plus les informations et on devient plus faible, y compris par rapport à la police : si on n'est pas mis au courant de l'imminence d'un meurtre, on n'a pas la possibilité de

« fabriquer des preuves », de se monter un alibi convaincant. Quand ils ont tué Pippo, tous avaient tous les alibis nécessaires. Nitto était en Amérique, Mangion en Grèce, Lillo Conti à Fiuggi pour faire une cure thermale. Un peu plus, on commençait à soupçonner que c'était moi, ou un des amis les plus proches de mon frère, qui l'avait assassiné.

Pendant ce temps-là, ma situation sur le plan judiciaire se présentait de plus en plus mal. Cette même année 1981, le juge Falcone avait convoqué ma femme pour lui demander des explications à propos de certains chèques endossés par elle, provenant des versements effectués par Inzerillo[1]. Il lui avait demandé de me convaincre pour que je prenne contact avec lui le plus rapidement possible. Je savais que ce magistrat était en train d'arrêter tous ceux qui ne pouvaient pas fournir une explication valable pour les chèques qu'ils avaient reçus ou émis. La police était donc elle aussi sur mes traces.

Aussitôt après le meurtre de Ferlito, les carabiniers de Catane ont fait inculper tout un groupe d'hommes d'honneur pour association de malfaiteurs. Un mandat d'arrêt a été lancé contre moi et je suis passé dans la clandestinité. En septembre 1982, après l'assassinat du général Dalla Chiesa, il y a eu le vote de la loi Rognoni-La Torre, permettant la mise sous séquestre de biens d'origine illicite[2], et l'entreprise auprès de laquelle j'avais obtenu des chantiers en sous-traitance a cessé tout rapport avec notre société. Je suis donc resté sans travail. La banque m'a coupé tous les crédits, aussi bien personnels que ceux de la société dont j'étais un des associés, en me demandant, qui plus est, de rembourser immédiatement un découvert de quatre-vingts millions. J'étais complètement, irrémédiablement ruiné.

1. Giovanni Falcone a été le premier, en 1979, lors d'une enquête sur le mafioso Rosario Spatola, à faire saisir des documents bancaires. *(N.d.T.)*
2. Cf. chap. 12, note 1, p. 141 *(N.d.T.)*. Rognoni est le député démocrate-chrétien qui a promulgué la loi ; Pio La Torre, son initiateur, avait été tué par la mafia le 30 avril 1982, quelques semaines après l'arrivée du général Dalla Chiesa en Sicile. *(N.d.T.)*

Dans les premiers jours de février 1983, le mandat d'arrêt lancé contre moi a été annulé. Le juge s'était rendu compte qu'à force de demandes de recours, de chicaneries sur la procédure et de pressions, l'affaire était en train de lui échapper ; en cours d'instruction, il a abandonné quasiment toutes les charges contre tout le monde. Même contre ceux qui, comme moi, étaient en cavale. Le matin du jour qui a suivi l'annulation de ce mandat d'arrêt, un dimanche, j'ai fait monter ma femme et mes enfants en voiture et je les ai emmenés jusqu'à un grand sanctuaire. Ça faisait des années que je n'avais pas mis les pieds dans une basilique et j'ai quand même été assez ému de me retrouver avec tous ces gens qui avaient quelque chose en quoi croire. Après, comme bien souvent on l'avait fait, on est allés rendre visite à Nitto chez lui. C'est moi qui l'avais proposé ; ma femme hésitait, elle avait peur que ça ne soit pas très opportun, étant donné que nos relations avec les Santapaola s'étaient considérablement détériorées depuis la mort de Pippo. Mais je voulais montrer à tout le monde que rien n'avait changé ; et je voulais aussi me donner du courage à moi-même, et rassurer mes proches, à la veille de quelque chose qui allait finir et de quelque chose d'autre qui allait commencer.

La femme de Nitto a été légèrement déconcertée par notre visite. Elle nous a accueillis avec familiarité mais plus de mélancolie que d'habitude, attribuant cela au fait que son mari était en cavale[1], bien qu'elle n'ait eu aucun problème particulier pour le rencontrer. Elle s'est excusée de ne pas pouvoir ce jour-là nous inviter à déjeuner et je lui ai répondu de ne pas s'en faire. On est allés manger dans un restaurant de Zafferana Etnea, après quoi on s'est rendus chez mon cousin Salvatore Marchese. J'avais des soupçons aussi en ce qui le concernait ; notre visite avait pour but de le tranquilliser sur mes intentions et de gagner du temps. Dans le milieu paranoïaque de Cosa Nostra, une victime désignée — ce que j'étais — ne doit

---

1. Nitto Santapaola est accusé, entre autres, d'avoir participé à l'assassinat du général Dalla Chiesa. (N.d.T.)

manifester aucune inquiétude quand elle est face à ses bourreaux ; montrer qu'on a peur ne servirait qu'à les convaincre d'avancer le moment de l'exécution. J'étais sûr, en effet, que mon heure avait sonné ; j'en ai d'ailleurs eu la confirmation le lendemain par Francesco Mangion.

J'étais allé chez lui sans prévenir et je me suis mis à commenter avec lui l'assassinat de Franco Grillo, un des hommes de Nitto capturé par les survivants du groupe de Ferlito et dûment « interrogé » avant d'être exécuté. Sous la torture, Grillo — aux dires de Mangion — avait sans doute avoué la responsabilité de Nitto et des siens dans le meurtre de mon frère. Il était évident que si Mangion, un ami de Nitto, était au courant des aveux faits par Grillo, Nitto et ceux de son clan l'étaient également. Je n'ai pas été très surpris des révélations que Mangion m'a faites ; j'en ai même presque ressenti un soulagement : enfin, le prétexte si longtemps attendu pour m'éliminer était arrivé. Il était légitime en effet, à présent, de s'attendre à ce que je venge mon frère ; il était donc tout aussi légitime de leur part de prendre les devants et de se débarrasser de moi le plus vite possible. Et pas seulement de moi. J'avais réfléchi et je m'étais dit que Nitto, mon ami personnel, dont la femme était amie avec la mienne, me connaissait suffisamment pour savoir qu'un travail bien fait supposait également l'élimination de ma femme : il était logique en effet de penser que je m'étais confié à elle.

Je me suis prétendu malade et suis resté chez moi pendant une semaine pour préparer ma fuite. J'étais comme un animal traqué qui regarde le ciel et voit les nuages lourds, de plus en plus lourds et menaçants, et qui espère avoir encore le temps de trouver un refuge avant la tempête. Je n'arrivais plus à réfléchir, je ne vivais plus, j'avais peur de tout le monde mais je ne savais pas où aller : toute ma vie s'était passée là, à Catane et en Sicile, dans ce monde halluciné de Cosa Nostra et de ses complots. A l'extérieur de ce monde-là, c'était le noir complet. Et puis, une nuit, en parlant avec ma femme, on s'est aperçus qu'elle avait une adresse en Suisse, une maison d'accueil, une sorte d'auberge tenue par des curés.

« Écoute, peut-être que là-bas tu vas trouver du travail. Essaie d'y aller. Va-t'en ! Nous, on te rejoindra ensuite. Mais pour l'instant il faut que tu te sauves. Va-t'en d'ici ! »

Ça n'était pas facile de partir comme ça, de but en blanc. On n'avait pas d'argent et plus aucune disponibilité en liquide. On était propriétaires d'une maison et d'autres biens, mais il était impossible de les vendre en quelques jours. Ma femme avait son salaire d'employée, qui permettait tout juste de nourrir les gosses. Alors elle a vendu les petits bijoux en or des enfants, et les couverts en argent et tous les objets de valeur qu'il y avait dans la maison, pour rassembler une petite somme qui me permettrait de m'enfuir. Je suis parti de Catane avec un million sept cent mille lires en poche. Au passage de la frontière suisse, j'avais donc un peu plus d'un million cinq cent mille, qui était le maximum qu'on avait le droit d'emporter à l'étranger. J'ai glissé la différence dans une enveloppe que j'ai envoyée à Catane, avec une lettre pour ma femme. En Suisse, j'ai commencé à chercher du travail ; mais là-bas, pour travailler, il fallait avoir un permis de séjour, et pour avoir un permis de séjour, il fallait avoir un travail. C'était une histoire un peu absurde.

Ma femme m'a suggéré alors par téléphone d'aller en France, à Menton, juste après la frontière avec l'Italie, où elle connaissait la sœur d'un de ses collègues, une femme qui était médecin là-bas. « Va la voir. Peut-être qu'elle pourra t'aider. » Je me suis donc rendu à Menton, où je suis resté pendant presque un mois ; j'habitais à l'hôtel. Ma femme m'a rejoint dès qu'elle a pu rassembler un peu d'argent. Je suis tombé malade et j'ai été soigné à l'hôpital de Menton. Ensuite on a décidé de changer encore de ville et on est allés à Nice. On y était déjà venus, et on en avait gardé un bon souvenir (au moment de l'accouchement, notre fils avait eu des problèmes d'oxygénation et il avait eu besoin d'un traitement spécial, qui se faisait justement très bien à Nice). On a donc loué un appartement meublé, où je suis resté avec ma fille aînée, pendant que ma femme revenait à Catane pour continuer d'y régler nos affaires. Elle a vendu la maison grâce à une annonce dans le journal ; puis elle a attendu la fin de l'année scolaire des enfants et elle a demandé sa mise à la retraite, à laquelle elle avait droit puisqu'elle avait déjà vingt et un ans de service ; et au mois de juin, elle nous a rejoints. Notre famille était de nouveau réunie. La vente de la maison avait été vraiment providentielle ; petit à petit, nous avons transféré le bénéfice en France et nous avons été rassurés pour notre avenir le plus immédiat.

J'avais essayé pendant ce temps-là de vendre le matériel du chantier et les engins d'excavation que je possédais en tant que copropriétaire de l'entreprise de construction immobilière. Je faisais tout ça par téléphone, avec mon neveu Salvatore comme intermédiaire. J'avais toujours cette dette de quatre-vingts millions à solder avec la banque et les machines en valaient plus de deux cent cinquante. Je les ai offertes au concessionnaire Caterpillar de Catane, qui s'est montré intéressé à les racheter pour deux cents millions. Mais certains individus de l'entourage de Nitto s'en sont mêlés et j'ai été obligé de céder le tout à un type recommandé par eux, pour la somme très basse de cent quinze millions de lires, TVA comprise : juste un peu plus que ce qu'il me fallait pour solder mon débit avec la banque.

Le problème était de savoir maintenant ce qu'on allait faire en France. On ne connaissait pas la langue et on évitait évidemment tout contact avec les Italiens qui résidaient à Nice. Mis à part le risque d'être reconnus, c'était pénible de devoir inventer à chaque fois des histoires sur l'endroit d'où on venait, sur notre identité, sur les raisons pour lesquelles on était à l'étranger, etc.

Pendant toute la période où j'ai vécu seul, j'emmenais mon linge sale dans les laveries, ces blanchisseries automatiques qui sont très répandues en France. Et pourquoi ne pas monter nous aussi, tout compte fait, une blanchisserie ? C'est ce qu'on a fait. On a acheté des machines, loué un local, et on a ouvert début janvier 1984. On s'est mis au travail, et vraiment, là, on a été heureux. Tous les mois, ma femme allait en Italie, à Vintimille, pour toucher sa pension. Elle changeait l'argent et elle revenait à Nice. On arrivait à vivre avec environ deux millions de lires par mois et même à faire des économies.

Ensuite on a déménagé pour une maison plus confortable, en location toujours, et on a acheté de beaux meubles. Tout allait très bien. On travaillait beaucoup et on se sentait tranquilles, même si on faisait un métier plutôt humble. Les enfants s'étaient acclimatés sans problème, ils étaient heureux eux aussi, ils avaient des amis et ils s'amusaient bien. A Nice, j'ai renoué avec la vie, je suis né une seconde fois, j'ai mûri moralement. C'est là-bas que j'ai découvert mes enfants, que j'ai compris ce que ça veut dire de les élever, de les suivre, de les voir grandir d'une certaine manière. Quand nous nous sommes installés en France, les petites avaient douze et dix ans, et le garçon huit ans. Ils ont dû recommencer l'école une classe en dessous, par rapport à celle où ils étaient en Italie, mais ils s'en sont très bien tirés. Ils ont tout de suite appris le français, au point que c'étaient eux qui nous aidaient bien souvent pour certaines choses. A Catane, dans toute ma vie d'homme riche, de mafioso puissant et respecté, je n'avais jamais été aussi tranquille, aussi heureux que pendant ces trois années passées à Nice.

Dans ma vie précédente aussi, je m'occupais de mes enfants ; mais la peur d'être tué d'un moment à l'autre faisait que je ne pensais à eux que d'une manière très limitée. La seule question que je me posais, c'était : « A qui est-ce que je vais les laisser ? Comment vivront-ils sans moi ? » On n'a pas la place dans la cervelle pour penser à autre chose. Et on n'est pas dans l'état d'esprit nécessaire pour comprendre quel trésor ils représentent. Je vous ai déjà dit que beaucoup d'hommes d'honneur ne font des fils que pour se faire craindre par les autres mafiosi, pour augmenter la force de leur clan. Mais est-ce que c'est une chose logique, ça ? Est-ce que ça n'est pas une véritable aberration ? Ces hommes-là vivent comme des chiens, et ils ne le savent pas. Même quand ils sont richissimes.

Un soir de 1985, j'étais assis sur les marches de l'arrière-boutique de la blanchisserie et je bavardais avec ma fille, l'aînée, qui avait alors quatorze ans. Elle était curieuse de tout et commençait à se poser beaucoup de questions. Elle voulait tout savoir, elle voulait connaître les raisons de la vie agitée qu'on avait menée. Ma femme était là, elle aussi, et mes autres enfants. Tout à coup elle m'a demandé :

« Papa, explique-moi pourquoi on est partis ? Pourquoi on a quitté la Sicile ? J'aime la Sicile, moi.

— Écoute, mon trésor, je vais te dire une chose, une seule. A présent, tu as compris qui je suis, qui j'ai été là-bas, à Catane. Tu es grande, tu es presque une jeune fille. Si on était restés là-bas et qu'un type comme moi, un mafioso, était venu me demander ta main, je n'aurais pas pu lui dire non. Tu te serais mariée avec un homme comme moi. Et tu as vu quelle vie on mène, nous autres, en Sicile. Je n'étais jamais à la maison, je dormais toujours ailleurs, je rentrais ou je disparaissais à l'improviste, en pleine nuit. Tu crois que c'était bien ? Et tu vois, si ici tu te maries avec un garçon qui n'a pas un sou, mais que vous travaillez tous les deux et que vous vous aimez, eh bien, ça, ça sera un progrès énorme par rapport à notre situation là-bas. Tu peux être libre, tu peux être indépendante. Tu peux faire tranquillement tes études, tu peux chercher un métier qui te plaise. Et après, si tu veux te marier, tu te maries : c'est toi qui décides. Tu n'es pas obligée d'épouser qui que ce soit. Tu n'as pas à devenir la femme d'un mafioso et à mener une vie pleine de difficultés. Je ne parle pas des difficultés à cause du manque d'argent ; je parle des difficultés, des souffrances qui viennent de la peur. Tu sais très bien ce que je veux dire. » J'avais à peine fini de dire ça que ma fille s'est jetée à mon cou et a éclaté en sanglots.

A dire vrai, il y avait bien quelques ombres de mon passé récent qui continuaient à me poursuivre ; mais ça ne me causait pas d'inquiétudes sérieuses. Un matin, vers la fin de l'été 1984, en sortant de la blanchisserie, j'ai vu Piné Greco, le cousin de Michele Greco, qui marchait sur le trottoir d'en face, suivi d'un autre homme portant deux sacs en plastique d'un supermarché et qui m'a semblé être un soldat de la famille de Stefano Bontade. Aucun des deux n'a fait mine, heureusement, de s'apercevoir de ma présence et j'ai donc pensé qu'ils ne m'avaient pas reconnu. D'ailleurs j'avais beaucoup maigri et, contrairement à mon habitude, je portais de simples blue-jeans. Quelques semaines après cette vilaine rencontre, j'ai vu s'encadrer dans la porte du magasin un personnage qui m'a glacé le sang : c'était un petit homme maigre dont je ne connaissais pas le nom mais que j'avais déjà vu chez Michele Greco. Je suis resté impassible, en m'efforçant de dominer ma frayeur. Il m'a donné des habits à laver et il n'a pas eu l'air de me reconnaître. Je lui ai tendu son ticket et le jour où il était censé venir reprendre ses vêtements nettoyés, je me suis arrangé pour ne pas être derrière le comptoir. C'est ma femme qui l'a reçu, et qui est restée calme et forte pendant tout ce moment interminable. Ce mafioso n'est plus venu au magasin mais ma femme comme moi on a continué à le voir passer devant chez nous presque tous les jours, comme un horrible fantôme du passé.

J'ai rencontré Piné Greco d'autres fois, mais toujours dans des circonstances où il ne pouvait pas m'identifier. Une fois seulement j'ai été reconnu par un Catanais, un modeste voyou qui rôdait dans les milieux du commerce de poisson et qui est venu vers moi pour me dire bonjour. J'ai fait celui qui ne le reconnaissait pas, qui ne parlait pas sa langue, et j'ai répondu en français à ses exclamations de politesse. Il a insisté un peu et, finalement, s'étant rendu compte que je n'avais pas l'intention de parler avec lui, il m'a dit : « D'accord. J'ai compris. » Et il a disparu.

Petit à petit, à force de travailler et d'économiser, on est arrivés à faire un emprunt et même à acheter un logement. Un petit appartement, mais qui était bien à nous. Le prêt devait se terminer en 1995. En décembre 1984, un mandat d'arrêt pour crime de mafia avait été lancé contre moi par le parquet de Turin. En février 1985, le repenti Salvatore Contorno avait révélé que je faisais partie de la mafia et le juge Falcone m'avait inculpé, lançant contre moi un autre mandat d'arrêt. Et je me trouvais donc à Nice, avec deux inculpations sur la tête, mais toujours aussi heureux. Je vivais à présent comme un citoyen ordinaire. Mon avocat de Catane me disait de rester tranquille, que tôt ou tard tout s'arrangerait, que les choses se débloqueraient en ma faveur.

Du côté de Cosa Nostra, ça ne semblait pas non plus aller trop mal. Ni mes amis ni mes adversaires ne savaient où j'étais ; j'avais vraiment rompu les ponts avec tout le monde. Je n'avais reçu aucun signal qu'ils me recherchaient. Le seul problème sérieux que mon absence pouvait leur causer, c'était dans le cas où je déciderais de collaborer avec la police. Mais pas mal de temps avait déjà passé et il ne s'était rien produit de ce genre. Je n'avais nullement l'intention, en effet, de me « repentir ». Il était donc probable qu'ils étaient en train de m'oublier, qu'ils ne me considéraient plus comme une menace, comme un danger imminent.

Notre nouveau logement était prêt. Nous devions aller y habiter aux alentours du 20 mai 1986. Mais le 9 mai, j'ai été arrêté par la police française. C'était un vendredi, et je suis resté jusqu'au matin du lundi suivant à la prison de Nice. Le jour même de mon arrestation, j'ai été interrogé par le juge, qui m'a demandé si je voulais rester là, en France, ou revenir en Italie. J'ai répondu que je ne voulais à aucun prix revenir en Sicile et il a donc entamé la procédure. Si je n'avais pas dit ça, les policiers de Catane qui avaient épaulé leurs collègues français pour mon arrestation m'auraient emmené avec eux. Ou en tout cas, c'est ce que j'avais craint.

Ils m'avaient retrouvé parce qu'ils avaient intercepté une communication téléphonique entre ma femme et son frère, qui était en Sicile : elle lui avait parlé de notre petite fille qui devait être soignée dans un hôpital de Nice. Ils ont enquêté dans tous les hôpitaux de la ville et ils ont retrouvé la date de son admission, avec notre adresse. Ils nous auraient sûrement retrouvés avant, s'ils avaient consulté la liste des cartes de séjour : j'avais en effet demandé et obtenu le permis de séjour dès 1984 ; j'étais régulièrement enregistré comme résident étranger, et sous ma véritable identité.

Un des policiers qui m'a arrêté m'a dit : « On se connaît bien maintenant. Ça fait plus d'un mois que je vous file. » Il voulait dire qu'il s'était posté avec une caméra vidéo dans une maison qui faisait face à la nôtre. J'ai répondu que ça me faisait plaisir : comme ça, il avait pu se rendre compte que je sortais tous les matins, à sept heures et demie, pour aller travailler et que je n'avais aucun contact avec personne. Je travaillais, un point c'est tout. Et j'étais parfaitement en règle, aussi bien avec la justice italienne qu'avec la justice française. J'ignorais tout de ces mandats d'arrêt, j'avais une activité honnête, un compte en banque et tous les documents nécessaires pour l'obtention de ma carte de séjour. Ma famille était une famille normale, tranquille, pareille à toutes les autres.

De Nice, j'ai été emmené à Aix-en-Provence, près de Marseille, et j'ai été mis dans une cellule avec des Calabrais. Ils m'ont fait lire un livre sur la mafia qui était fait à partir des documents du maxi-procès de Palerme ; on y parlait aussi de Pippo et de moi. C'était l'enregistrement d'une conversation téléphonique effectuée au Canada, à Toronto, à partir du téléphone du bar de Paul Violi en 1974. Dans cette conversation interceptée, il était dit que Pippo était le représentant provincial de Cosa Nostra, et votre serviteur, le représentant « de la ville », autrement dit de Catane. J'ai aussitôt pensé que plus de dix ans avaient passé depuis ce coup de téléphone : quelqu'un avait dû cacher ce document dans un tiroir, en attendant pour le ressortir le moment où il lui serait le plus utile. De toute façon, la description de mon rôle à l'intérieur de Cosa Nostra concordait avec les accusations de Salvatore Contorno. Les juges avaient donc entre les mains des éléments qui pesaient lourd contre moi. Plus aucun doute : j'étais de nouveau dans un sacré pétrin.

Malgré ça, et jusqu'en décembre 1986, je n'ai pas décidé de collaborer avec la justice. Je suis resté presque huit mois en prison, plaçant tous mes espoirs dans des choses impossibles, certain qu'un beau jour mon avocat allait me dire : « Ils n'ont rien contre toi. Tout s'est arrangé. Tu es libre. » Pendant ce temps-là, ma femme continuait à s'occuper de la laverie, mais rien n'était plus comme avant, le charme était rompu. Et quand je la regardais pendant ses visites au parloir, je remarquais ici ou là de petits signes de fatigue, et une sorte de tristesse quand elle parlait de notre avenir et de celui de nos enfants. Mais c'était la situation à l'intérieur de la prison qui me préoccupait le plus. Je n'avais pas une grande confiance dans les autres détenus. J'étais dans un quartier spécial, où les prisonniers en attente de jugement avaient chacun une cellule particulière et étaient soumis à une surveillance très serrée. Toutes les portes avaient une double serrure. Ils ne me laissaient jamais, sous aucun prétexte, marcher seul ; j'avais toujours un gardien à côté de moi. Au parloir, le gardien se mettait devant la porte et n'en bougeait plus, jusqu'au moment où il fallait me raccompagner dans ma cellule. Dans cette même prison était détenu un homme d'origine corse, le tueur qui avait assassiné le juge Michel à Marseille, en 1981.

Je me suis rendu compte à un moment donné que des messages avaient dû commencer à venir de Sicile. Mes compagnons de prison ont organisé une évasion bizarre et m'ont demandé de m'enfuir avec eux ; ils disaient qu'ils avaient des bombes et d'autres armes. J'ai refusé ; je me suis dit qu'ils commenceraient par me tuer, avant de s'évader, que c'était un plan inventé pour créer l'occasion de m'éliminer sans soulever de soupçons. Et en effet, le lendemain du jour fixé pour l'évasion, je les ai trouvés qui étaient tous là, en train de se promener tranquillement dans la cour. Je leur ai lancé d'un ton ironique : « Alors, vous êtes encore là ? » Ensuite, j'ai révélé au directeur que des bombes étaient cachées dans la prison. Tous les détenus de ce quartier ont été emmenés dans la cour et on les a fait entièrement se déshabiller. C'était l'hiver et il faisait très froid. Leurs cellules ont été mises sens dessus dessous, et toutes leurs affaires ont été balancées dehors, dans le couloir.

Le matin du 31 décembre, j'ai été saisi par une angoisse et je me suis mis à faire un énorme boucan. J'ai hurlé et tapé des pieds à n'en plus pouvoir, en demandant à parler avec le directeur. Ils m'ont emmené dans un autre quartier, mais les gardiens n'avaient pas l'air d'avoir l'intention de m'écouter. L'assistante sociale de la prison est venue ; pendant mon entretien avec elle, j'ai attrapé le téléphone qui était sur la table, je l'ai lancé contre le mur et j'ai commencé à casser tout ce qui était à ma portée. « Je n'ai pas besoin d'une assistante sociale. Je veux parler tout de suite avec le directeur ! J'ai des choses importantes à lui dire. Il faut que je lui raconte plein de choses avant d'être tué ! » Je criais comme un fou. Ils m'ont maîtrisé et m'ont enfermé dans une pièce. Le directeur est arrivé dans l'après-midi ; je lui ai dit qu'il était absolument urgent que je parle avec le juge Falcone. J'avais décidé en effet de collaborer et de lui dire tout ce que je savais sur la mafia en Sicile.

« C'est le soir du jour de l'an. Où est-ce que vous voulez que je le trouve, le juge Falcone, à cette heure-ci ?

— Je m'en fiche. Cherchez-le. Il faut que je parle tout de suite avec lui. »

Plus tard, vers vingt heures, sont arrivés deux policiers français, dont l'un parlait italien. Je lui ai dit : « Je ne plaisante pas. Écoutez-moi bien. Avant toute chose, il faut que vous alliez chercher ma femme et mes enfants, et que vous les fassiez disparaître de la circulation. Il faut qu'ils soient entre vos mains, sous votre responsabilité, parce que les autres veulent nous tuer tous. Et puis il faut que vous sachiez que Nice est plein de mafiosi en cavale. Il y a Greco, et il y en a beaucoup d'autres avec lui. Suivez-le et vous en arrêterez plein. Ça, c'est seulement les premières choses que j'ai à vous dire. C'est juste pour vous montrer que je suis sincère et que je ne suis pas en train de vous mentir. »

Je m'attendais à des conséquences immédiates, à être

traité différemment. Or, à partir de ce moment-là, ils ne m'ont plus tenu au courant de rien. Ils m'ont envoyé dans une autre prison, où ils m'ont gardé enfermé dans une cellule pendant huit journées terribles, durant lesquelles je n'ai pratiquement rien mangé et presque pas dormi. Le directeur de la prison avait placé dans ma cellule un détenu qui n'aurait pas dû me causer de problèmes, et qu'il avait choisi lui-même. Mais bien au contraire, ce cinglé m'a fait passer par les souffrances de l'enfer. Chaque nuit, les gardiens ouvraient la cellule, comme s'ils allaient entrer. Et moi, je ne dormais pas. Je restais assis toute la nuit, les bras serrés autour de la télévision, prêt à la lancer sur eux au cas où ils entreraient dans la cellule. Je m'étais mis dans l'idée qu'ils essayaient d'entrer pour me tuer. J'étais absolument convaincu que des gens avaient payé ces gardes pour qu'ils me tuent, qu'ils m'empêchent de parler. Du coup, les types qui étaient de garde le faisaient exprès : ils s'amusaient à faire jouer lentement, dans un sens puis dans l'autre, le mécanisme de la serrure de la porte, comme s'ils allaient l'ouvrir. Et moi je restais là, les yeux exorbités, à regarder les deux languettes de fer qui bougeaient tout doucement, tout doucement... Et mon compagnon de cellule avait un comportement bizarre, comme s'il était de mèche avec les gardiens. Ils avaient tous décidé de me rendre fou.

J'ai été finalement obligé de demander à voir le directeur pour lui dire que je renonçais à faire appel, que je ne m'opposais plus à mon extradition : « J'irai en Italie. Si je dois mourir, autant mourir là-bas. Je ne veux plus voir personne ici ! » Et puis, une nuit, ils m'ont déshabillé et ils m'ont roué de coups de bâton, de coups de pied, de coups de poing, partout. Les gardiens étaient déchaînés, on aurait dit des bêtes. Ils m'ont même envoyé des coups de pied dans la tête. Ils voulaient me punir, parce que je m'étais enfermé dans ma cellule pour m'opposer à mon transfert dans un autre endroit, encore pire, à la merci d'un grand nombre de détenus qui auraient pu me poignarder, m'étrangler et me mettre en pièces à plaisir. Je m'étais barricadé ; j'avais placé le châlit devant l'entrée de la cellule. Les gardiens ont tout fait tomber sur moi, et ça m'a fait très mal. Ensuite, ils m'ont frappé au visage et à la tête, systématiquement, sans me laisser reprendre mon souffle. Quelques heures plus tard, ils m'ont annoncé que ma femme et mes enfants étaient arrivés pour le parloir. Je suis resté interloqué. Je ne savais plus quoi faire, je ne voulais pas qu'ils me voient dans l'état où j'étais, couvert de bleus, tout gonflé, ensanglanté. Mais si je n'étais pas allé au parloir, qui sait ce qu'ils auraient pensé alors ?

J'ai décidé finalement de me laver et de m'arranger un peu, et de me rendre au parloir. Dès que mon fils a vu son père dans cet état, il s'est mis à pleurer. J'étais humilié et furieux. J'ai dit à ma femme : « Cours tout de suite à la préfecture de police ! » Elle y est allée et elle a fait un grand scandale. Alors un fonctionnaire du consulat italien est arrivé et, le jour même, ils m'ont changé de prison. Ils m'ont envoyé à Marseille, au milieu des dingues, à l'asile de fous. J'étais mieux, là-bas. Ils étaient tous fous à lier ; ils ne comprenaient rien à rien et il n'y avait aucun danger. Deux mois plus tard, j'ai été convoqué par le médecin qui dirigeait l'asile, qui m'a annoncé :

« Je te relâche. Tu es guéri.

— Bon. Et maintenant vous m'envoyez où ?

— Où tu étais avant, naturellement. A Aix-en-Provence. »

Et c'est comme ça qu'ils m'ont ramené dans ce même secteur que j'avais fait mettre sens dessus dessous, le jour où j'avais mouchardé à propos des bombes. Dès qu'ils m'ont vu arriver, les détenus m'ont dit : « Cette nuit, on te crève. »

La première nuit, je n'ai pas fermé l'œil. Le lendemain soir, les types qui étaient dans la cellule à côté de la mienne ont été déplacés dans le plus grand silence. J'étais terrorisé. On m'avait dit que, quelque temps avant, le locataire de la cellule où je me trouvais avait été retrouvé pendu. Et que dans cette prison, les gardiens pendaient les prisonniers. Je sentais que c'était la fin. A six heures du soir, ils m'ont amené à manger. Je savais que le changement de service des gardiens se faisait à sept heures moins le quart : j'ai fait semblant d'avoir avalé quelque chose et quand le gardien est parti parce que son service était terminé, j'ai pris une lame de rasoir et je me suis entaillé le ventre. Je me suis fait deux incisions profondes, on pouvait voir les boyaux. J'ai appelé le gardien et je lui ai demandé de me faire emmener à l'hôpital. Mais il est resté à côté de moi ; il a juste averti un collègue. Et plus d'une heure s'est passée avant que quelqu'un revienne. C'est le directeur qui est arrivé, accompagné d'autres responsables de la prison. Ils m'ont fait déshabiller ; ils pensaient que je cachais un billet, un message que je voulais remettre à quelqu'un à l'hôpital. Après, je me suis rhabillé ; l'hôpital, je n'y suis arrivé que vers onze heures du soir. Je n'avais plus beaucoup de sang, j'étais très amaigri et très faible. Je délirais presque, j'étais en train de partir dans l'autre monde. C'est les pompiers qui m'ont transporté, ou plutôt les super-pompiers, un corps d'élite particulier ; ils m'ont remis à la gendarmerie en disant : « Faites attention parce que c'est un repenti. » Alors que personne n'aurait dû le savoir, que j'étais un « repenti » ! Et voilà que même les pompiers étaient au courant !

J'ai été étendu sur un lit qui avait des barreaux, on m'a attaché les mains et les pieds, et on m'a recousu comme un chevreau qu'on s'apprête à mettre à la broche. Dès que le chirurgien a eu fini de me recoudre, les autres ont voulu me ramener en prison. Mais le médecin s'y est opposé :

« Il ne peut pas retourner en prison. Je dois le garder encore en observation.

— C'est un détenu spécial, un repenti. Il ne peut pas rester à l'hôpital. On a l'ordre de le ramener à la prison.

— Et moi, je refuse l'autorisation. »

Le gendarme insistait :

« Il faut qu'on le ramène à la prison. Ici, il ne peut pas être surveillé comme il faut.

— Vous avez un hôpital à la prison ? » lui a demandé le chirurgien, qui commençait à s'énerver.

Alors j'ai crié :

« Bien sûr que non qu'il n'y a pas d'hôpital !

— Si. Il y a un secteur spécialement équipé. Si vous voulez, docteur, vous pouvez vous mettre d'accord avec le directeur de la prison », a conclu le gendarme.

Le médecin a téléphoné au directeur, qui l'a assuré qu'il y avait bien un hôpital à l'intérieur de la prison. Je suis donc arrivé à la prison vers deux heures du matin et j'ai été placé dans une sorte d'infirmerie, où on m'a fait une perfusion et où j'ai dû supporter pendant toute la nuit les avanies du gardien-chef. Ça aussi, c'était une punition pour m'être repenti.

La seule chose que j'ai gagnée à m'ouvrir le ventre, ç'a été d'être transféré dans une autre prison, où j'ai dû encore passer quelques semaines avant de pouvoir enfin, en avril, être traduit devant le juge Michel Debacq, du parquet de Marseille, qui m'a demandé :

« Vous voulez parler avec le juge Falcone, c'est ça ?

— Oui. Il le faut absolument.

— Où est votre avocat ? Vous avez désigné un avocat ?

— Je n'ai plus d'avocat. Je ne veux plus d'avocat.

— Alors, vous déclarez sous votre propre responsabilité que vous ne voulez pas avoir d'avocat pour vous défendre ?

— Oui. C'est ça.

— Bon. Vous pouvez y aller. On vous fera convoquer. »

Je n'aurais pas pu résister, après ce 31 décembre 1986, aux souffrances physiques et à la tension nerveuse de la vie carcérale en France, si je n'avais pas eu une assurance, une certitude, une seule et unique certitude mais pour moi fondamentale. Après l'annonce que je me repentais, un plan de protection très sérieux avait été déclenché. Ma femme avait vendu notre appartement et notre laverie, et elle avait déménagé avec les enfants dans une autre ville. La police française veillait attentivement sur elle, et la police italienne également, le Nucleo Centrale anticrimine [le Noyau Central contre le crime (N.d.T.)] dirigé par le Dottore Gianni De Gennaro, qui collaborait au programme de protection. Le Dottore De Gennaro avait

334

même mis à la disposition de ma famille un inspecteur, Giovanni Natella, au cas où ils auraient besoin de quoi que ce soit. Il vivait avec mes enfants, qui étaient très contents de lui. Il était presque devenu pour eux un second père.

Avant même que je ne parle avec le juge Falcone, le Dottore Antonio Manganelli, l'adjoint de De Gennaro, était arrivé en France, mais pas pour rentrer en contact avec moi. Ça ne lui était pas possible. Il parlait avec ma femme, il la rassurait sur le sort de notre petite famille, et il lui redonnait courage. Ma femme avait beaucoup d'admiration pour lui. Elle n'arrêtait pas de me parler de ce Manganelli. Et un jour, elle m'a dit : « Tu sais, Nino, le Dottore Manganelli m'a dit que le jour où ils t'interrogeront, je serai là, moi aussi. »

Et ce jour est enfin venu. Le 16 avril 1987, le juge Falcone est arrivé avec deux autres juges de Palerme, Natoli et Sciacchitano, et tout le monde s'est réuni dans une pièce avec le juge Debacq, un interprète et un greffier. Il y avait aussi le Dottore Manganelli. Je leur ai demandé :

« Et ma femme, où est ma femme ?

— Votre femme arrive, ne vous inquiétez pas.

— Je ne m'inquiète pas. J'ai confiance en vous. Mais je ne commencerai à parler que quand ma femme sera arrivée. »

Je tenais à ce qu'elle soit là parce que je m'étais préparé tout un discours à faire devant tous ces gens sérieux, tous ces hommes de loi. Je ne savais pas où elle était. Peut-être là, dans la pièce à côté, et le juge Debacq ne voulait pas la faire entrer. Ou bien peut-être vraiment en train d'arriver. De toute façon, si elle ne venait pas, je n'avais pas l'intention d'ouvrir la bouche. Finalement, comme le soir tombait, ils l'ont fait entrer dans la pièce. J'ai déclaré alors calmement :

« Avant que je ne commence à collaborer avec vous, il y a une chose que je tiens à dire. » Ensuite je me suis adressé au Dottore Manganelli :

« Dottore, est-ce que vous êtes marié ?

« — Non.

— Alors écoutez-moi bien. A partir de ce soir, vous avez une femme et trois enfants. Vous vous sentez capable de me les garder sains et saufs, ces trois petits-là et cette femme ?

— Je vous en donne ma parole. Pour vous, je ne sais pas, mais pour eux, je vous en donne ma parole.

— Alors c'est d'accord. Je vous remercie du plus profond du cœur. Maintenant on peut commencer. »

Ils m'ont interrogé ensemble, Debacq et Falcone. A partir de ce moment-là, je les ai vus régulièrement, une fois par mois ; tous les mois, ils m'interrogeaient pendant une semaine. Après ma première entrevue avec Debacq, mon traitement à la prison s'était amélioré. J'étais détenu à Lyon, dans une prison où personne ne me connaissait et où j'étais à l'abri des pièges qu'on pouvait me tendre depuis la Sicile. C'était d'ailleurs la prison où était enfermé ce type qui avait exterminé tous les juifs de France pendant la guerre, le « bourreau de Lyon » ou le « tueur de Lyon », je ne sais plus comment on l'appelait. Mais pendant la semaine où je devais rencontrer Debacq et Falcone, j'étais transféré à Marseille, dans l'asile de fous où j'avais déjà séjourné. J'étais dans une pièce sans barreaux aux fenêtres, au milieu de tous ces dingues qui couchaient sur des matelas par terre, avec tout leur linge de corps éparpillé autour d'eux. Ils se pissaient dessus, ils faisaient leurs besoins là où ça tombait ; de toute façon, ils ne comprenaient rien à rien. Tous les matins, on les lavait au jet d'eau en même temps que le carrelage. On les aspergeait carrément au jet d'eau. Mais je n'étais pas fou, moi, et tous les mois, je passais une semaine de cauchemar. Le fait de m'être repenti, de révéler des choses que personne n'avait jamais sues avant, ne m'avait donné aucun avantage significatif. J'en parlais à Falcone, qui me répondait : « Qu'est-ce que vous voulez, ici on est invités. A l'étranger, nous n'avons pas voix au chapitre. » Quand j'en parlais à Debacq, il me disait : « Je ne peux rien faire. Le système carcéral est indépendant. »

336

Quoi qu'il en soit, à partir du mois de juin, ils ont cessé de m'emmener dans cet asile de fous et j'ai été transféré dans une autre cellule de la prison de Lyon. C'est moi-même qui ai dit au directeur où je voulais aller. Mais un jour où je venais tout juste de réintégrer ma cellule après le parloir, une énorme pagaille s'est déclenchée. Mutine-rie de tous les détenus. Tout était en flammes, ils ont mis le feu à la prison tout entière. Ils ont démoli tout ce qu'il y avait à l'intérieur. Seuls les murs et les parties métalli-ques en ont réchappé. Les portes des cellules étaient entassées dans le couloir en attendant qu'on y mette le feu. J'avais de l'eau chaude qui me coulait dessus depuis le plafond de ma cellule, placée à côté d'un entrepôt de papier qui avait été incendié. Tous les détenus, presque deux mille, se sont évadés. J'étais le seul à ne pas pouvoir m'échapper, parce que la clé de ma cellule n'était pas sur le trousseau général dont les rebelles s'étaient emparés pour ouvrir les portes de toutes les cellules. Seuls quelques gardiens l'avaient en leur possession, et ils s'étaient sauvés sans m'emmener. J'étais fait comme un rat. Je suis resté trois heures assis sur la cuvette des waters avec une bassine d'eau à côté de moi et une serviette que je mouillais de temps en temps et que je me passais sur le visage pour me protéger de la chaleur de l'incendie. La fumée commençait à m'étouffer quand les gendarmes ont finalement eu le dessus et ont fait irruption à l'intérieur de la prison, en même temps que les pompiers. Le directeur-adjoint est venu me libérer, accompagné de quelques gardiens. J'étais dans une colère noire : « Vous m'avez délivré, d'accord. Mais pourquoi vous ne m'avez pas emmené avec vous ? Pourquoi vous m'avez aban-donné ici, à crever comme un animal dans sa cage ? »

Pour toute réponse, ils m'ont mis pendant deux jours dans une autre cellule, nue et sans meubles, ni sommier ni matelas. J'avais juste une serviette. J'ai refusé de manger. Le directeur est arrivé et il m'a demandé ce qu'il pouvait faire pour moi. J'ai répondu : « Renvoyez-moi dans la cellule où j'étais avant. » Il m'y a renvoyé et j'ai vu alors un spectacle révoltant : tous mes vêtements étaient trempés et salis de cendre, et il y avait du sang partout, sur les murs, sur le sol, partout. La porte des waters était en pièces. Ce qui s'était passé, c'était qu'entre-temps, on avait installé dans ma cellule un autre type, qui avait tenté de se suicider ou bien qui avait été gravement blessé. J'ai encore changé de cellule mais la nouvelle était aussi vide que la première et je me suis résigné à dormir sur des journaux. Au bout de trois ou quatre jours, ils m'ont apporté un matelas, sur lequel je me jetais quand le soir venait.

Quelque temps après, tout a recommencé. Un autre incendie, une autre mutinerie, et à nouveau votre serviteur en danger de mort. Par deux fois, ils ont essayé de me cramer. Ensuite, j'ai compris. Alors que je croyais que personne ne savait que j'étais détenu à Lyon, j'ai reçu un beau jour une lettre d'un avocat de Cannes. Il disait qu'il parlait au nom de mon neveu, qu'il me demandait de le désigner comme mon défenseur et qu'il sollicitait de me rencontrer de toute urgence. Il me disait aussi que quelqu'un essaierait d'entrer en contact avec moi pour me faire dire des choses que je n'avais pas l'intention de dire. Je n'ai pas répondu ; ils m'ont encore envoyé un télégramme de relance. C'était clair : ils étaient sur mes traces. Les lettres et les télégrammes n'étaient que les premiers avertissements, les premières intimidations directes. Comme ils n'arrivaient pas à me faire tuer à l'intérieur de la prison, le mieux pour eux était de passer directement à l'action. Et en effet, justement pendant cette période, quatre Catanais ont été arrêtés à la frontière italienne, parmi lesquels deux de mes cousins, Giuseppe et Salvatore Marchese. Ils revenaient sans doute d'effectuer une première reconnaissance des lieux dans la ville où j'étais détenu. J'ai fait prévenir ma femme par une assistante sociale de la prison en lui demandant de ne pas venir au parloir et j'ai montré les télégrammes aux juges.

J'ai demandé alors à partir de Lyon et à rester définitivement dans la prison de Marseille. Étant donné que mes ex-camarades assassins savaient où j'étais, je pouvais tout aussi bien rester là-bas.

J'étais à Marseille quand le Dottore Manganelli m'a dit : « Écoutez, nous avons trouvé un arrangement pour votre femme et vos enfants. Nous pouvons les envoyer à l'étranger. Nous sommes en train d'organiser les choses de manière à ce qu'ils puissent partir et que tout soit en règle. Je ne vous le promets pas, mais je peux également vous dire qu'il y a une possibilité pour qu'un jour vous puissiez vous aussi les rejoindre là-bas, plus tard. » Je n'en croyais pas mes oreilles ; mais je n'avais aucune raison de mettre en doute les paroles de quelqu'un d'aussi sérieux et correct que lui. Très ému, j'ai répondu : « Faites-les partir le plus tôt possible. Et que Dieu vous bénisse. »

Je suis à l'étranger moi aussi, à présent. Avec ma famille, en lieu sûr. Dans un pays propre, où l'ordre règne. Loin des turbulences de l'île, de la mafia, de Cosa Nostra. Loin de votre monde, mafiosi, et de votre manière tordue de penser et de vivre. Et maintenant je veux vous crier à tous, de toutes mes forces : si vous avez dix millions en poche, ou vingt, trente, cent millions — n'importe quel mafioso a ça en poche aujourd'hui — procurez-vous un passeport. Prenez votre famille et sauvez-vous de là-bas, disparaissez. Allez-vous-en ailleurs, partez sur un autre continent, dans un autre monde, le plus loin possible de la Sicile. Parce que là-bas, ça finit toujours de la même manière. Ça finit par la mort. Et vous mourrez, et vos enfants eux aussi mourront. Et vos femmes pleureront, et les femmes de vos fils pleureront, et aussi les enfants de vos fils. Et toutes les générations qui vous suivront pleureront à leur tour des larmes amères, parce que tout ça est une chaîne. La mort appelle la mort comme le sang appelle le sang. C'est quelque chose qui n'a pas de fin.

Nitto Santapaola avait une peur folle de ça. Mais la seule chose qu'il savait faire, c'était de dire : « Il faut tuer aussi les fils de ceux qu'on a tués. » Il disait ça parce qu'il avait peur que les fils des morts, en grandissant, ne viennent le tuer lui, ou ses propres fils. Votre grande terreur, à vous, les mafiosi, elle vient de là. Vous savez qu'un être humain n'est jamais seul, mais qu'il vit entouré d'affection, qu'il est pris dans une multitude de liens. Et quand cet homme n'est plus là parce qu'un autre lui a ôté la vie, ça ne veut pas dire que tout, de lui, disparaît pour autant. Les gens qu'il aimait restent, et les liens qu'il avait tissés restent aussi. Un assassinat, c'est comme un trou dans un filet mais un filet qui serait fait de sentiments humains. Vous ne les avez donc pas vus, les gens, quand ils pleurent leurs morts, tous leurs morts, même ceux des accidents de la route, ceux de la fatalité ? Vous n'êtes jamais allés dans la famille d'un homme qui vient de mourir ? Vous avez vu comme ils pleurent, les gens ? Ou bien le serment que vous avez prêté à Cosa Nostra vous aveugle au point que vous ne voyez plus rien, que vous n'entendez pas les pleurs et la souffrance des gens que vous exterminez ?

Ceux qui ont été assassinés ont des parents, ils ont des frères, ils ont des amis, et surtout, ils ont des fils qui souffrent de leur disparition et qui, même des années et des années plus tard, quand vous croyez pouvoir penser qu'ils vous ont oubliés, se dressent devant vous et vous crient à la figure : « Tu as tué mon père ! A présent, c'est moi qui vais te tuer. » C'est comme ça que meurent beaucoup de puissants mafiosi. Ils ont trop assassiné, ils ont trop d'ennemis. Aujourd'hui, plus personne ne meurt de mort naturelle, dans son lit, comme les hommes d'honneur d'autrefois. Nitto Santapaola, Totò Riina, Bernardo Provenzano, et tous les autres comme eux, se sont condamnés eux-mêmes. Pour eux, il n'y a plus d'espérance. Ils mourront assassinés.

Certains croient se protéger de cette malédiction à travers le pouvoir qu'ils exercent. Ils essaient d'être au-dessus de tous les autres : ils s'imaginent que dès qu'ils vont redescendre, même un tout petit peu, ils seront tués. C'est pourquoi ils continuent à tuer. Ils tuent pour continuer à commander et, dès ce moment-là, il n'y a plus d'issue pour eux. Ils ne peuvent pas ne pas commander. Aussi longtemps qu'ils commandent, ils restent vivants ; quand ils ne commandent plus, ils meurent. Ils s'imaginent que personne ne sera assez fou pour essayer de les atteindre. Tant qu'ils ont le pouvoir, ils se croient invulnérables. Et ils prétendent même que nul n'a le droit de les frapper, ni eux, ni leurs enfants.

Mais pourquoi ? Si tu as tué mon père, pour quelle raison est-ce que je ne pourrais pas tuer ton fils, moi ? Si toi, Nitto, tu as fait mourir le père de quelqu'un, pourquoi cet homme-là ne devrait-il pas se sentir le droit de faire mourir ton fils ? Même en cachette et sans venir te le dire, pour le seul plaisir de te faire souffrir. Toi, tu as eu le plaisir de faire souffrir les autres ? Bon. Eh bien, tu dois t'attendre alors à ce que quelqu'un, un jour, tue un de tes fils, pour le seul plaisir de te faire souffrir, toi.

C'est pour cette raison que l'existence, à Cosa Nostra, est si courte et si malheureuse. Il n'y a aucune sécurité nulle part, on vit au bord d'un abîme. Aujourd'hui, Totò Riina est en haut, au sommet de la montagne. Demain, il peut se trouver à terre, au milieu de la poussière, criblé de balles et la tête dévorée par les chiens, comme mon *compare* Francesco Cinardo. Pourtant, Riina est aussi puissant que Jésus-Christ parce qu'il a le pouvoir suprême. Il dispose de la vie de l'homme : d'un geste, il peut ôter ou épargner la vie de n'importe qui. Il est au-dessus de tout le monde. Mais dans le même temps, il est réduit à une condition misérable : il ne peut plus se promener, il ne peut plus voyager, il ne peut plus dormir, il ne peut plus s'asseoir dans un jardin d'orangers le soir et jouir de la fraîcheur et du parfum des fleurs. Il ne peut rien faire dans la tranquillité. Il est entièrement habité par la terreur d'être tué. Et un type comme lui, quand il meurt et qu'il fait le compte de sa vie, qu'est-ce qu'il peut dire qu'il a eu ? Il reverra sa vie défiler devant lui, la vie d'un homme qui s'est toujours caché, qui s'est sauvé, qui est resté solitaire. Toute une existence de tensions et de peur, toute une vie de tragédie. Qu'est-ce qu'il a vu du monde, un homme comme Totò Riina, qui est en cavale depuis vingt-cinq ans et qui — même s'il est richissime, s'il possède des villas et des palais — n'a jamais quitté les champs, les grottes et la compagnie des animaux au milieu desquels il est né ? Qu'en sait-il, de toutes les choses que la nature a faites et de celles que l'homme à créées ?

Hommes de Cosa Nostra, beaucoup d'entre vous sont en fuite et vous savez de quoi je parle. Mais laissez-moi dire quand même ce que c'est, la vie d'un fugitif, toujours dans la clandestinité, toujours dans l'ombre et dans l'inquiétude. Beaucoup de fugitifs de la mafia font régulièrement des enfants et rencontrent leurs femmes, c'est vrai. Mais expliquez-moi un peu quelle sorte d'éducation ils reçoivent, ces enfants ? Ils sont éduqués à devenir des mafieux, à haïr et tuer leur prochain, à n'avoir confiance en personne, à mentir et dissimuler, à trahir ceux qu'ils aiment ! Pourtant, beaucoup d'entre vous auraient la possibilité aujourd'hui d'élever leurs enfants autrement, de leur éviter ce désastre. Si vous les aimez, vos enfants, envoyez-les loin de la Sicile, envoyez-les faire leurs études en Suisse, ou n'importe où ailleurs ! Ne leur inculquez pas vos idées et vos principes, ne les poussez pas à vous imiter. Vous avez fait ce métier en tremblant. Vous avez été des vautours pendant toute votre vie. Que vos enfants ne deviennent pas eux aussi des vautours ! Envoyez-les très loin, offrez-leur tout le confort, venez les voir de temps en temps et dites-leur alors : « Ne venez pas en Italie ! Ne venez sous aucun prétexte en Sicile ! »

Ne faites pas comme Nitto Santapaola, les Corléonais et tous les autres. Nitto a trois fils encore jeunes, et il les a tous aiguillés sur la voie de la mafia. Ou alors, si vous voulez continuer à mener la même vie, si vous êtes incapables de vous arracher au bourbier dans lequel vous pataugez, évitez au moins de les marier entre eux, vos enfants. Faites-leur connaître d'autres gens, des gens normaux, poussez-les vers la société des hommes évolués.

Écoutez ce que je vous dis là. Arrêtez-vous un moment pour réfléchir. Essayez de trouver votre salut. Sinon il n'y aura pas de miséricorde pour vous. Dieu ne vous pardonnera jamais les malheurs et les deuils que vous semez autour de vous. Vous êtes les hommes du déshonneur.

Cet ouvrage a été composé
par l'Imprimerie Bussière
et imprimé sur presse CAMERON
dans les ateliers de B.C.A.
à Saint-Amand-Montrond (Cher)
pour le compte des Éditions Albin Michel

Achevé d'imprimer en décembre 1992
N° d'édition : 12613. N° d'impression : 3087-92/543
Dépôt légal : janvier 1993